U0444870

商务馆对外汉语教学专题研究书系
总主编　赵金铭
审　订　世界汉语教学学会

对外汉语教学学科理论研究

主　编　李　泉

商务印书馆
2006年·北京

图书在版编目（CIP）数据

对外汉语教学学科理论研究/李泉主编. —北京:商务印书馆,2006
（商务馆对外汉语教学专题研究书系）
ISBN 7-100-04934-2

Ⅰ.对… Ⅱ.李… Ⅲ.对外汉语教学－教学研究－文集 Ⅳ.H195-53

中国版本图书馆CIP数据核字(2006)第021206号

所有权利保留。

未经许可,不得以任何方式使用。

DUÌWÀI HÀNYǓ JIÀOXUÉ XUÉKĒ LǏLÙN YÁNJIŪ
对外汉语教学学科理论研究
主编 李 泉

商 务 印 书 馆 出 版
（北京王府井大街36号 邮政编码100710）
商 务 印 书 馆 发 行
北京瑞古冠中印刷厂印刷
ISBN 7-100-04934-2/H·1209

2006年7月第1版　　　开本 880×1230　1/32
2006年7月北京第1次印刷　　印张 12⅞
印数 5 000 册
定价：24.00元

总主编 赵金铭
主　编 李　泉
编　者 李　泉　阮　畅
作　者 （按音序排列）
　　　　　陈贤纯　程　棠　崔永华　李　泉
　　　　　李培元　刘　珣　鲁健骥　吕必松
　　　　　徐甲申　张　凯　张德鑫　赵金铭

目 录

从对外汉语教学到汉语国际推广（代序） …………… 1

综述 ………………………………………………… 1

第一章　对外汉语教学学科理论研究回顾 ………… 1
　　第一节　对外汉语教学学科研究概说 ………………… 1
　　第二节　学科理论建设成就概述 ……………………… 22
　　第三节　学科理论研究的现状和面临的问题 ………… 46

第二章　对外汉语教学的学科属性 ………………… 64
　　第一节　对外汉语教学的性质和特点 ………………… 64
　　第二节　对外汉语教学的定性和定位 ………………… 83
　　第三节　对外汉语教学与其他语言教学的异同 ……… 91
　　第四节　语言教育学的学科独立性 …………………… 99
　　第五节　对外汉语教学的学科属性 …………………… 111

第三章　对外汉语教学的学科理论体系 …………… 129
　　第一节　对外汉语教学学科概说 ……………………… 129
　　第二节　对外汉语教学学科理论研究的范围 ………… 149
　　第三节　对外汉语教学的学科体系构成 ……………… 166
　　第四节　对外汉语教学的学科理论体系研究 ………… 178

第四章　对外汉语教学学科基本问题研究 ………… 189

第一节　对外汉语教学学科的方法论 …………… 189
第二节　对外汉语教学的学科理论基础 ………… 204
第三节　对外汉语教学学科的基本问题和基本
　　　　方法 ………………………………………… 215
第四节　对外汉语教学目的的理论探索 ………… 231
第五节　对外汉语教学的教学内容和基本的
　　　　教学方法 …………………………………… 245
第六节　语言能力及相关问题 …………………… 258
第七节　对外汉语教学的学科基本理论 ………… 271

第五章　对外汉语教学发展史研究 ……………… 313
第一节　对外汉语教学发展概述 ………………… 313
第二节　中国对外汉语教学的历史回顾 ………… 327
第三节　对外汉语教学的历史研究 ……………… 342

后记 …………………………………………………… 355

从对外汉语教学到汉语国际推广
（代序）

赵 金 铭

新中国的对外汉语教学在经过 55 年的发展之后，于 2005 年 7 月进入了一个新时期。以首届"世界汉语大会"的召开为契机，我国的对外汉语教学在继续深入做好来华留学生汉语教学工作的同时，开始把目光转向汉语国际推广。这在我国对外汉语教学发展史上是一个历史的转捩点，是里程碑式的转变。

语言的传播与国家的发展是相辅相成的，彼此互相推动。世界主要大国无不不遗余力地向世界推广自己的民族语言。我们大力推动汉语的传播不仅是为了满足世界各国对汉语学习的急切需求，也是我国自身发展的需要，是国家软实力建设的一个有机组成部分，是一项国家和民族的事业，其本身就应该成为国家发展的战略目标之一。

回顾历史，对外汉语教学的每一步发展，都跟国家的发展、国际风云的变幻以及我国和世界的交流与合作息息相关。

新中国对外汉语教学肇始于 1950 年 7 月，当时清华大学开始筹办"东欧交换生中国语文专修班"，时任该校教务长的著名物理学家周培源先生为班主任;9月成立外籍留学生管理委员会,前辈著名语言学家吕叔湘先生任主任;同年12月第一批东欧学生入校学习。这是新中国对外汉语教学事业的滥觞。那时,全部留学生只有33人。十几年之后,到1964年也才达到229人。1965年猛增至3 312人。这自然与当时中国的国际地位和世界局势变化密切相关。经"文革"动乱,元气大伤。1973年恢复对外汉语教学,当时的留学生也只有383人。此后数年逐年稍有增长,至1987年达到2 044人,还没有恢复到1965年的水平。[①]

改革开放以后,特别是近十几年来,对外汉语教学事业飞速发展。从20世纪90年代开始,来华留学生数量呈逐年上升趋势,至2003年来华留学生已达8.5万人次。据不完全统计,目前全球学习汉语的人数已达3 000万。

对外汉语教学事业的蓬勃发展,一直得到国家的高度重视和大力支持。早在1988年,国家教委、国家对外汉语教学领导小组在北京召开"全国对外汉语教学工作会议"时,时任国家对外汉语教学领导小组常务副组长、国家教委副主任的滕藤同志在工作报告中,就以政府高级官员的身份第一次提出,要推动对外汉语教学这项国家与民族的崇高事业不断发展。

会议制定了明确的发展目标,即"争取在半个多世纪的时间内做到:在教学规模上能基本满足各国人民来华学习汉语的需求;在教学理论和教学方法上,赶上并在某些方面超过把本民族语作为外语教学的世界先进水平;能根据各国的需要派遣汉语

[①] 参见张亚军《对外汉语教法学》,现代出版社1990年版。

教师、提供汉语教材和理论信息;在教学、科研、教材建设及师资培养和教师培训等方面都能很好地发挥我国作为汉语故乡的作用"。①

今天距那时不过十几年时间,对外汉语教学的局面却发生了翻天覆地的变化。对外汉语教学不再仅仅是满足来华留学生汉语学习的需要,汉语正大步走向世界。对外汉语教学的持续、快速发展,以至汉语国际推广的迅猛展开,正是势所必至,理有固然。目前,汉语国际推广正处在全新的、催人奋进的态势之中。

国家在世界范围内推广汉语教学,我们谓之"致广大";我们在此对对外汉语教学进行全方位的研讨,我们谓之"尽精微"。二者结合,构成我们的总体认识,这里我们希望能"博综约取",作些回首、检视和瞻念,以寻求符合和平发展时代的汉语国际推广之路。

一 汉语作为第二语言教学的理论研究

对外汉语教学,即汉语作为第二语言教学,作为一个学科,从形成到现在不过几十年,时间不算太长,学科基础还比较薄弱,理论研究也还不够深厚。但汉语作为第二语言教学作为一个学科有它持续的社会需要,有自身的研究方向、目标和学科体系,而且更重要的是它正按照自身发展的需要,不断地从其他的有关学科里吸取新的营养。诚然,要使对外汉语教学形成跨学科的边缘学科,牵涉的领域很广,理论的概括和总结实非易事。

---

① 参见晓山《中国召开全国对外汉语教学工作会议》,《世界汉语教学》1988年第4期。

综览世界上的第二语言教学,真正把语言教学(在西方,"语言教学"往往是指现代外语教学)作为一门独立学科而建立是在上一个世纪60年代中叶。

桂诗春曾引用Mackey(1973)说过的一句意味深长的话:"(语言教学)要成为独立的学科,就必须像其他科学那样,编织自己的渔网,到人类和自然现象的海洋里捞取所需的东西,摒弃其余的废物;要能像鱼类学家阿瑟·埃丁顿那样说,'我的渔网里捞不到的东西不会是鱼'。"①

应用语言学是一门独立的交叉学科,分广义和狭义两种。狭义的应用语言学研究语言教学。广义的应用语言学指应用于实际领域的语言学,除传统的语言文字教学外,还包括语言规划、语言传播、语言矫治、辞书编纂等。我们这里取狭义的理解,即指语言教学,主要研究汉语作为第二语言教学或外语教学。所以,我们说对外汉语教学是应用语言学,或者说是应用语言学的一个分支学科。我们把对外汉语教学归属于应用语言学,或者说对外汉语教学的上位是应用语言学。

应用语言学作为一门应用型的交叉学科,它的基本特点是在学科中间起中介作用,即把各种与外语教学有关的学科应用到外语教学中去。组织外语教学的许多重要环节(如教育思想、教学管理、教学组织、教学安排、教材、教法、教具、测试、教师培训等等),既有等级的,也有平面的关系。而教学措施上升为理论之后,语言教学就出现了很大的变化。② 那么,这些具有不同

---

① 参见桂诗春《外国语言学及应用语言学研究》第一辑发刊词,首都师范大学外国语学院主办,中央编译出版社2002年版。
② 参见桂诗春《外语教学的认知基础》,《外语教学与研究》2005年第4期。

等级的或处于同一平面的各种关系是如何构筑成对外汉语教学的学科理论的呢？

李泉在总结对外汉语教学学科基本理论时，提出应由四部分组成：(1)学科语言理论，包括面向对外汉语教学的语言学及其分支学科理论，面向对外汉语教学的汉语语言学；(2)语言学习理论，包括基本理论研究、对比分析、偏误分析和中介语理论；(3)语言教学理论，包括学科性质理论、教学原则和教学法理论；(4)跨文化交际理论。①

这些理论，在某种意义上都有其自身存在的客观规律，这也是作为学科的对外汉语教学所必须遵循的。我们尤其应该强调的是对语言教学理论的应用，这个应用十分重要，事关教学质量与学习效率，这个应用包括教学设计与技巧、汉语测试的设计与实施。只有应用得当，理论才发生效用，才能在教学和学习过程中起提升与先导作用。

几十年来，我们一直把对外汉语教学作为一个学科来建设，建设中也是从理论与应用两方面来思考的。陆俭明在探讨把汉语作为第二语言教学当作一个独立的学科来建设时，提出了更高的要求，他认为这个学科应有它的哲学基础，有一定的理论支撑，有明确的学科内涵，有与本学科相关的、起辅助作用的学科。② 我们认为，所谓的哲学基础，关涉到对语言本质的认识，反映出不同的语言观。比如语言是一种交际工具，还是一种能

---

① 参见李泉《对外汉语教学的学科基本理论》，《海外华文教育》2002年第3、4期。

② 参见陆俭明《增强学科意识，发展对外汉语教学》，《世界汉语教学》2004年第1期。

力?语言是先天的,还是后得的?这都关系着语言教学的发展,特别是教学法与教学模式的确立。总之,我们应树立明确的学科意识,共同致力于对外汉语教学的学科理论建设。

二 关于学科研究领域

汉语作为第二语言教学,作为一个学科,业内是有共识的,并且希望参照世界上第二语言教学的学科建设,来完善和改进汉语作为第二语言教学的学科体系,不断推进学科建设的开展,其中什么是学科的本体研究,是首先要考虑的问题。

本体的观念是古希腊亚里士多德范畴说的核心。亚里士多德把现实世界分成本体、数量、性质、关系、地点、时间、姿态、状况、动作、遭受等十个范畴。他认为,在这十个范畴中,本体占有第一的、特殊的位置,它是指现实世界不依赖任何其他事物而独立存在的各种实体及其所代表的类。从意义特征上看,本体总是占据一定的时间,是看得见、摸得着的事物。其他范畴则是附庸于本体的,非独立的,是本体的属性,或者说是本体的现象。因此,本体是存在的中心。①

早在上世纪末,对外汉语教学界就有人提出对外汉语教学"本体研究"和"主体研究"的观点。"对外汉语教学学科研究的领域,概而化之,可分为两大板块:一是对汉语言本身,包括汉语语音、词汇、语法和汉字等方面的研究,可谓之学科本体研究;二是对作为第二语言教学的汉语理论与实践体系和学习与习得规

---

① 参见姚振武《论本体名词》,《语文研究》2005 年第 4 期。

律、教学规律、途径与方法论的研究,可谓之学科的主体研究。学科本体研究是学科主体研究的前提与基础,学科主体研究是学科本体研究的目的与延伸。对这种学科本体、主体研究的辩证关系的正确认识与把握,是至关重要的,它关系着对外汉语教学学科发展的方向与前途。否则,在学科理论研究上,就容易偏颇、失衡,甚至造成喧宾夺主。"①

不难看出,这里所说的"本体研究"即为"知本",它占有第一的、特殊的位置,是存在的中心。这里所说的"主体研究"即为"知通",是附庸于本体的,本固枝荣,只有把作为第二语言的汉语研究透、研究到家,在此基础上"教"与"学"的研究才会不断提高。

我国对外汉语教学的历史毕竟不长,经验也不足,对于汉语作为第二语言教学之本体研究,也还存在不同的认识。当然,若从研究领域的角度来看,大家是有共识的。只是观察的视角与侧重考虑的方面有所不同。总的说来,对对外汉语教学的基础研究还应进一步地深入思考,以期引起有关方面的足够重视。

对此,陆俭明是这样认识的:"在这世纪之交,有必要在回顾、总结我国对外汉语教学的基础上,认真思考并加强汉语作为第二语言的本体研究,特别是对外汉语教学的基础研究。汉语作为第二语言之本体研究,按我现在的认识和体会,应包括以下五部分内容:第一部分是,根据汉语作为第二语言教学的需要而开展的服务汉语教学的语音、词汇、语法、汉字之研究。第二部分是,根据汉语作为第二语言教学需要而开展的学科建设理论

---

① 参见杨庆华《对外汉语教学研究丛书·序》,北京语言文化大学出版社1997年版。

研究。第三部分是,根据汉语作为第二语言教学需要而开展的教学模式理论研究。第四部分是,根据汉语作为第二语言教学需要而开展的各系列教材编写的理论研究。第五部分是,根据汉语作为第二语言教学需要而开展的汉语水平测试及其评估机制的研究。"①这里既包括理论研究的内容,也包括应用研究的内容,可供参酌。根据第二语言教学的三个组成部分的思想,即"教什么""怎样学""如何教",上述的观点非常正确地强调了"教什么"和"如何教"的研究,却未包括"怎样学"的研究。

陆先生认为,对外汉语教学学科的本体研究必须紧紧围绕一个总的指导思想来展开,这个总的指导思想是:"怎么让一个从未学过汉语的外国留学生在最短的时间内能最快、最好地学习好、掌握好汉语。"②正是基于这样的指导思想,才有上述五个方面的研究。

业内也有人从研究对象的角度出发,认为"教学理论是对外汉语教学的本体理论"。吕必松认为,"每一门学科都有自己特定的研究对象,这种特定的研究对象就是这门学科的本体"。那么,"对外汉语教学的研究对象是作为第二语言的汉语教学,作为第二语言的汉语教学就是对外汉语教学研究的本体"。③

我们认为,几十年来,对外汉语教学这门学科的建设取得了长足的进步与巨大的发展。它由初始阶段探讨学科的命名,学科的性

---

① 参见陆俭明《汉语作为第二语言之本体研究》,载《作为第二语言的汉语本体研究》,外语教学与研究出版社2005年版。

② 参见陆俭明《增强学科意识,发展对外汉语教学》,《世界汉语教学》2004年第1期。

③ 参见吕必松《谈谈对外汉语教学的性质与对外汉语教学的本体理论研究》,载《语言教育与对外汉语教学》,外语教学与研究出版社2005年版。

质和特点,学科的定位、定性和定向,发展到今天,概括汉语作为第二语言教学需要而开展的服务于汉语教学的汉语本体研究,与教学研究互动结合已成为学科建设的主要内容,教学理论与学习理论研究,形成有力的双翼,加之现代教育技术的应用,从而最终构架并完善了学科体系。对外汉语教学作为第二语言教学或外语教学,经业内同仁几代人的苦心孤诣、惨淡经营,目前在世界上汉语作为第二语言教学领域已占主流地位,这是值得欣慰的。

对于学科建设上的不同意见,我们主张强调共识,求大同存小异。面对欣欣向荣、蓬勃发展的"汉语国际推广"的大好局面,共同搞好汉语作为第二语言教学的学科建设,以便为"致广大"的事业尽力,是学界同仁的共同愿望。因此,我们赞赏吕必松下面的意见,并希望能切实付诸学术讨论之中:

"我国对外汉语教学界在对外汉语教学的学科性质和特点等问题上一直存在着不同的意见。因为对外汉语教学是一门年轻的学科,学科理论还不太成熟,出现分歧在所难免。就是学科理论成熟之后,也还会出现新的分歧。开展不同意见的讨论和争论,有利于学科理论的发展。"[①]

三　关于汉语作为第二语言研究

汉语作为第二语言研究,不少人简称为"对外汉语研究"。比如上海师范大学创办的刊物就叫《对外汉语研究》,已由商务

[①] 参见吕必松《语言教育与对外汉语教学·前言》,外语教学与研究出版社2005年版。

印书馆于2005年出版了第一期。

1993年,中共中央和国务院颁布了《中国教育改革和发展纲要》,里面提到要"大力加强对外汉语工作"。此后,在我国的学科目录上"对外汉语"专业作为学科的名称出现。

汉语作为一种语言,自然没有区分为"对外"和"对内"的道理,这是尽人皆知的。我们理解所谓的"对外汉语",其实质为"作为第二语言的汉语",也即"汉语作为第二语言"。它是与汉语作为母语相对而言的。在业内,在"对外汉语"的"名"与"实"的问题上,也存在着不同意见。我们认为,随着"汉语国际推广"大局的推进,"对外汉语教学"无论从内涵还是外延看都不能满足已经变化了的形势。我们主张从实质上去理解,也还因为"名无固宜","约定俗成"。

在这个问题上,我们同意刘珣早在2000年就阐释清楚的观点:"近年来出现了'对外汉语'一词。起初,连本学科的不少同仁也觉得这一术语难以接受。汉语只有一个,不存在'对外'或'对内'的不同汉语。但现在'对外汉语'已逐渐为较多的人所认同,而且已成为专业目录上我们专业的名称(专业代码050103)。这一术语的含义也许应理解为'作为第二语言教学与研究的汉语',也就是从一个新的角度来研究汉语。""对外汉语教学是汉语作为第二语言的教学,它与汉语作为母语的教学的巨大差别也体现在教学内容,即所要教的汉语上,这是从对外汉语教学事业初创阶段就为对外汉语教学界所重视的问题。"①

---

① 参见刘珣《近20年来对外汉语教育学科的理论建设》,《世界汉语教学》2000年第1期。

汉语作为第二语言,这是对外汉语教学的主要内容,是要解决"教什么"的问题,故而对外汉语作为第二语言的研究就成为学科建设的极其重要的组成部分,随着国家"汉语国际推广"战略的提出,汉语作为第二语言教学,无论从学术研究上,还是从应用研究上,都会得到极大的提升,名实相副的情况,当会出现。

还有人从另一个新的角度,即世界汉语教育史的研究,阐释了作为第二语言的汉语研究之必要,张西平说:"世界汉语教育史是一个全新的研究领域。这一领域的开拓必将极大地拓宽我们汉语作为第二语言教学的研究范围,使学科有了深厚的历史根基。我们可以从汉语作为第二语言教学的悠久历史中总结、提升出真正属于汉语本身的规律。"[①]

那么,服务于对外汉语教学的汉语本体研究,或称作作为第二语言的汉语本体研究,其核心是什么呢?潘文国对此作出解释:所谓"对外汉语研究,应该是一种以对比为基础、以教学为目的、以外国人为对象的汉语本体研究"。[②]

我们认为,"对外汉语"作为一门科学,也是一门学科,首先应从本体上把握,研究它不同于其他学科的本质特点及其成系统、带规律的部分,这也就是"对外汉语研究",也就是汉语作为第二语言的研究。

这种汉语作为第二语言的研究,以及汉语作为第二语言的教学研究和汉语作为第二语言的学习研究,加之所有这些研究

---

① 参见张西平《简论世界汉语教育史的研究物件和方法》,载李向玉等主编《世界汉语教育史研究》,澳门理工学院 2005 年印制。
② 参见潘文国《论"对外汉语"的科学性》,《世界汉语教学》2004 年第 1 期。

所依托的现代科技手段和现代教育技术,共同构筑了对外汉语教学研究的基本框架。这就是我们所说的本体论、方法论、认识论和工具论。①

从接受留学生最初的年月,对外汉语教学的前辈们就十分注意汉语作为第二语言的研究。这是因为"根本的问题是汉语研究问题,上课许多问题说不清,是因为基础研究不够"。也可以说"离开汉语研究,对外汉语教学就无法前进"。②

我们这里分别对作为第二语言的汉语语音、词汇、语法和汉字的研究与教学略作一番讨论,管中窥豹,明其现状,寻求改进。

(一) 作为第二语言的汉语语音

作为第二语言的汉语语音的研究与教学,近年来因诸多原因,重视不够,有滑坡现象,最明显的是语音教学阶段被缩短,以至于不复存在;但是初始阶段语音打不好基础,将会成为顽症,纠正起来难上加难。本来,对外汉语教学界曾有很好的语音教学与研究的传统,有不少至今仍可借鉴的研究成果,包括对汉语语音系统的研究和对《汉语拼音方案》的理解与应用,遗憾的是,近来的教材都对此重视不够。

比如赵元任先生那本《国语入门》,大部分是语音教学,然后慢慢地才转入其他。面对目前语音教学的局面,著名语音学家、对外汉语教学的前辈林焘先生发出了感慨:"发展到今天,语音

---

① 参见赵金铭《对外汉语研究的基本框架》,《世界汉语教学》2001 年第 3 期。
② 参见朱德熙《在纪念〈语言教学与研究〉创刊 10 周年座谈会上的发言》,《语言教学与研究》1989 年第 3 期。

已经一天一天被压缩,现在已经产生危机了。我们搞了52年,外国人说他们学语音还不如在国外。这说明我们在这方面也是太放松了,过于急于求成了,就把基础忘掉了。语音和文字是两个基础,起步我们靠这个起步;过于草率了,那么基础一没打稳,后边整个全过程都会受影响。"① 加强语音教学是保证汉语教学质量的重要一环,无论是教材还是课堂教学,语音都不应被忽视。

(二)作为第二语言的汉语词汇

长期以来,在汉语作为第二语言教学中,比较重视语法教学,而在某种程度上却忽视了词汇教学的重要性,使得词汇研究和教学成为整个教学过程中的薄弱环节。

其实,在掌握了汉语的基本语法规则之后,还应有大量的词汇作基础,尤其应该掌握常用词的不同义项及其功能和用法,唯其如此,才能真正学会汉语,语法也才管用,这是因为词汇是语言的唯一实体,语法也只有依托词汇才得以存在。学过汉语的外国人都有这样的体会,汉语要一个词一个词地学,要掌握每一个词的用法,日积月累,最终才能掌握汉语。近年来,我们十分注意汉语词汇及其教学的研讨,尤其注重词汇的用法研究。

有两件标志性的事可资记载:

一是注重对外汉语学习词典的编纂研究。2005年在香港

---

① 参见林焘(2002)的座谈会发言,载《继往开来——新中国对外汉语教学52周年座谈会纪实》,北京语言大学内部资料。

城市大学召开了"对外汉语学习词典国际研讨会",其特色是强调计算语言学家和词典学家密切合作,依据语料库语言学编纂学习词典的思路,为对外汉语教学的词汇教学与学习服务,有力地推动了汉语的词汇研究与教学。

二是针对汉语词汇教学中的重点,特别是中、高级阶段,词义辨析及用法差异是教学之重点,学界努力打造一批近义词辨析词典,从释义、功能、用法方面详加讨论。例如《汉英双语常用近义词用法词典》《对外汉语常用词语对比例释》《汉语近义词词典》《1700对近义词语用法对比》。[①]

这些词典各有千秋,在释文、例证、用法、英译等方面各有特色,能在一定程度上满足汉语教学和学习者的需要。

(三)作为第二语言的汉语语法

作为第二语言教学的汉语语法研究与语法教学研究,如果从数量上看一直占有最大的分量,这当然与它受到重视有关。近年来,汉语语法研究范围更加广泛,内容也更加细致、深入,结合教学的程度也更加紧密,达到了前所未有的高度。

首先,理清了理论语法与教学语法之关系,为汉语作为第二语言教学语法的研究理清了思路。理论语法是教学语法的来源与依据,教学语法的体系可灵活变通,以便于教学为准。目前,

---

[①] 参见邓守信主编《汉英双语常用近义词用法词典》,北京语言学院出版社1996年版;卢福波编著《对外汉语常用词语对比例释》,北京语言文化大学出版社2000年版;马燕华、庄莹编著《汉语近义词词典》,北京大学出版社2002年版;王还主编《汉语近义词词典》,北京语言大学出版社2005年版;杨寄洲、贾永芬编著《1700对近义词语用法对比》,北京语言大学出版社2005年版。

教学语法虽更多地吸收传统语法的研究成果,而一切科学的语法都会对汉语作为第二语言教学语法有帮助。教学语法是在不断地吸收各种语法研究成果中迈步、发展和不断完善的。

其次,对汉语作为第二语言的教学语法进行了科学的界定,即:第二语言的教学目的决定了教学语法的特点,它主要侧重于对语言现象的描写和对规律、用法的说明,以方便教学为主,也应具有规范性。

再次,学界认为应建立一部汉语作为第二语言教学的汉语教学参考语法,无论是编写教材,还是从事课堂教学,或是备课、批改作业,都应有一部详细描写汉语语法规则和用法的教学参考语法作为依据。其中应体现汉语作为第二语言教学的自己的语法体系,应有语法条目的确定与教学顺序的排序。

最后,应针对不同母语背景的教学对象,排列出不同的语法点及其教学顺序。事实证明,很难排出适用于各种母语学习者的共同的语法要点及其顺序表。

对欧美学生来说,受事主语句、存现句、主谓谓语句,以及时间、地点状语的位置,始终是学习的难点,同时也体现汉语语法特点。而带有普遍性的语法难点,则是"把"字句、各类补语以及时态助词"了""着"等。至于我们所认为的特殊句式,其实并非学习的难点,比如连动句、兼语句、"是"字句、"有"字句以及名词谓语句、形容词谓语句。这也是从多年教学中体味出的。

(四)汉字研究与教学

汉字教学是对外汉语教学的重要组成部分。然而,与其他汉语要素相比,汉字教学从研究到教学一直处于滞后状态。为了改变这一局面,除了加强对汉字教学的各个环节的研究之外,要突破汉字教学的瓶颈,首先应澄清对汉字的误解,建立起科学的汉字观。汉字本身是一个系统,字母本身也是一个系统。字母属于字母文字阶段,汉字属于古典文字阶段,它们是一个系统的两个阶段。这个概念的改变影响很大,这是科学的新认识。①当我们把汉字作为一个科学系统进行研究与教学时,要清醒地认识到汉字是汉语作为第二语言教学与其他第二语言教学的重要区别之一。在对外汉语教学中,究竟采用笔画、笔顺教学,还是以部件教学为主,或是注重部首教学,抑或是从独体到合体的整字教学,都有待于通过教学试验,取得相应的数据,寻求理论支撑,编出适用的教材,寻求汉字教学的突破口,从而使汉语书面语教学质量大幅度提高。与汉字教学相关的还应注意"语"与"文"的关系之探讨,字与词的关系的研究,以及汉语教材与汉字教材的配套,听说与读写之关系等问题的研究。

四　关于汉语作为第二语言教学研究

我们所说的教学研究,包括以下五个部分:课程教学设计、教学方法与教学技巧、教材编写理论与实践、语言测试理论与汉语考试、跨学科研究之——现代教育技术在教学中的应用。

(一) 关于教学模式研究

近年来,对外汉语教学界尤其注重教学模式的研究,寻求教

---

① 参见周有光《百岁老人周有光答客问》,《中华读书报》2005年1月22日。

学模式的创新。什么是教学模式？教学模式是指具有典型意义的、标准化的教学或学习范式。

具体地说,教学模式是在一定的教学理论和教学思想指导下,将教学诸要素科学地组成稳固的教学程序,运用恰当的教学策略,在特定的学习环境中,规范教学课程中的种种活动,使学习得以产生。① 更加概括简洁的说法则为：教学模式,指课程的设计方式和教学的基本方法。②

教学模式具有不同的类型。我们所说的对外汉语教学模式,就是从汉语和汉字的特点及汉语应用的特点出发,结合汉语作为第二语言的教学理论,遵循大纲的要求,提出一个全面的教学规划和实施方案,使教学得到最优化的组合,产生最好的教学效果。这是一种把汉语作为第二语言教学的特定的教学模式。

教学模式研究表现在课程设计上,业内主要围绕着"语"和"文"的分合问题而展开,由来已久,且持续至今。

早在1965年,由钟梫执笔整理成文的《十五年汉语教学总结》就对"语"与"文"的分合及汉字问题进行了讨论。③ 当时提出三个问题：

1. 有没有学生根本不必接触汉字,完全用拼音字母学汉语？即学生只学口语,不学汉字。当时普遍认为,这种学生根本不必接触汉字。

---

① 参见周淑清《初中英语教学模式研究》,北京语言大学出版社2004年版。
② 参见崔永华《基础汉语教学模式的改革》,《世界汉语教学》1999年第1期。
③ 参见钟梫(1965)《十五年汉语教学总结》,载《语言教学与研究》(试刊,第4期,1977年内部印刷),又收入盛炎、砂砾编《对外汉语教学论文选评》,北京语言学院出版社1993年版。

2. 需要认汉字的学生是否一定要写汉字? 即"认"与"写"的关系。一种意见认为不写汉字势必难以记住,"写"是必要的;另一种意见认为,"认离不开写"这一论点根本上不能成立,即不能说非动笔写而后才能认,也就是说"认"和"写"可以分离。

3. 需要认(或认、写)汉字的学生是不是可以先学"语"后学"文"呢? 后人的结论是否定了"先语后文",采用了"语文并进"。而"认汉字"与"写汉字"也一直是同步进行的。

这种"语文并进""认写同步"的教学模式,从上世纪50年代起一直是占主流的教学模式,延续至今。80年代以后,大多沿用以下三种传统教学模式:"讲练—复练"模式,"讲练—复练+小四门(说话、听力、阅读、写作)"模式,"分技能教学"模式。

目前,对外汉语教学界广泛使用的是一种分技能教学模式,以结构—功能的框架安排教学内容,采用交际法和听说法相结合的综合教学法。这种教学模式大约在80年代定型。

总的看来,对外汉语教学界所采用的教学模式略显单调,似嫌陈旧。崔永华认为:"从总体上看,这种模式反映的是60年代至70年代国际语言教学的认识水平。30年来,国内外在语言学、第二语言教学、语言心理学、语言习得研究、语言认知研究等跟语言教学相关的领域中都取得了巨大的进步,研究和实验成果不可计数。但是由于种种原因,目前的教学模式对此吸收甚少。"[1]

这种局面应该改变,今后,应在寻求反映汉语和汉字特点的教学模式的创新上下功夫,特别要提升汉字教学的地位,特别要

---

[1] 参见崔永华《基础汉语教学模式的改革》,《世界汉语教学》1999年第1期。

注意语言技能之间的平衡,大力加强书面语教学,着力编写与之相匹配、相适应的教材,进行新的教学实验,切实提高汉语的教学质量。

(二) 教学法研究

教学方法研究至关重要。"用不同的方法教外语,收效可以悬殊。"①对外汉语教学界历来十分注重教学方法的探讨。早在1965年之前,对外汉语教学界就创造了"相对的直接法"的教学方法,强调精讲多练,加强学生的实践活动。同时,通过大量的练习,画龙点睛式地归纳语法。②

但是,对外汉语教学还是一个年轻的学科,教学法的研究多借鉴国内外语教学法的研究,这也是很自然的事情。而国内外语教学法的研究,又是跟着国外英语教学法的发展亦步亦趋。有人这样描述:

"纵观20世纪国外英语教学法历史,对比当前主宰中国英语教学的各种模式,不难发现很多早被国外唾弃的做法或理念,却仍然被我们的英语老师墨守成规地紧追不放。"③

对外汉语教学界也有类似情况。在上个世纪70年代,当我们大力推广"听说法",强调对外汉语教学应"听说领先"时,这个产生于40年代末的教学法,已并非一家独尊。潮流所向,人们

---

① 参见吕叔湘《语言与语言研究》,载《语文近著》,上海教育出版社1987年版。
② 参见钟梫(1965)《十五年汉语教学总结》,载《语言教学与研究》(试刊,第4期,1977年内部印刷),又收入盛炎、砂砾编《对外汉语教学论文选评》,北京语言学院出版社1993年版。
③ 参见丁杰《英语到底如何教》,《光明日报》2005年9月14日。

已不再追求最佳教学法,而转向探讨各种有效的教学法路子。70年代至80年代,当我们在教学中引进行为主义,致力于推行"结构法"和"句型操练"之时,实际上行为主义在国际上已逐渐式微,而代之以基于认知心理学的"以学生为中心"的认知法。

在国际外语教学界,以结构为主的传统教学法与以交际为目的的功能教学法交替主宰语言教学领域之后,80年代末至90年代初,在英语教学领域"互动性综合教学法"便应运而生,盛行一时。所谓综合,偏重的是内容;所谓互动,强调的是方法。①

90年代末,体现这种互动关系的任务式语言教学模式在欧美逐渐兴盛起来。这种教学方法的基本理论可概括为:通过"任务"这一教学手段,让学习者在实际交际中学会表达思想,在过程中不断接触新的语言形式并发展自己的语言系统。

任务法是交际教学法中提倡学生"通过运用语言来学习语言",这一强势交际理论的体现,突出之处是"用中学",而不是以往交际法所强调的"学以致用"。

这种通过让学生完成语言任务来习得语言的模式,既符合语言习得规律,又极大地调动了学习者学习的积极性,本身也具有极强的实践操作性。因此,很受教师和学生的欢迎。以至于"20世纪末、21世纪初在应用语言学上可被称为任务时代"。②

在我国英语教学界,人民教育出版社于2001年遵循任务型教学理念编写并出版了初中英语新教材《新目标英语》,并在若干中学进行教学模式试验,取得了可喜的成绩。在对外汉语教

---

① 参见王晓钧《互动性教学策略及教材编写》,《世界汉语教学》2005年第3期。

② 参见周淑清《初中英语教学模式研究》,北京语言大学出版社2004年版。

学界,马箭飞基于任务式大纲从交际范畴、交际话题和任务特性三个层次对汉语交际任务项目进行分类,提出建立以汉语交际任务为教学组织单位的新教学模式的设想,并编有教材《汉语口语速成》(共五册)。①

这种交际教学理论在教学中被不断应用,影响所及,所谓"过程写作"教学即其一。"写"是重要的语言技能之一,"过程写作法"认为:写作是一个循环式的心理认知过程、思维创作过程和社会交互过程。写作者必须通过写作过程的一系列认知、交互活动来提高自己的认知能力、交互能力和书面表达能力。②

过程写作的宗旨是:任何写作学习都是一个渐进的过程。这个过程需要教师的监督指导,更需要通过学生自身在这个过程中对文章立意、结构及语言的有意学习。由过程写作引发而建立起来的过程教学法理论,也对第二语言教学的大纲设计、语法教学、篇章分析等产生了深刻的影响。③

交际语言教学理论的另一个发展,是近几年来在西方渐渐兴起的体验式教学。这种教学法的特点是把文化行为训练纳入对外汉语教学之中,而不主张单纯从语言交际角度看待外语教学。在整个教学过程中,自始至终贯穿着"角色"和"情景"的观念。2005年,我国高等教育出版社出版有陈作宏、田艳编写的《体验汉语》系列教材,是这种理念的一次尝试。

---

① 参见马箭飞《任务式大纲与汉语交际任务》,《语言教学与研究》2002年第4期。
② 参见陈玟《教学模式与写作水平的相互作用——英语写作"结果法"与"过程法"对比实验研究》,《外语教学与研究》2005年第6期。
③ 参见杨俐《过程写作的实践与理论》,《世界汉语教学》2004年第1期。

今天,在教学法研究中人们更注重过程,外语教学是个过程,汉语作为第二语言教学也是一个过程。过程是组织外语教学不可忽视的因素。桂诗春说:"在 70 年代之前,人们认为提高外语教学质量的关键是教学方法,后来才发现教学方法只是起局部的作用。"①我们已经认识到并接受了这样的观点。

现在我们可以说,汉语作为第二语言教学在教学法研究方面,我们已经同世界上同类学科的研究相同步。

(三)教材研究与创新

教材的创新已经提出多年,教材也已编出上千种,但无论是数量还是质量均不能完全满足世界上学习汉语的热切需求。今后的教材编写,依然应该遵循过去总结出来的几项原则:(1)要讲求科学性。教材应充分体现汉语和汉字的特点,突破汉字教学的瓶颈,要符合语言学习规律和语言教学规律。体系科学,体例新颖。(2)要讲求针对性。教材要适应不同国家(地区)学习者的特点,特别要注意语言与文化两方面的对应性。不同的国家(地区)有不同的文化、不同的国情与地方色彩,要特别加强教材的文化适应性。因为"语言是文化的符号,文化是语言的管轨"②,二者相辅相成。因此,编写国别教材与地区教材,采取中外合编的方式,是今后的发展方向。(3)要讲求趣味性。我们主张教材的内容驱动的魅力,即进一步提升教材内容对学习者的驱动魅力。有吸引力的语言材料可以引起学习者浓厚的学习兴

---

① 参见桂诗春《外国语言学及应用语言学研究》第一辑发刊词,首都师范大学外国语学院主办,中央编译出版社 2002 年版。

② 参见邢福义《文化语言学·序》,湖北教育出版社 2000 年版。

趣。要靠教材语言内容的深厚内涵,使人增长知识,启迪学习;要靠教材的兴味,使人愉悦,从而乐于学下去。(4)要注重泛读教材的编写。要保证书面语教学质量的提高,必须编有大量的、适合各学习阶段的泛读教材。远在 1956 年以前就曾有人提出"学习任何一种外语都离不开泛读"。认为"精读给最必需的、要求掌握得比较牢固的东西,泛读则可以让学生扩大接触面,通过大量、反复阅读,也可以巩固基本熟巧"。① 遗憾的是,长期以来,我们忽视了泛读教材的建设。

(四) 汉语测试研究

语言测试应包括语言学习能力测试、语言学习成绩测试和语言水平测试。前两种测试的研究相对薄弱。学能测试多用于分班,成绩测试多由教师自行实施。而汉语水平考试(HSK)取得了可观的成绩,让世界瞩目。HSK 是一项科学化程度很高的标准化考试。评价一个考试的科学化程度,最关键的是看它的信度和效度。所谓信度,就是考试的可靠性。一个考生在一定的时段内无论参加几次 HSK 考试,成绩都是稳定的,这就是信度高。所谓效度,就是能有效地测出考生真实的语言能力。HSK 信守每一道题都必须经过预测,然后依照区分度选取合适的题目,从而保证了试卷的科学水准。目前,国家汉办又开发研制了四项专项考试:HSK(少儿)、HSK(商务)、HSK(文秘)、HSK(旅游)。这些考试将类似国外的

---

① 参见钟梫(1965)《十五年汉语教学总结》,载《语言教学与研究》(试刊,第 4 期,1977 年内部印刷),又收入盛炎、砂砾编《对外汉语教学论文选评》,北京语言学院出版社 1993 年版。

TOEIC。HSK 作为主干考试,测出考生汉语水平,可作为入学考试的依据。而四个分支考试,是一种语言能力考试,它将测出外国人在特殊职业环境中运用语言的能力。主干考试与分支考试形成科学的十字结构。目前,HSK 正致力于改革,在保证科学性的前提下,考虑学习者的广泛需求,鼓励更多的人参加考试,努力提高汉语学习者的兴趣,吸引更多的人学习汉语,以适应汉语国际推广的需要。与此同时,"汉语水平计算机辅助自适应考试"正在研制中。

(五)跨学科研究

近十几年来,对外汉语教学界的跨学科研究意识越来越强烈,集中表现在两个方面。一方面是与心理学、教育学等相结合进行的学习研究。另一方面便是与信息科学和现代教育技术的结合,突出体现在对外汉语计算机辅助教学的研究与开发上。

对外汉语计算机辅助教学是个大概念。我们可以从三个不同的角度来观察。

一是中文信息处理与对外汉语教学。研究重点是以计算语言学和语料库语言学为指导,研究并开发与对外汉语教学相关的语料库,如汉语中介语语料库、对外汉语多媒体素材库和资源库,以及汉语测试题库等。这些库的建成,有力地推动了教学与研究的开展。

二是计算机辅助汉语教学,包括在多媒体条件下,对学习过程和教学资源进行设计、开发、运用、管理和评估的理论与实践,比如多媒体课堂教学的理论与实践,多媒体教材的编写与制作,多媒体汉语课件的开发与运用。这一切给传统的教学与学习带来一场革命,运用得当,师生互动互利,教学效果会明显提高。目前国家对外汉语教学领导小组办公室正陆续推出的重大项目《长城汉语》,就是一种立体化的多媒体系列教材。

三是对外汉语教学网站的建立和网络教学的研究与开发。诸如远程教学课件的设计、网络教学中师生的交互作用等,都是研究的课题。中美网络语言教学项目所研制的《乘风汉语》是目前网络教材的代表作。

所有这一切都离不开对现代教育技术的依托。诸如影视技术、多媒体技术、网络技术以及虚拟现实技术等在教学与研究中都有广泛应用。

放眼未来,人们越来越认识到计算机辅助教学的作用与前景。当然,与此同时,仍然应当注重面授的优势与不可替代性。教师的素质、教师的水平、教师的指导作用仍然不容忽视,并有待不断提高。

五 关于汉语作为第二语言的学习研究

20世纪90年代,对外汉语教学学科理论研究的一个重要进展是开拓了语言习得理论的研究。① 近年来汉语习得研究更显上升趋势。

中国的对外汉语教学中的学习研究,因诸多因素,起步较晚。80年代初期,国外有关第二语言习得理论开始逐渐被引

---

① 参见李泉《对外汉语教学学科理论研究概述》,载《对外汉语教学理论思考》,教育科学出版社2005年版。

进,对外汉语教学研究的重心也逐步从重视"教"转向对"学"的研究。回顾近 20 年来对外汉语教学领域的第二语言习得研究,主要集中于四个方面:汉语偏误分析、汉语中介语研究、汉语作为第二语言的习得过程研究、汉语习得的认知研究。而从学习者的外部因素、内部因素以及学习者的个体差异三个侧面对学习者进行研究,还略嫌薄弱。

学习研究是逐步发展起来的,徐子亮将 20 年的对外汉语学习理论研究历史划分为三个阶段:1992 年以前,在语言对比分析的基础上,致力于外国人学汉语的偏误分析;1992—1997 年,基于中介语理论研究的偏误分析成为热点,并开始转向语言习得过程的研究;1998—2002 年,在原有基础上研究深化、角度拓展,出现了学习策略和学习心理等研究成果。研究方法向多样化和科学化方向发展。①

汉语认知研究与汉语习得研究是两个并不相同的研究领域。对外汉语教学的汉语认知研究是对把汉语作为第二语言的学习者的汉语认知研究(或简称非母语的汉语认知研究)。国内此类研究始于 20 世纪 90 年代后期,20 世纪 90 年代末和本世纪初是一个成果比较集中的时期。因其使用严格的心理实验方法,研究范围包括:学习策略的研究、认知语言学基本理论的研究、汉语隐喻现象研究、认知域的研究、认知图式的研究、语境和语言理解的研究等。② 我国心理学界做了不少母

---

① 参见徐子亮《对外汉语学习理论研究二十年》,《世界汉语教学》2004 年第 4 期。

② 参见崔永华《二十年来对外汉语教学研究热点回顾》,《语言文字应用》2005 年第 1 期。

语为汉语者的汉语认知研究,英语教学界也做了一些外语的认知研究,而汉语作为第二语言的学习者的汉语认知研究,还有待深入。

语言学习理论的研究方法是跨学科的。彭聘龄认为:"语言学习是一个极其复杂的过程,其自变量、因变量的关系必须通过实验法和测验法相结合来求得。实验可求得因果,测验能求得相关,两者结合才能得出可靠的结论。"①

汉语作为第二语言的习得与认知研究,以理论为导向的实验研究已初见成果。与国外同类研究相比,我们的研究领域还不够宽,研究的深度也有待提高。在研究方法上,经验式的研究还比较多,理论研究比较少;举例式研究比较多,定量统计分析少;归纳式研究多,实验研究少。总之,与国外第二语言习得与认知研究相比,我们还有许多工作要做。②

今后,对外汉语学习理论研究作为一个可持续发展的领域,还必须在下列方面进行努力:(1)突出汉语特点的语言学习理论研究;(2)加强跨学科研究;(3)研究视角的多维度、内容的丰富与深化;(4)研究方法改进与完善;(5)理论研究成果在教学实践中的应用。③

这五个方面的努力,会使学习理论研究这个很有发展前景

---

① 参见《语言学习理论座谈会纪要》,载《世界汉语教学》编辑部、《语言文字应用》编辑部、《语言教学与研究》编辑部合编《语言学习理论研究》,北京语言学院出版社 1994 年版。

② 参见王建勤《汉语作为第二语言的习得研究·前言》,北京语言文化大学出版社 1997 年版。

③ 参见徐子亮《对外汉语学习理论研究二十年》,《世界汉语教学》2004 年第 4 期。

的领域,为进一步丰富学科基础理论发挥重要作用。

六 回首·检视·瞻念

(一) 回首

回首近十几年来,正是对外汉语教学如火如荼蓬勃发展的时期,学科建设取得了令人瞩目的成绩。赅括言之如下:

1. 明确了对外汉语教学的学科定位,对外汉语教学在国内是汉语作为第二语言教学,在国外(境外)是汉语作为外语教学。目前,汉语国际推广的大旗已经揭起,作为国家战略发展的软实力建设之一,随着国际汉语学习需求的激增,原有的对外汉语教学的理念、教材、教法以及师资队伍等,都将面临新的挑战,自然也是难得之机遇。我们经过几十年的努力所建立起的汉语作为第二语言教学学科的覆盖面会更宽,对学科理论体系的研究更加自觉,学科意识更加强烈。

2. 对外汉语教学开辟了新的研究领域。重要的进展就是开拓了语言习得与认知理论的研究,确立了对外汉语研究的基本框架,即:作为第二语言教学的汉语本体研究(本体论)、作为第二语言的汉语认知与习得研究(认识论)、作为第二语言教学的教学理论和教学法研究(方法论)、现代科技手段与现代教育技术在教学与研究中的应用(工具论),在此基础上规划了学科建设的基本任务。

3. 更加清醒地认识到要不断更新教学理念,特别是教材编写、教学法以及汉语测试要有新的突破。要深化汉语作为第二语言教学的教学模式与教学方法的探索,加强教学实验,以满足世界上广泛、多样的学习需求。更加强教材的国别(地区)性、适应性与可接受性研究,不断创新,以适应汉语国际推广的各种模式。要加强语言测试研究,结合世界上汉语学习的多元化需求,努力开发目的明确、针对性强、适合考生心理、设计原理和方法科学、符合现代语言教学和语言测试发展趋势的多类型、多层次的考试。

4. 跨学科意识明显加强,汉语作为第二语言教学与相关学科的结合更加密切,不同类型语言教育的对比与综合研究开始引起注意,在共性研究中发展个性研究。跨学科研究特别表现在现代教育技术与多媒体技术在教学中的广泛应用,以及心理学研究与汉语作为第二语言教学研究的联手,共同研究汉语作为第二语言的认知与习得过程、习得顺序、习得规律。

5. 不断吸收世界第二语言教学的研究成果,与国外第二语言教学理论的结合更加密切,"新世纪对外汉语教学——海内外的互动与互补"学术演讲讨论会的召开即是标志①,"互动互补"既非一方"接轨"于另一方,亦非一方"适应"另一方,而是互相借鉴、相互启发,但各有特色,各自"适应"。就国内汉语教学来说,今后还应不断借鉴国内外语言教学与研究的先进成果,充分结合汉语的特点,为我所用。

(二) 检视

在充分肯定汉语作为第二语言学科建设突出发展的同时,

---

① 北京语言大学科研处《"新世纪对外汉语教学——海内外的互动与互补"学术演讲讨论会举行》,《世界汉语教学》2005 年第 1 期。

检视学科建设之不足,我们发现在学科理论、学科建设、教材建设、课堂教学与师资队伍建设上均存在尚待解决的问题。从目前汉语国际推广的迅猛态势出发,教学问题与师资问题是为当务之急。

1. 关于教学。

目前,汉语作为第二语言的课堂教学依然是以面授为主,绝大多数学习者还是通过课堂学会汉语。检视多年来的课堂教学,总体看来,教学方法过于陈旧,以传统教法为主,多倾向于以教师为主,缺乏灵活多变的教学路数与教学技巧。我们虽不乏优秀的对外汉语教师以及堪称范式的课堂教学,但值得改进的地方依然不少。李泉在经过详细地调查后发现的问题,值得我们深思。他归结为四点:(1)教学方式上普遍存在"以讲解为主"的现象;(2)教学原则上对"精讲多练"有片面理解现象;(3)课程设置上存在"重视精读,轻视泛读"现象;(4)教学内容上仍存在"以文学作品为主"现象。[1]

改进之方法,归结为一点,就是加强"教学意识"。我们赞成这样的观点:

"对外汉语是门跨文化的学科,不同专业的教师只要提高教学意识,包括学科意识、学习和研究意识、自尊自重的意识,就一定能把课上好。"[2]

2. 关于师资。

---

[1] 参见李泉《对外汉语教学理论和实践的若干问题》,载赵金铭主编《对外汉语教学研究的跨学科探索》,北京语言大学出版社 2003 年版。

[2] 参见陆俭明《汉语作为第二语言之本体研究》,载《作为第二语言的汉语本体研究》,外语教学与研究出版社 2005 年版。

对外汉语教学事业发展至今,已形成跨学科、多层次、多类型的教学活动,因之要求对外汉语教师也应该是多面手,在研究领域和研究内容上也应该是宽阔而深入的。

据国家汉办统计,目前中国获得对外汉语教师资格证书的共3 690人,国内从事对外汉语教学的专职、兼职教师共计约6 000人。其中不少人未经严格训练,仓促上阵者不在少数。以至外界这样认为:"很多高校留学生部的教师都是非专业的,没有受过专业训练,更没有搞过语言教学,其教学效果可想而知。"[1]而在国际上,情况更为不堪,简直是汉语教师奇缺,于是人们感叹,汉语教学落后于"汉语热"的发展,全球中文热引起了"中文教师荒",成为汉语国际推广的瓶颈。

据调查,我们认为,在教学实践中带有普遍性的问题,还是教师没能充分了解并掌握汉语作为第二语言教学的特点和规律,或缺乏作为一名语言教师的基本素质,没有掌握汉语作为第二语言教学的方法与技巧。其具体表现正如李泉在作了充分的观察与了解之后所描述的现象,诸如:忽视学习者的主体地位,忽视对学习者的了解,忽视教学语言的可接受性,忽视教学活动的可预知性,缺乏平等观念和包容意识。[2]

什么是合格的对外汉语教师,已经有很多讨论。国外也同样注重语言教师的素质问题,如,2002年美国国会通过了No Child Left Behind(《没有一个孩子掉队》)的新联邦法。于是,

---

[1] 参见许光华《"汉语热"的冷思考——兼谈对外汉语教学》,《学术界》2005年第4期。

[2] 参见李泉《对外汉语教学理论和实践的若干问题》,载赵金铭主编《对外汉语教学研究的跨学科探索》,北京语言大学出版社2003年版。

各州都以此制定教师培训计划,举国上下都讨论什么样的教师是合格、称职的教师。①

我们可以说,教好汉语,不让一个学习汉语的学生掉队,这是对教师的最高要求。

(三)瞻念

当今訚訚盛世,汉语国际推广的前景已经显露出曙光,我们充满信心,也深感历史责任的重大。汉语国际推广作为国家和民族的一项事业,是国家的战略决策,是国家的大政方针。而汉语作为第二语言教学,或汉语作为外语教学,则是一门学科。作为学科,它是一门科学,它是一项复杂的系统工程,要进行跨学科的、全方位的研究。在不断引进国外先进的教学理念的同时,努力挖掘汉语和汉字的特点,创新我们自己的汉语作为第二语言的教学模式和教学法。我们要以自己的研究,向世人显示出汉语作为世界上使用人口最多的一种古老的语言,像世界上任何一种语言一样,可以教好,可以学好,汉语并不难学。我们认为,要达此目的,重要的是要转变观念,善于换位思考,让不同的思维方式互相渗透和交融,共同建设好学科,做好推广。

1. 开阔视野,放眼世界学习汉语的广大人群。

多年来,我们的对外汉语教学是面向来华留学生的。今后,随着国家汉语国际推广的展开,在做好来华留学生汉语教学的同时,我们要放眼全球,更加关注世界各地的3 000万汉语学习者,要真正地走出去,走到世界上要求学习汉语的人们中去,带

---

① 参见丁杰《英语到底如何教》,《光明日报》2005年9月14日。

着他们认同的教材,以适应他们的教学法,去满足他们多样化的学习需求。这是一种观念的转变。

与此同时,我们应建立一种"大华语"的概念。比如我国台湾地区人们所说的国语,新加坡的官方语言之一华语,以及世界各地华人社区所说的带有方言味道的汉语,统统归入大华语的范畴。这样做的好处首先在于有助于增强世界华人的凝聚力和认同感;其次更有助于推进世界范围的汉语教学。我们的研究范围大为拓展,不仅是国内的汉语作为第二语言教学,还包括世界各地的汉语作为外语教学。

2. 关注学习对象的更迭。

对外汉语教学的对象是来华留学生,他们是心智成熟、有文化、母语非汉语的成年人。当汉语走向世界,面向世界各地的汉语学习者,他们的构成成分可能十分繁杂。其中可能有心智正处于发育之中的青少年,可能有文化程度不甚高的市民,也可能有家庭主妇,当然更不乏各种希望了解中国或谋求职业的学习者。我们不仅面向大学,更要面向中、小学,甚至是学龄前的儿童。从学习目的上看,未来的汉语学习者中,为研究目的而学习汉语的应该是少数,绝大多数的汉语学习者都抱有实用的目的。

3. 注意学习环境的变化。

外国人在中国学习汉语,是处在一个目的语的环境之中,耳濡目染,朝夕相处,具有良好的交际环境。世界各地的汉语学习者在自己的国家学习汉语是母语环境,需要设置场景,才能贯彻"学以致用"或"用中学"。学习环境对一个人的语言学习会产生重大影响,比如关涉到口语的水平、词汇量的多寡、所见语言现象的丰富与否、学习兴趣的激发与保持等。特别是不同的学习环境会在文化距离、民族心理、传统习惯等方面显示更大的差距,这又会对学习者的心理产生巨大的影响。于是,这就涉及教材内容的针对性问题。我们所主张的编写国别(地区)教材,可能某些教材使用的人数不一定多,但作为一个泱泱大国,向世界推广自己的民族语言时,应关注各种不同国家(地区)的汉语学习者的心态。

4. 教学理念的更新与教学法的适应性。

对国内来华留学生的汉语教学,囿于国内的语言环境及所受传统语言教学法的影响,课堂上常以教师为主,过多地依赖教材,课堂教学模式僵化,教学方法放不开,不够灵活多变。在国外,外语教学历史较长,理论纷呈,教学法流派众多,教学中多以学生为主,不十分拘泥教材,强调师生互动,教师要能随机应变。

一般说来,在东方的一些汉字文化圈国家如东北亚的日、韩等国,以及海外华人社区或以华人为主的教学单位,我们的教学理念与教学方法基本上可以适应,变化不甚明显。在西方,在欧美,特别是在北美地区,因语言和文化传统差异较大,我们在国内采用的教学方法在那里很难适应,必须做相应的改变,入乡随俗,以适应那里的汉语教学。

5. 汉语国际推广:普及为主兼及提高。

新中国的对外汉语教学已经走过 55 个春秋。多年来,我们一直竭力致力于汉语作为第二语言教学的学科建设,重视学科基础理论的扎实稳妥,扩大、拓宽学科的研究领域,搭建对外汉语教学的基本框架,探讨教学理论和学习理论,这一切都在改变社会上认为对外汉语教学"凡会说汉语都能教"以及对外汉语教学是"小儿科"等错误看法。而今,汉语作为第二语言教学已经成为一门新兴的、边缘性的、跨学科的科学,研究日益精深,已成"显学"。今天,我们已经可以与国际上第二语言教学界的同行对话,在世界上成为汉语作为第二语言教学的主流。目前,随着国家发展战略目标的建设,汉语正加速走向世界,我们要面向世界各地的3000万汉语学习者。这将不仅仅是从事国内对外汉语教学的几千名教师的责任与义务,更是全民的事业,是民族的大业,故而需要千军万马,官民并举,千方百计,全力推进。面对这种局面,首先是普及性的教学,也就是首先需要的是"下里巴人",而不是"阳春白雪"。我们要在过去反复强调并身体力行地注重对外汉语教学的科学性、系统性、完整性的同时,更加注重世界各地汉语教学的大众化、普及性与可接受性。因此,无论是教材、教学大纲还是汉语考试大纲,首先要考虑的是普及,是面向大众,因为事实上,目前我们仍然是汉语教学市场的培育阶段,要想尽办法让世界上更多的人接触汉语、学习汉语,在此基础上,才能培养出更多的高水平的国际汉语人才,也只有在此基础上才能"尽精微",加深研究,不断提高。

七 关于研究书系

恰是香港回归祖国那一年,当时的北京语言文化大学编辑、出版了一套《对外汉语教学研究丛书》,凡九册。总结、归纳了该校对外汉语教师在这块难以垦殖的处女地上,几十年风风雨雨,辛勤耕耘所取得的成果。这是一定范围内一个历史阶段的成果,不是结论,更不是终结。至今,八易春秋,世界发生了巨大的变化,祖国更加繁荣、富强,对外汉语教学,正向汉语国际推广转变,这项国家和民族的事业获得了空前的大发展,也面临着重大的机遇与挑战。

目前,多元文化架构下的"大华语"教学的新格局正逐渐形成,汉语国际推广正全面铺开。欣逢其时,具有百年历史的商务印书馆以其远见卓识,组织编纂"对外汉语教学专题研究书系",计七个系列,22种书,涵盖对外汉语教学研究的方方面面。所涉研究成果虽以近十年来为主,亦不排斥前此有代表性的、具有影响的论文。该书系可谓对外汉语教学成果50年来的大检阅。从中不难看出,对外汉语教学作为一个学科,内涵更加丰富,体系更加完备,视野更加开阔,范围更加广泛,研究理念更加先进,研究成果更加丰厚。汉语作为第二语言教学作为一门科学,已跻身于世界第二语言教学之林,或曰已取得与世界第二语言教学同行对话的话语权。

"对外汉语教学专题研究书系"的七个系列及其主编如下:

1. 对外汉语教学学科理论研究

   主编:中国人民大学　李泉

   《对外汉语教学学科理论研究》

   《对外汉语教学理论研究》

   《对外汉语教材研究》

   《对外汉语课程、大纲与教学模式研究》

2. 对外汉语课程教学研究

   主编:北京大学　李晓琪

   《对外汉语听力教学研究》

   《对外汉语口语教学研究》

   《对外汉语阅读与写作教学研究》

《对外汉语综合课教学研究》
《对外汉语文化教学研究》
3. 对外汉语语言要素及其教学研究
   主编:北京语言大学　孙德金
   《对外汉语语音及语音教学研究》
   《对外汉语词汇及词汇教学研究》
   《对外汉语语法及语法教学研究》
   《对外汉字教学研究》
4. 汉语作为第二语言的学习者习得与认知研究
   主编:北京语言大学　王建勤
   《汉语作为第二语言的学习者语言系统研究》
   《汉语作为第二语言的学习者习得过程研究》
   《汉语作为第二语言的学习者与汉语认知研究》
5. 语言测试理论及汉语测试研究
   主编:北京语言大学　张凯
   《汉语水平考试(HSK)研究》
   《语言测试理论及汉语测试研究》
6. 对外汉语教师素质与教学技能研究
   主编:北京师范大学　张和生
   《对外汉语教师素质与教师培训研究》
   《对外汉语课堂教学技巧研究》
7. 对外汉语计算机辅助教学研究
   主编:北京语言大学　郑艳群
   《对外汉语计算机辅助教学的理论研究》
   《对外汉语计算机辅助教学的实践研究》

这套研究书系由北京语言大学、北京大学、北京师范大学和中国人民大学的对外汉语教师共同协作完成，赵金铭任总主编。各系列的主编都是我国对外汉语教学界的教授，他们春秋鼎盛，既有丰富的教学经验，又有个人的独特的研究成果。他们几乎是穷尽性地搜集各自研究系列的研究成果，涉于繁，出以简，中正筛选，认真梳理，以成系统。可以说从传统的研究，到改进后的研究，再到创新性的研究，一路走来，约略窥测出本领域的研究脉络。从研究理念，到研究方法，再到研究手段，层层展开，如剥春笋。诸位主编殚精竭虑，革故鼎新，无非想"囊括大典，网罗众家"，把最好的研究成果遴选出来，奉献给读者。为了出好这套书系，世界汉语教学学会陆俭明会长负责审订了全书。在此，向他们谨致谢忱。

我们要特别感谢商务印书馆对这套书系的大力支持，从总经理杨德炎先生到总经理助理周洪波先生，对书系给予了极大的关怀和帮助。诸位责编更是日夜操劳，付出了极大的辛苦，我们全体编者向他们致以深深的谢意。

书中自有取舍失当或疏漏、错误之处，敬请读者不吝指正。

2005 年 12 月 20 日

综 述

李 泉

一 学科理论研究的历史回顾

早在20世纪70年代末,我国语言学界就明确提出"要把对外国人的汉语教学作为一门专门的学科来研究"①,从而把对外汉语教学的理论研究提高到学科建设的高度,为对外汉语教学理论研究确立了目标,展示了高度。此后,随着20世纪80年代初以来对外汉语教学规模的迅速扩大和教学实践的不断深入,教学经验的积累也越加丰厚,于是人们开始对以往的教学实践及其经验进行全面系统的概括和理论总结。本书第一章"对外汉语教学学科理论研究回顾"所收录的三篇文章,就分别从不同角度对对外汉语教学的学科研究和建设情况进行了个性化的论述。《对外汉语教学学科研究概说》一文认为,到上世纪80年代末,学科理论体系已搭成框架;教学体系已略见雏形;教材编写理论和编纂体系也基本建立并初见规模;教学法的理论与实践,

---

① 参见《北京地区语言学科规划座谈会简况》,《中国语文》1978年第1期。

在吸收国外经验的同时,融会贯通,逐渐形成了自己的教学法体系间架。文章从基础理论研究和应用的角度,结合具体的研究成果,对汉语本身的研究、汉外语言和文化对比研究、教学理论与实践研究以及学科建设研究分别进行了述评,使我们对整个20世纪80年代的对外汉语教学研究有了一个比较全面的了解和把握。《学科理论建设成就概述》一文,主张以1978年为界,1950年—1978年为"开创对外汉语教学事业"时期,是对外汉语教学进行摸索、试验并不断积累经验的时期;1978年以后的20年间为"确立学科"时期,是我们自觉地从理论上探讨学科规律,进行学科建设,使学科地位得到认定,学科理论得到发展的时期,是由经验型向科学型转变的时期。这一时期又可分为20世纪80年代"建构学科理论框架"和20世纪90年代"深化学科理论研究"两个阶段。文章重点回顾了上世纪80年代以来学科理论建设的情况,包括:进一步研究学科的性质、特点及其科学定位,以明确学科的发展方向;探索一条从"对外汉语"的角度研究汉语的新路子;汉语习得的研究开辟学科理论建设的新领域;教学理论和教学方法的研究促进教学的科学化、规范化和教学改革。《学科理论研究的现状和面临的问题》一文认为,理论建设是学科建设的关键,对外汉语教学的学科理论包括基础理论和教学理论两个方面,并分别论述了这两个方面研究和建设的情况。在此基础上,文章从教学与科研的关系、理论研究与应用研究的关系、单项研究和综合研究的关系等几个方面,论述了对外汉语教学学科理论建设所面临的问题。

对外汉语教学的性质和特点及学科归属,是学科理论研究的起点,指示着学科理论研究及其发展方向,因此历来受到高度重视。但是，在基本认识有共识的前提下，关于学科的归属等问题还存在不同看法。本书第二章"对外汉语教学的学科属性"共收录了五篇相关的文章，反映了有关学科性质等问题的共识和分歧。《对外汉语教学的性质和特点》一文指出，(1)对外国人的汉语教学是一种第二语言教学。学习第二语言的特殊性决定了第二语言教学的特点。(2)对外国人的汉语教学是一种外语教学。学习外语的特殊性决定了外语教学的特点。(3)对外国人的汉语教学是一种汉语教学。汉语本身的特殊性决定了汉语教学的特点。文章对上述定性分别进行了充分的论述，迄今这些观点及其论述已成为对外汉语教学界的基本共识。《对外汉语教学的定性和定位》一文，选自国家对外汉语教学领导小组办公室组织的一次座谈会的纪要。20世纪80年代中期至20世纪90年代初以来，对外汉语教学发展过程中出现了一些新的情况，如教学机构和专业增加，文化教学和研究受到空前重视，等等，导致对学科性质和内涵等问题产生了某些不同看法。座谈会对此进行了认真的讨论，所发表的会议纪要有针对性地进一步明确：对外汉语教学是一种第二语言或外语教学，跟作为第二语言或外语的英语、法语教学等具有同样的性质。其研究对象是外国人学习和习得汉语的规律及相应的教学规律。语言教学和文化教学在教学目的、教学内容、教学原则和教学方法等方面都有根本的区别，教学规律也没有足够的共同点，是两种不同性质的教学，它们不可能属于同一学科。《对外汉语教学与其他语言教学的异同》一文，从教授对象、教学内容、教学方法、教学目的、习得或学习方法、测试、培养目标、语言环境、社会和学界认可情况、教师资格等十个方面，对国内的语文教学、国内的外语教学、少数民族汉语教学和对外汉语教学进行了对比,从中可以使我们更具体地把握对外汉语教学的性质和特点。《语言教育学的学科独立性》一文认为,包括对外汉语教学、少数民族汉语教学、外语教学和母语文教学在内的"四个主要门类的语言教学是一个整体,组成一门共同的学科——语言教育学"。文章认为,学科发展到今天,仍把语言教育仅仅定位于语言学范畴是不恰当的,把应用语言学看作是语言教育的同义语更为不妥,并从五个方面分别加以说明。《对外汉语教学的学科属性》一文,对"语言教育""语言教育学"等发表了看法,同时对不主张把对外汉语教学归入应用语言学的主要观点提出了不同的意见。

关于学科理论体系的研究,至少从上世纪80年代伴随着对学科理论的构成和范围的研究就已经开始,但是真正具有"体系"意识,也即更加自觉和明确地研究学科的理论体系,还是在上世纪90年代以后。[①] 本书第三章"对外汉语教学的学科理论体系"收录四篇相关的文章,大致反映了这方面研究的现状。《对外汉语教学学科概说》一文,把对外汉语教学学科理论体系概括为三个层次:学科支撑理论,包括语言学、心理学、教育学和其他;学科基础理论,包括第二语言教学理论、语言学习理论、语言习得理论、汉语语言学、学科方法论、学科发展史;学科应用理论,包括总体设计理论、教材编写理论、课堂教学理论、语言测试理论、教学管理理论。文章认为,学科支撑理论是第二语言教学理论(对外汉语教学学科理论)赖以生长的相关、相邻学科的理

---

① 参见李泉《对外汉语教学的学科理论体系》,《海外华文教育》2002年第2期。

论;学科基础理论是指导本学科教学和研究实践的基本指导思想和方法论;学科应用理论是在本学科的基础理论上建立起来的直接指导学科教学实践的理论。《对外汉语教学学科理论研究的范围》一文认为,对外汉语教学理论研究的范围包括三大领域:基础理论、教学理论和教学法。基础理论包括语言理论、有关的文化理论、语言学习理论和一般教育理论;教学理论的研究涉及整个教学过程和全部教学活动以及跟教学有关的各种内部和外部因素在教学中的作用;教学法研究主要包括教学原则、教学方法和教学技巧。《对外汉语教学的学科体系构成》一文,把对外汉语教学的学科体系分成三个部分:理论基础,包括语言学、心理学、教育学、文化学、社会学、横断科学及哲学;学科理论,包括基础理论和应用研究两部分,前者包括对外汉语语言学、对外汉语教学理论、汉语习得理论和学科研究方法学,后者指运用相关学科和本学科的基础理论,对总体设计、教材编写、课堂教学、测试评估、教学管理和师资培养等方面进行专门研究;教育实践,既包括对汉语作为第二语言的学习者的教育,也包括对未来的对外汉语师资的教育,它是学科理论服务的对象,也是学科理论产生的土壤。《对外汉语教学的学科理论体系研究》一文,在学科建设体系的框架下讨论了对外汉语教学的学科理论体系。所谓学科建设体系,包括有关学科理论的各个方面和教学实践的各个环节,以及学科发展和建设所涉及的各项内容,它由四个部分组成:(1)学科理论基础,包括哲学、语言学、教育学、心理学和文化学;(2)学科基本理论,包括学科语言理论、语言学习理论、语言教学理论、跨文化教学理论;(3)学科应用理论,包括教学目标研究、教学大纲研制、学科课程设计、学科课程建设、测试理论研究、评估理论研究、教材编写理论研究、课堂教学研究、教学技巧研究,等等;(4)学科发展建设,包括师资队伍建设、教师进修培训、教学管理研究、学科发展规划、教学实践研究、教学技术的开发、教学资源管理、学科历史研究,等等。文章论述了学科建设体系内部之间的互动关系,指出对外汉语教学的学科理论体系由学科基本理论(体系)和学科应用理论(体系)构成。此外,赵金铭《对外汉语研究的基本框架》①,金立鑫《试论对外汉语教学学科的科学属性及其内部结构》②,邓守信《作为独立学科的对外汉语教学》③,也讨论或涉及了对外汉语教学的学科体系问题。

对外汉语教学学科的基本理论包括哪些问题,似乎还没有一个定论,可以进一步研究。我们从收集到的文献中,选取了七篇相关文章编入本书第四章"对外汉语教学学科基本问题研究"。《对外汉语教学学科的方法论》一文,讨论了关乎学科理论和实践发展的学科方法论问题。学科方法论问题不仅对学科的建设和发展极为重要,也是一门学科成熟的标志。该文在哲学、一般科学、通用方法、学科方法四个层次上,讨论了对外汉语教学学科方法论所涉及的学科领域和相关问题。《对外汉语教学的学科理论基础》一文,在前人研究的基础上进一步明确,哲学、语言学、教育学、心理学和文化学是对外汉语教学最重要的理论基础。文章重点讨论了学科理论基础的性质和地位。强调学科

---

① 参见《世界汉语教学》2001 年第 3 期。
② 参见《暨南大学华文学院学报》2002 年第 1 期。
③ 参见中国人民大学对外语言文化学院编《汉语研究与应用》第一辑,中国社会科学出版社 2003 年版。

理论基础是一门学科赖以形成的基石,是学科发展的原动力,是学科理论体系的有力支撑,对一门交叉学科来说更是不可或缺的,否则这门学科的理论研究就会因为缺乏理论支撑而成为无源之水。但文章同时指出,对外汉语教学的学科理论基础并不就是对外汉语教学学科的基本理论,换言之,某一交叉学科的理论基础及其有关理论并不等于这一交叉学科的学科理论本身,对外汉语教学的理论基础并不就是对外汉语教学学科理论的组成部分。此外,文章还讨论了对外汉语教学的学科理论基础之所以成为学科理论基础的理据。《对外汉语教学学科的基本问题和基本方法》一文认为,所谓基本问题就是这个学科的任何一个方面都要涉及的问题,并综合国内外相关研究成果,论述了语言能力问题是对外汉语教学学科的基本问题。所谓基本方法,就是必要的方法,并通过相关分析和实例分析,得出定量方法是对外汉语教学学科的基本研究方法。《对外汉语教学目的的理论探索》一文,全面回顾和总结了上世纪50年代初到上世纪90年代末,我国对外汉语教学的理论研究和教学实践中对教学目标的探索历程。文章把这一历程分为两大阶段:从20世纪50年代初到20世纪70年代末,基本上是以培养学习者的汉语听、说、读、写的语言技能为教学目标;从20世纪70年代末到20世纪90年代末,提出并确立了以培养学习者的汉语交际能力为教学目的。我们认为,对汉语作为第二语言教学的教学目标的探索是关乎学科理论研究和教学实践的基本问题,因此对教学目标的研究既有理论价值也有实际应用价值,是学科基本问题研究的一个重要方面。《对外汉语教学的教学内容和基本的教学方法》一文认为,确定教什么,必须从教学目的出发,因为教学内容是为教学目的服务的。常规的第二语言教学,既要根据基本教学目的确定教学内容的范围,又要根据具体教学目的规定具体教学内容。教学内容的范围至少应包括语言要素、语用规则、有关的文化知识以及言语技能和言语交际技能等五个方面,并讨论了它们的具体内容及其相互关系。教学方法大体包括三类:以语音、语法、词汇等语言要素为纲的教学方法;以言语交际技能为中心的教学方法;以言语技能和言语交际技能训练为出发点的方法。《语言能力及相关问题》一文试图通过语言与知识之间的关系的讨论来探索第二语言的教学规律。文章在"语言的各种能力"的题目下区分并讨论了"语言能力"、"交际能力"、"第三层次的能力"。文章认为,(1)语言能力是人类能够学会语言的内因,但语言能力本身并不是语言,它只是一种潜在的能力。这第一层次的语言能力不是知识,是先天的。(2)交际能力包括语音能力、语法生成能力、词语理解与表达能力、读写能力、语用与策略能力、语言的社会文化对应能力。交际能力是后天形成的,培养交际能力是第二语言教学的任务。这第二层次交际能力的形成与知识有关,但培养交际能力的过程并不是传授知识的过程。第二语言教学不管是语音、语法、词汇、语用还是文化都应该在实践性原则之下进行。教师的责任不是传授知识,而是给学生创造语言环境,创造实践的机会。(3)交际能力形成以后,人们还追求更高层次的能力,如演讲能力、高一级的写作能力、对文学作品的欣赏能力、对语言的理性分析能力等,这是"第三层次的能力"。培养第三层次的能力是母语语言教育的任务,不是第二语言教学的任务。这一层次的能力是人们通常理解的知识,是分析性的,需要用传统的教学方法。文章结合国外相关研究成果和我国的对外汉语教学实践,不仅对语言能力进行了具有较高原创性的研究,而且提出了许多发人深省的意见和建议。该文具有较高的理论价值和学术价值,是对外汉语教学学科理论研究的重要文献。《对外汉语教学的学科基本理论》一文,在以往研究的基础上[①],把对外汉语教学的学科基本理论确立为四个部分:(1)学科语言理论:包括面向对外汉语教学的语言学及分支学科研究、汉语语言学研究;(2)语言学习理论:包括基本理论研究、对比分析、偏误分析、中介语理论;(3)语言教学理论:包括学科性质理论、教学原则理论、教学法理论、中国传统教学观;(4)跨文化教学理论:包括文化教学的地位、文化教学的内容、文化教学的原则。其中,学科语言理论和跨文化教学理论主要在"教什么"和"学什么"方面发挥指导作用;语言教学理论和语言学习理论主要在"怎么教"和"怎么学"方面发挥指导作用。文章对所确定的学科基本理论的四个组成部分及其所包括的相关问题进行了具体的论述,是近年来比较系统地讨论学科基本理论问题的一篇文章。

学科的建立和发展离不开学科史的研究,学科史的研究有利于促进学科理论建设的健康发展和教学实践的深入发展。本书第五章"对外汉语教学发展史"收录了三篇相关的文献,从不同角度回顾了我国对外汉语教学的发展历程。《对外汉语教学发展概述》一文,重点回顾了对外汉语教学成为国家和民族的事业的历程,成为一门新型专门学科的历程。《中国对外汉语教学的历史回顾》一文比较详细地记述了新中国成立以来对外汉

---

① 参见李泉《对外汉语教学的学科理论体系》,《海外华文教育》2002 年第 2 期。

教学事业和对外汉语教学学科发展和建设的过程。在此基础上,总结了学科建设的若干经验:(1)必须明确认识对外汉语教学是一种外语教学;(2)要特别突出强化教学;(3)要在教学中贯彻实践性原则;(4)要有针对性,按照不同的教学对象,区别对待;(5)要认真贯彻"严格要求、认真帮助"的方针;(6)要重视基础理论建设;(7)要培养一支坚强的师资队伍。《对外汉语教学的历史研究》一文则明确提出,对外汉语教学历史的研究是对外汉语教学学科建设的一个重要课题。文章指出,近20年来对外汉语教学的科学研究中,在"论"的方面有了一定的基础,但在"史"的方面显得十分不足。呼吁要尽快地开展起对外汉语教学历史的发掘和研究,以弄清自汉代以来一直没有中断的对外汉语教学,在历史上是怎样发生和发展的,这中间有哪些规律的东西,有哪些经验教训,有什么可以继承的遗产。文章还举例探讨了历史上对外汉语教学的发展途径、历史上的汉语教师、历史上的对外汉语教材等,并例示了对外汉语教学发展的某些特点和当前开展对外汉语教学历史研究的若干方面。该文突破了以往对对外汉语教学历史的研究仅限于新中国成立以后的几十年间的局限,具有重要的导向和示范作用。

二　学科理论研究展望

回顾对外汉语教学学科理论研究和理论建设的现状,我们高兴地看到,在这方面我们已经取得了很好的成绩,能够从对外汉语教学的理论研究成果中单独选编出一本与"教学理论"并立的属于"学科理论"研究的"专著",这本身就足以说明这一点。而且,书中所选文章大都是在某一方面有代表性的,许多认识已经成为对外汉语教学界的共识,其中的一些篇章具有较高的开拓性和原创性,这些都是值得我们珍惜和重视的。但是,我们也看到,属于学科理论研究方面的成果总体上说还不算丰厚,在一些基本问题上还存在明显的分歧,某些领域或有关问题的研究还仅仅是个开始,已经开拓的一些领域还需要深入,许多问题尚待进一步研究和探索,等等。我们认为,应该在以下若干方面加强对学科理论的研究:(1)进一步对现有的学科理论研究的成果进行系统地梳理,促进共识的形成,探讨和开辟新的研究领域;(2)加强对学科理论本身的研究,包括学科理论的构成、内涵、内部关系及学科理论与教学理论之间的联系与区别等;(3)进一步开展对学科归属及相关问题的研究和讨论,明确学科的发展方向;(4)学科理论体系的研究是学科理论研究的重要内容,是学科存在的重要标志。这方面的研究近年来已经引起人们的重视,在此基础上应进一步开展讨论,推动共识的形成;(5)加强对学科基本问题的研究,包括基本问题的范围和理据、基本问题之间的内部联系及其系统性,以及基本问题本身的理论研究和应用研究等;(6)加强对外汉语教学的历史研究,包括系统全面的历史研究和断代的、专题的研究,探讨对外汉语教学的发展规律和值得借鉴的经验和教训;(7)加强对国际第二语言教学理论和流派的介绍,加强与国内母语教学、外语教学和少数民族汉语教学的沟通和比较研究,丰富和完善对外汉语教学学科理论。

2006 年 4 月

第一章
对外汉语教学学科理论研究回顾

第一节 对外汉语教学学科研究概说①

一

几十年来,对外汉语教学界十分重视教学实践,而没能使研究工作得到应有的重视,特别是基础理论研究更不为人们所关注。在相当长的时期内,对教师没有理论研究的要求,以完成教学任务为满足。即使有人想从事一些研究工作,时间得不到保证,条件也不允许。然而,注重对外汉语教学实践,并非得不偿失,其结果是使人们获得并积累了十分丰富的经验,这是一份无可估价的宝贵财富。近十年来,从事对外汉语教学实践的人们开始腾出手来,对以往的教学经验进行全面系统的概括和总结,并使之升华到理论的高度,逐渐走出一条对外汉语教学研究的路子来,形成了一种自家的学问。

多年来,人们埋头于实践教学,驾轻就熟。一提起研究,尤其是理论研究,未免有高深莫测之感,多力不从心。从整个语言

---

① 本节摘自赵金铭《近十年对外汉语教学研究述评》,《语言教学与研究》1989年第1期。

学界看,从事语言研究和语言理论研究的人往往不甚熟悉教学,不易把握第一手的研究资料,难于从事语言教学规律的研究和探讨;另一方面,从事实践教学的人,虽遇到不少问题,并为其所困扰,但长期不能予以解决,除上述时间与条件的限制外,主要的原因在于缺乏科学的理论指导和切合实际的研究方法,因而对理论与方法的需求便如饥似渴。

对外汉语教学的研究,一旦引进科学的研究方法,经过消化、吸收,为我所用,并不断创新,变为自己的东西,拿我们的材料进行研究,日积月累,不难形成我们自己的学科理论体系。我们手中有大量的教学中所搜集的语言材料,这是研究工作取之不尽、用之不竭的源泉。在谈到如何形成理论时,吕叔湘说:"理论从哪里来?从事例中来。事例从哪里来?从观察中来,从实验中来。""我们说理论从事例中来,在一定程度上也可以说事实,也就是材料,决定理论。"[①]从事对外汉语教学实践的人们从观察、实验中搜集了相当的材料,当然这还不是理论。从国外语言研究的发展趋势看,人们感兴趣的不仅是对资料的整理,而且是要揭示隐蔽于人们所熟悉的语言现象背后的规律。要提取出一些规律性的东西,还要付出艰苦的努力。

那么,对外汉语教学究竟要研究和探讨哪些规律?吕必松1987年12月在京津地区和华东协作组分别召开的对外汉语教学研讨会上作了充分的阐述[②],语言教学必须综合运用三个方

---

① 参见吕叔湘《吕叔湘语文论集》,商务印书馆1983年版,第3页。
② 参见《京津地区和华东协作组分别召开对外汉语教学研讨会》,《世界汉语教学》1988年第1期。

面的规律,即语言规律、语言学习规律和语言教学规律。对外汉语教学研究的任务就是从教学实际出发,揭示这三大规律及其内在联系。语言规律是指对语言现象的具体描写和对语言的本质和特点的概括。语言学习规律是指不同年龄、不同文化程度和文化背景、操不同母语的人是怎样学会一种外语或第二语言的,其核心问题是语言习得过程。语言学习规律跟语言规律有关,但并非语言规律本身。至于语言教学规律则是语言规律和语言学习规律的综合体现,是既体现语言规律又体现语言学习规律的一种教学系统。语言教学规律是由语言规律和语言学习规律共同决定的,但同时又受主观条件(语言政策、教师素质、教学环境、教学设施和设备等)的制约。

近十年来,对外汉语教学界的同行们自觉与不自觉地都在探讨有关语言教学的这些规律,并把探讨的成果应用于对外汉语教学的各个环节之中,从而使教学质量不断提高;教学的深入又促进了对规律性的探讨,如此相辅相成,循环往复,逐渐形成了对外汉语教学研究的理论体系框架。如果把我们的研究成果纳入这个框架之中去观察,不仅能给予它科学的、客观的、恰如其分的评价,同时也会发现框架之中的薄弱之处,这对进一步完善学科理论体系定当十分有益。

研究外语教学,在国外已成为一门学问,发展为一门专门的学科。对外汉语教学是后起之秀,几十年的发展,已使它成为中国语言学的组成部分之一。近十年的对外汉语教学研究表明,学科理论体系已搭成框架;教学体系已略见雏形;教材编写理论和编纂体系也基本建立并初见规模;教学法的理论与实践,在吸收国外经验的同时,融会贯通,逐渐形成了自己的教学法体系间架；学科的基本建设项目正按轻重缓急逐项予以实施；基础理论的研究也在扎扎实实地开展。回顾走过的路，瞻念前程，我们充满信心，对对外汉语教学研究工作持乐观的态度。

二

当我们衡量一门学科是否具有独立的资格时，首先要看它有无独特的研究对象，其次要看它有无独特的研究方法，再其次要看它有无独特的科学体系，最后要看它有无独特的研究成果。[①] 综观对外汉语教学的全过程及其研究成果，人们会发现对外汉语教学是一门独立的学科的论断绝非主观臆造，是有充足的科学根据的，它确实有其多方面的独特之处。

对外汉语教学研究对象和研究范围的确定是十分重要的。吕必松在1986年5月21日所作关于《对外汉语教学的形势与任务》的报告中，曾经指出对外汉语教学研究的主要内容，"一是语言理论的研究，一是教学理论的研究。语言理论方面，主要是汉语和外语对比研究"[②]。1988年3月在北京举行了对外汉语教学科研规划座谈会，会上吕必松又指出："对外汉语教学本身就是一门科学，它的研究对象主要有三个：一是对汉语本身的研究，主要针对外国人学汉语的特点和难点来研究；二是对教学理论和方法的研究；三是汉外文化对比研究。"[③]

---

① 参见何九盈《中国古代语言学史·前言》，河南人民出版社1985年版。
② 参见吕必松《对外汉语教学探索》，华语教学出版社1987年版。
③ 参见《对外汉语教学科研规划座谈会在北京举行》，《语言教学与研究》1988年第2期。

这样，我们就可以把对外汉语教学研究的范围和这个范围中几个方面的关系理得更清楚一些，而这对对外汉语教学学科理论体系的建立是十分必要的。根据吕必松的意见，关于语言规律、语言学习规律和语言教学规律的研究，以及关于比较文化的研究，对对外汉语教学来说，都是基础理论研究。研究如何把这几个方面的研究成果应用到对外汉语教学的总体设计、教材编写、课堂教学和测试中来，属于应用研究。

基础理论研究是源于教学实践的，没有教学中积累的语言材料，没有教和学两方面带来的启示，研究工作无从谈起。基础理论研究需要付出艰辛的劳动，有时短期内不易见成效，因而不能急功近利。基础理论研究的成败，是教学质量能否提高的关键所在。基础理论研究是对外汉语教学研究的精髓，具有科学的指导意义，不容忽视。与基础理论研究相比，应用研究同样重要，它与整个教学活动须臾不离。很难设想，不进行教学中各个环节的研究，而能从事科学的、富有成效的教学活动。从事应用研究更需要丰富的教学实践，可以说，一个没有教过外国人汉语的人很难进行对外汉语教学的应用研究，或者说，只有具有丰富教学经验的人，才能进行有价值的应用研究。然而，应用研究必须有科学的基础理论作为指导，比如要研究语言习得过程中社会文化因素的影响，以使在教材和教学中予以体现和关注，就得先进行语言和文化的对比研究，还要具有社会语言学和文化人类学的理论；要研究语言教学的过程和课堂教学的规范，就要熟悉心理语言学和教育心理学的理论。

总之，基础理论研究不断探索尚未被解释清楚的语言现象，不断探讨尚未被人们认识的语言教学规律,它是对外汉语教学的根本性研究。应用研究则要对语言教学的具体问题进行研究,语言教学的总体设计方案、各类教材、课堂教学规范、考试试题等都是应用研究的具体成果。在对外汉语教学研究中基础理论研究和应用研究相辅相成,不可缺一,不可偏废。

对语言规律即汉语本身的研究,从有零星记载开始,已有两千多年的历史,晚近以来的汉语研究成果,对我们的教学无疑极有帮助。但还有些问题是现存的汉语研究著作中找不到答案的。这些在教学中遇到的问题,主要靠我们自己来解决。吕叔湘曾说:"把汉语作为外语来教,跟把英语或日语作为外语来教,遇到的问题不会相同;把汉语教给英美人,或者阿拉伯人,或者日本人,或者巴基斯坦人,遇到的问题不会相同;在国外教外国学生汉语跟在国内教外国学生汉语,情况也不完全相同。"[①]这就需要我们根据不同情况的学生学习汉语的难点和特点来进行汉语研究,从中总结出若干问题,归结成若干规律,从而形成一种或几种体系,诸如语音教学体系、语法教学体系、教学法体系等,其中每一种又可以有几种不同的体系。这就是我们研究工作的特点和方向。外国人学习汉语中的特点和难点,一是靠教学中不断摸索、体味,从经验中总结出来;一是靠从汉语和各种外语的对比研究中分析出来。所以,语际间语言和文化的对比是对外汉语教学重要的研究方法之一。说到教学理论和方法的研究,首先是对国外语言学、心理学和语言教学法的不同流派的

---

① 参见吕叔湘《对外汉语教学研究会成立大会贺词》,《对外汉语教学》1984年第1期。

理论和方法进行引进、评介和研究,然后根据我们自己的具体情况探讨对外汉语教学的理论、原则和方法。语言教学理论是一种综合性的理论,它受语言学理论的制约,又跟心理学和教育学有极密切的关系。各学科之间的交叉和渗透是当代世界学术界的一股潮流,这潮流也推动着对外汉语教学法理论和方法的研究。这方面研究的范围相当广泛,其中的核心是成人学习第二语言的习得过程问题,围绕这个中心,还有一系列的具体问题需要探讨,这里包含着"学"与"教"两方面规律的探讨。

下面拟将汉语研究、汉外语言和文化对比研究、教学理论与实践研究以及学科基本建设研究,分别纳入基础理论研究与应用研究两大分支中作简明述评。

三

(一)

从对外汉语教学角度来观察,对汉语本身的研究,自有其不同特点,已如前述。一位美籍汉语教师道出了研究的困难和迫切性,"他们(指汉语教师)的困难往往是双重的,一方面学员不理解的问题需要及时地分析与解答,一方面在语言理论研究论著中或缺乏为教学所准备的研究报告,或需要长时期地搜集、调查、分析、采用,以应实际需要,也就是说,教授汉语中的语法难题或者不是语法理论研究的主题,或者不受理论研究的重视,或者理论研究的重点与实际不符。然而从教学中发生的问题是迫不及待的,是有时间性的,是有其第二语言学习心理特点的,是与学员之母语体系紧密关联的,是求实效的。故而不能在语法理论中求得满意的解答是预料之中的。因此,语言教学上所需要的是基于某一语法理论或综合各家语法理论为解决实际问题而编写的简捷、详尽而实用的语法解析,而这项工作需要教师和理论家恳切地合作,由教师提供问题,由理论家与教师共同研讨解答方式及内容"①。此番话可以说是点出了对外汉语教学中汉语研究的真谛。

《实用现代汉语语法》是应运而生的,三位作者都是多年从事对外汉语教学工作的有经验的教师。在书中作者开宗明义,"本书的重点就是外国人学习中经常会遇到的难点。凡是外国人难以理解和掌握的语法现象,本书都作了尽可能详细的描写。""这样,本书的重点,对某些语法现象的解释方法以及各项内容的详略程度跟其他语法著作就不完全一样。"②这诚如我们前面所说的,由于对外汉语教学独特的研究对象,使用独特的研究方法,从而形成了独特的语法体系,显示了作者们的一番苦心。吕叔湘在评介该书时说:"有不少内容是别的书上不讲或一笔带过,而这本书里有详细的说明。"③这些特殊的讲法,完全是为对外汉语教学服务,因为教外国人汉语容易遇到一些我们平常不大注意的问题。

汉人教汉人汉语,往往因为彼此都知道,不成问题,就是不知道,也不去深究。比如一个"了",汉人是很少用错的,人们便不去管它。但是,因为我们的语法学界对"了"字的研究还没有

---

① 参见[美]苏张之丙《中国语言教材编纂上的新需要》,《语言教学与研究》1980年第4期。

② 参见刘月华、潘文娱、故桦《实用现代汉语语法·前言》,外语教学与研究出版社1983年版。

③ 参见吕叔湘《实用现代汉语语法·序》,外语教学与研究出版社1983年版。

达到成熟的程度,我们也就不容易教会外国人正确地使用"了"字①。所以,外国人对这个"了"字总是掌握不好,不知怎么用,因而不用,不该用的时候却用了。类似的情况还有"把""的""看""过"等,实际上这些地方正是体现汉语语法特点的地方,而这些特点与外国人学习汉语的困难之处又往往一致。把汉语的特点研究透了,教外国人时就得心应手,对语言学也作出了我们的贡献。所以"教外国学生汉语对我们的启发比教汉族学生汉语更大,更容易推动我们的研究工作。②"这位教过外国人汉语的前辈学者的至理名言,对我们的研究工作当有极大的帮助。

近十年来从对外汉语教学角度,结合汉语特点研究语法,我们还可以举胡裕树对"们"字的研究。外国学生囿于印欧语中复数的概念,如 three students,比附的结果,有人就出现了"三个学生们"的错误。经对比分析,胡裕树认为,汉语中表数范畴有两种不同的手段,一种是词汇手段,即在名词之前用上表示复数的数词和量词,如"三个学生",其中"三个"是定数,是计量的;另一种是语法手段,即在名词上加后缀"们",如"学生们",这是不计量的复数,可以称之为"群"。简言之,前者是表"数",后者是表"群"。在一个格式里不能既计量又不计量,既表定数又表群体。所以"三个学生们"便不合汉语语法了。汉语中有个不同于印欧语的表示不计量的复数(群)的后缀"们",而表计量的复数存在时就无需用"们"了,这是汉语"数"

---

① 参见吕叔湘《协调、周到、简单、贴切》,全国语法和语法教学讨论会业务组《教学语法论集》,人民教育出版社 1982 年版。

② 参见吕叔湘《教书与研究》,《对外汉语教学》1984 年第 1 期。

范畴的特点。① 这些特点是一般语法书未遑论及的,这种挖掘工作是深入细致的,既揭示了汉语语法特点,给外国学生讲起来又实用、贴切。

又如对"年、月、日",汉人难得用错。但外国人却往往说出"住了三个年"。陆俭明经过比较研究,补充了以往的研究成果,发现"年"是量词,"月"是名词。"年"前不能用量词,"月"前则要用量词。至于"日"的用法显然接近"年"而与"月"相去甚远。② 这种细致入微的研究,在对汉人的语法教学中也许可以不顾及,或三言两语一带而过,在对外国人的汉语教学中则必须点透,否则就会出现汉人意想不到的错误。由此可以窥见在对外汉语教学领域里汉语研究的特色所在。

总之,对外汉语教学有其自身的优势,可以发掘本学科的研究材料,应用对比研究的方法,解决一般汉语研究者尚未触及的一些问题,而它的研究所获,不仅用以指导教学大见成效,同时也拓宽了汉语研究的视野,为此,作出了我们可以作出的特殊贡献。

(二)

汉语和其他任何一种语言一样,在语音、语法、词汇诸方面都有其自身的特点,这些特点往往就是教学中必须首先突破的难点,这些难点是汉人看起来容易,外国人学起来难的地方。怎样认识这些特点,怎样发现这些难点,就要拿汉语跟非汉语进行比较,这就是所谓对比语言学,它是理论语言学的一个分支学

---

① 参见陈光磊《胡裕树谈怎样看待汉语语法的特点》,《语言教学与研究》1988年第1期。

② 参见陆俭明《说"年、月、日"》,《世界汉语教学》1987年创刊号。

科。它从共时角度用对比的方法将两种或两种以上的语言的结构现状进行比较研究,找出不同语言间的异同点。它可以从语音、词汇、语法等方面进行比较,还可以从某个语法范畴进行比较等等。① 由于遵循着描写先于比较的原则,故必须对所比较的语言有较深的了解。皮毛的了解,难于进行深刻的对比。我们在拿一种语言跟另一种语言比较时,就会发现有三种情况:一种情况是彼此相同,第二种情况是此一彼多或此多彼一;还有一种情况是此有彼无或者此无彼有。② 无论哪一种对比的结果,都有助于认识汉语的本质和特点,都有助于教学质量的提高。

对比语言学又细分为理论性的对比和应用性的对比③,在对外汉语教学中,更多地使用应用性对比。其主要功能是预测学生在学习汉语时可能发生的困难,其次是预测学生在学习汉语时可能犯的错误,并把对比分析的成果应用于教材编写和教学实践之中。

在我国的对外汉语教学领域中,首开汉外对比研究风气并蔚为大家者当推王还,其代表作为《门外偶得集》。作者积 40 年的汉语教学经验,加之深厚的汉语和英语造诣,为其汉语研究和汉语、英语对比研究提供了坚实的基础。该书内容一类为汉外对比的理论与实践的探讨,一类为独具特色的汉语研究。书中具有理论指导意义的为《有关汉外对比的三个问题》一文,文章

---

① 参见王振昆《比较语言学初探》,《汉语研究》第一辑,南开大学对外汉语教学中心编,南开大学出版社 1986 年版。

② 参见吕叔湘《通过对比研究语法》,《语言教学与研究》(试刊)1977 年第 2 期。

③ 参见[美]贺上贤《对比分析和错误分析的研究》,《第二届国际汉语教学讨论会论文选》,北京语言学院出版社 1988 年版。

提出对比分析时应注意的三个问题：分清语法概念和思维概念；同一语法术语在不同语言中所包括的内容不完全相同；同一类词在不同语言中的语法功能不尽相同。本着这些根本性的原则，作者研究了英语和汉语的被动句、汉语的状语与"得"后的补语与英语的状语、英语的"ALL"与汉语的"都"等。

至于独具特色的汉语研究，可从作者自序中看出："由于偶然的机会去英国教现代汉语，从而大大出乎意料之外地窥见汉语中奇妙的世界。我发现对我掌握纯熟的自己的母语竟有如此之多的不知其所以然之处，而在当时的语法著作中也找不到解释。"① 这种研究的出发点，正是从教学中发现问题，特别是外国人学习中的问题，经过精心的比较研究，反转来又解决了教学中的疑难之处。朱德熙对该书有极中肯的评价："研究语法的人有一种危险，就是很容易陷入一些语法概念里头去，在里头来回转圈子，忘记了研究的目的是什么。本书作者是为了教外国人汉语才开始研究汉语语法的。她的研究工作始终联系教学实际，所以一直能保持清醒的头脑、明确的目标。无论是从正面研究汉语句式和虚词用例，还是对比英汉语法的异同，都能抓住问题的实质，不抠概念，不发空论。这一点可以从这部论文集里看得很清楚。"②

对外汉语教学为汉外对比研究设置了良好的环境，提供了丰富的资料。在中国，对比语言学因对外汉语教学而兴旺发展，对比语言学的研究成果不仅为对外汉语教学所吸收，更重要的

---

① 参见王还《门外偶得集·序》，北京语言学院出版社 1987 年版。
② 参见朱德熙《读王还〈门外偶得集〉书后》，《语言教学与研究》1988 年第 2 期。

是丰富了汉语研究的层面,开拓了汉语研究的新领域,更新了汉语研究的方法。它所解决的汉语教学中的问题,又从另一个方面促进了语言学理论的研究。赵元任早就精辟地指出:"所谓语言学理论,实际上就是语言的比较,就是世界各民族语言综合比较研究得出的科学结论。"①对外汉语教学的历史使命要求我们对各民族语言进行综合比较,对外汉语教学的特殊地位给予我们地利与机会,今后可望出现更多更好的语言和文化对比研究成果。

近年来,对外语言和文化对比的文章发表了几十篇,本文仅举几篇以见一斑。赵世开《英汉对比中微观与宏观的研究》(《对外汉语教学》1985年第2期)、朱川《汉日语音对比实验研究》(《语言教学与研究》1981年第3、4期)、鲁健骥《外国人学汉语的词语偏误分析》(《语言教学与研究》1987年第4期)。② 有关文化对比的文章,如毕继万《中国文化介绍在对外汉语教学中的作用》(《第一届国际汉语教学讨论会论文选》)、于丛扬《文化与报刊语言教学》(《语言教学与研究》1987年第4期)、胡明扬《问候语的文化心理背景》(《世界汉语教学》1987年预刊第2期)。

(三)

在对外汉语教学界,高瞻远瞩,总揽全局,为建立对外汉语教学的学科体系,从理论和实践上研究对外汉语教学的性质和特点,揭示其独特的规律,并为整个学科建设作宏观思考从而作出切实贡献的,吕必松的专著《对外汉语教学探索》功不可没。

---

① 参见王力《积极发展中国的语言学》,《王力论学新著》,广西人民出版社1983年版。

② 参见徐子亮《汉外语法比较研究述略》,《语文导报》1987年第3期。

该论文集内容大体可分两类,一类是探讨对外汉语教学性质、特点及学科建设的基本理论与实践问题;另一类是从一般语言教学法的原则和理论入手,多层面、多角度地探讨对外汉语教学的理论与实践。这些论文,正如张清常所评价的,"既有理论性的科学根据与分析,又集中并提高了群众智慧与实践经验,提出对外汉语教学的具体措施原则及完整方案,颇有独到见解"[①]。

从理论上阐明对外汉语教学的性质和特点,无疑是学科得以成立、事业赖以发展的关键。以前人们对这一点认识得并不十分清楚,对这个学科存在某些偏见和误解。1982年吕必松在研究对外汉语教学全过程的基础上提出:一、对外国人的汉语教学是一种第二语言教学,学习第二语言的特殊性决定了第二语言教学的特点;二、对外国人的汉语教学是一种外语教学,学习外语的特殊性决定了外语教学的特点;三、对外汉语教学是一种汉语教学,汉语本身的特殊性决定了对外汉语教学的特点。[②] 这种定性的分析,为对外汉语教学做出科学的界说。

早在1980年吕必松就提出在语言教学中如何把结构、意义和交际功能这三者有机地结合起来,以便更好地培养学生实际运用语言的能力的问题。在当时是对传统教学思想的冲击,为更新教材、改进教法注入了新鲜血液。1982年旋即根据对语言教学特别是对外汉语教学的整体认识,第一次把全部教学活动归结为:总体设计、教材编写、课堂教学和语言测试四大环节,从

---

① 参见张清常《〈对外汉语教学探索〉读后》,《语言教学与研究》1988年第2期。

② 参见吕必松《谈谈对外汉语教学的性质和特点》,《语言教学与研究》1982年第4期。

而为学科体系的建立描绘了蓝图。

1986年5月,在第一届国际汉语教学讨论会圆满结束后的一年,吕必松作了《对外汉语教学的形势与任务》的学术报告。基于对国内外汉语教学形势的分析,第一次提出了应该把向世界推广汉语列入基本国策之中,把对外汉语教学工作当作一项国家和民族的事业。文章论述了我国的对外汉语教学作为一门新兴的学科已初步形成,并得到正式的承认,我国的对外汉语教学事业已经发展到了一个崭新的阶段。面对新形势,我们的紧迫任务是努力提高教学质量,深入开展理论研究,切实抓好教师队伍建设等。文章体现了吕必松对这门年轻学科所进行的缜密规划和精心探索。对这部专著的贡献,张清常的评价是:"创业维艰,这部新著将在推动对外汉语教学工作方面,在'应用语言学'研究方面,作出极大贡献。"① 所言实不为过。

20世纪70年代末,对外汉语教学法研究开始得到应有的重视。吕必松积极倡导,写了《关于语言教学法问题》《试论语言教学法研究》等文章。在国内,语言教学法理论的研究当时还刚刚起步,而在国外,对外语教学法的研究早就相当重视,在大学里一般都设有外语教学法的专门系科和机构,从事语言教学的教师必须经过教学法的专门学习和训练。教学法研究的历史既然很长,有关文章和专著便也十分可观。外国的经验可供我们借鉴与参考,借鉴的重点是把本族语作为外语教学的有关理论

---

① 参见张清常《〈对外汉语教学探索〉读后》,《语言教学与研究》1988年第2期。

和经验,目的在于打开我们的思路,启发我们多维思考。从70年代末到80年代初,有不少文章介绍、引进国外各种语言教学法流派的理论和实践,这是十分必要的。然而,我们也有自家的经验,也有自己多年积累的传统教法。综观几十年的对外汉语教学,可以说还是受传统法影响较深,教材多从句型结构出发,教学中偏重语法句式和虚词,对语言的社会交际功能相对来说重视不够,对语言和文化的密切关系认识不足。当中虽也曾尝试直接法、听说法的一些做法,但终嫌不够到家,也未贯彻始终。近年来,随着语言形式、意义与功能相结合的提倡,结构、情景、功能系列教材的编写,逐渐开始形成对外汉语教学的一种或几种教学法体系。从全局考察,汉语作为外语教学,无论在国内还是国外,都未出现像其他外语教学法那样的从一种方法向另一种方法的急剧的转变,它一直是比较平稳地朝前发展。即使在人们追求相对来说比较地道的单一的教学法的同时,也在自觉不自觉地进行某种程度的综合活动。这也许是汉语教学的特殊性决定的。对外汉语教学法的发展演变过程,说明人们在不断认识汉语特点的前提下,从汉语实际出发,在总结自己多年教学经验、教学方法、教学传统的基础上,博采国外语言教学法的各家所长,摈弃其不符合汉语实际的部分,为我所用,逐渐形成了符合对外汉语教学实际的教学法体系。目前有一种看法,认为在继承传统和不断吸收各种教学法长处的基础上,正在形成富有中国特色的结构—功能—文化相结合的富有中国特点的教学法体系。[①] 近十年来,从理论上和实践上探讨教学法的文章不

---

① 参见李景蕙等《〈汉语水平等级标准〉(征求意见稿)·说明》,打印稿。

少,诸如:杨石泉《汉语教学法三论》(《对外汉语教学》1985年第2期)、张亚军《对外汉语教法学之研讨》(《对外汉语教学研究会第二次学术讨论会论文选》)、吴勇毅、徐子亮《建国以来我国对外汉语教学法研究述评》(《对外汉语教学研究会第二次学术讨论会论文选》)、刘英林、李景蕙《对外基础汉语教学法创新之路》(第二届国际汉语教学讨论会论文)。近年来还发表了不少关于课程教法和语言技能训练方法的文章,均属应用研究,诸如:胡裕树、何伟渔《教日本人学汉语》(《语言教学与研究》1984年第3期)、刘珣等《试谈基础汉语教科书的编写原则》(《语言教学与研究》1982年第4期)、周继圣《"以谓语动词为中心"的语法教学》(《第一届国际汉语教学讨论会论文选》)、孙晖《短期班强化汉语口语教学法初探》(《对外汉语教学研究会第一届学术讨论会论文选》)。

(四)

虽然对外汉语教学早已冲出语文学的樊篱,跻身于现代应用语言学的行列,然而多年来科学的总体设计难于问世,所编教材有些也似嫌科学性不够强,总有些不尽如人意。其根本原因是对语言学习规律和语言教学规律的研究还很不够,除此之外,很重要的一个原因是我们对外国人在有限的时间内、在诸多因素相对稳定的情况下,所应掌握与所能掌握的汉字、词汇量、汉语常用词、基本语法条目、句型模式及数量还缺乏科学的调查与精确的数据统计。过去,这个工作总想绕过去,实际上是绕不过去的。这种基础理论研究的重要性,近十年来已被人们所接受。人们认识到这种研究虽短期内难见成效,但是非搞不可。语言学上的定量研究,已引进对外汉语教学研究之中。

北京语言学院语言教学研究所的词汇工程项目,在对外汉语教学界堪称首开定量研究之先河。旧日的汉语统计多以字为单位,而以词或词语为单位的计量研究,因难度较大,学术界又有些理论问题尚无定论,加之费时耗力,长期以来无人问津,但以词语为单位的计量分析是对外汉语教学的基本建设之一,在理论和实践上均有重大意义。为此,从1980年开始,他们对不同体裁和内容的200万汉字的语料,进行了切分和统计。按照词语单位和汉字出现频率、使用度以及在各类语料中的分布情况,编纂出汉语词汇和汉字的频率词典。历时五年半,作者们付出了艰辛的劳动,为对外汉语教学事业做了一件功德无量的事。过去在基础汉语教学阶段,选用哪些汉字,哪些词应该先教给学生,哪些词最常用,哪些词次常用,人们心中并无多大把握,在制定教学大纲、编写教材时多凭主观经验,因而没有什么科学根据。论者常各持己见,聚讼纷纭,难成定论。现在好了,在各阶段的教学中,对字、词(语)的选择,人们有了可供遵循的科学的辞书,这真是从事对外汉语教学的人的福音。这种词汇统计的成果不仅对语言教学,而且会对今后的词汇研究工作起很大的作用,意义是深远的。目前正在进行的课题还有《北京口语调查》《汉语句型的统计与研究》,均属基础理论研究,人们对其研究成果正翘首以待。

有了这个依据,便可以从事相关的应用研究,制定对外汉语教学的《汉语水平等级标准和等级大纲》便是水到渠成的事了。1987年上半年,对外汉语教学研究会委托5所高等院校的7名有教学经验的教师,在李景蕙的主持下,成立了课题组,制定《汉语水平等级标准和等级大纲》,这是对外汉语教学学科的基本建设之一。按理说早就应该有个可供大家共同遵照执行的标准，但因种种原因，一直未能制定出来，这个标准的制定是促进对外汉语教学走向科学化、标准化的重要步骤。这样，进行对外汉语教学的总体设计、制定教学大纲、编写各级教材以及课堂教学的评估和汉语的水平考试都有了重要依据。

作者们在制定过程中注意贯彻定性描写与定量分析相结合的原则，认真总结了建国以来对外汉语教学的经验，吸收了有关的研究成果，细致地研究了各类教学大纲和教材，对涉及的等级项目进行了全面的统计和分析，并借鉴了国外有代表性的语言水平等级标准。这个标准和大纲既给语法、词汇等方面规定了各级总量，也规定了听、说、读、写、译方面的具体数量。这份标准由五部分组成：《等级标准的划分和描写》《词汇等级大纲》《语法等级大纲》《功能等级大纲》（暂缺）《文化等级大纲》（暂缺）。这五部分既密切联系，又自成体系，相对独立。①

随之而来的应用研究便是《汉语水平考试》（简称 HSK）的设计和研究。1984 年北京语言学院受国家教委委托成立小组进行汉语水平考试的实际设计和试测，直至 1987 年，汉语水平考试研究所依据的仍是多年的教学经验和实践。从 1988 年开始，HSK 以《汉语水平等级标准和等级大纲》为主要依据，这就使得 HSK 的设计更具科学性，逐步实现由经验型向标准型的转变。HSK 的主要功能表现在三方面：一是作为测定考生汉语实际水平的主要标尺；二是作为检查和评估教学效果、教学质量的重要依据；三是对对外汉语教学进行宏观指导，推动教学内容

---

① 参见李景蕙等《〈汉语水平等级标准〉（征求意见稿）·说明》，打印稿。

和教学方法的改进或改革,对整个对外汉语教学起积极的反馈作用。在这种指导思想的推动下,到目前已设计出三套基本格式相同、难度较稳定的试卷,连续三年在北京语言学院内一、二年级留学生结业及新生入学时进行了较大规模的试测(共79个国家的1 668名留学生参加),又先后在北京大学等15所高校进行了试测,还在美国等6个国家和地区进行了试测。① 事实表明HSK的信度(可靠性)和效度(有效性)均较高,达到了预期效果。HSK的深入研究和进一步推广,必将使对外汉语教学事业更加兴旺。

我们说对外汉语教学基础理论研究和应用研究取得了可喜的成果,是因为它并非单项的、孤立的课题研究,而是形成一条紧密衔接的链条,使得整个对外汉语教学自成学科体系。不难看出,对外汉语教学的词汇工程,为制定汉语水平等级标准和等级大纲确立了科学的前提,而汉语水平考试的设计只有以汉语水平等级标准和等级大纲为依据才能显示出它的科学性。这条链便是:语言单位的计量统计与分析——→汉语水平等级标准和等级大纲——→汉语水平考试设计。这种研究体系的有序性,正是它的科学价值所在。

至于对外汉语教材体系及其编纂理论与实践研究,我们从一份研究报告中可以管中窥豹。1986年底对外汉语教学研究会组织了一个教材研究小组,该小组搜集了24所院校的对外汉语教材共16大类205种(作者们说还有几十种未搜寻到,新出

---

① 参见刘英林等《汉语水平考试(HSK)的性质和特点》,《世界汉语教学》1988年第2期。

版的教材也未统计在内)。经过综合分析与研究,提出一份《建国以来对外汉语教材研究报告》(赵贤州执笔)①,报告回顾了对外汉语教材的沿革,作了很有说服力的概括:50年代,为草创时期,以语法结构为主是这一时期教材的主要特点;60年代至80年代初,为探索时期,这一时期把语法结构为主的做法承袭下来,并在沿革中融进了直接法、听说法、功能法的一些积极因素。80年代初开始,教材编写呈现新局面,这个时期短期汉语教材发展迅速,对外汉语教材逐步向系列化、立体化发展,出现多样化的局面。

报告对教材编写的几个主要理论问题进行了总结性的探讨,诸如教学法理论、总体设计与教材的关系,语言和文化的关系,教材编写原则等,报告都有发人深思的议论。对教材编写中存在的问题敢于正视,并提出了积极的建议。这种对教材所进行的大规模的、全面的、系统的学术研究,在对外汉语教学历史上还是第一次。

本文仅为近10年来对外汉语教学研究勾勒一个大致的轮廓。对外汉语教学研究蓬勃发展是近10年来的事,当然还有不少空白。基础理论研究总的说来仍然比较薄弱,特别是语言学习规律、语言教学规律和比较文化方面的研究更显薄弱。由于现代科学的深远影响,今后的对外汉语教学应成为一门多边缘、交叉性的学科。对外汉语教学天地广阔,还有不少领域有待开发,还有相当多的问题需要深入调查、多方实验、精心研究,研究

---

① 参见对外汉语教材研究小组《建国以来对外汉语教材研究报告》(赵贤州执笔),《第二届国际汉语教学讨论会论文选》,北京语言学院出版社1988年版。

的方法也有待于进一步改进和革新。

在结束本文的时候,我愿意引用一位对外汉语教学前辈学人的一段话作为煞尾:

"对外汉语教学是一门急待发扬光大的学科,作为中国人,去研究发展对外汉语教学是我们责无旁贷的任务。世界的形势在逼迫我们挑起这副重担,如果在汉语本身和汉语作为外语的教学法研究方面,在汉语教材的编写方面,在汉外词典的编纂方面,我们无所建树,这将是我们的耻辱。"①

第二节 学科理论建设成就概述②

走过近50年发展道路的中国对外汉语教学,在学科理论建设方面已经取得了哪些成果?在21世纪,为提高学科的理论水平应该做哪些事情?这是对外汉语教学界非常关心的两个问题。本文打算根据手边掌握的材料,对这两个问题作一简略的梳理。文中所提到的论著和研究成果只是举例性质,挂一漏万,在所难免。

谈论学科理论建设问题,不可能不涉及学科发展的分期问题。我们主张以1978年为界,把近半个世纪的发展历程分为两大时期,即从1950年到1978年的"开创对外汉语教学事业"时期和1978年至今的"确立对外汉语教育学科"时期。前28年

---

① 参见王还《门外偶得集·序》,北京语言学院出版社1987年版。
② 本文摘自刘珣《近20年对外汉语教育学科的理论建设》,《世界汉语教学》2000年第1期。编者按:原文发表时限于篇幅未列出注释和参考文献。

"开创事业"时期,是对外汉语教学进行摸索、试验并不断积累经验的时期。由于历史的原因,当时的主要任务是开创、发展这项教学事业,还不可能进行科学、系统的学科建设,但这一时期教学事业的发展和经验的积累,为以后的学科确立和学科建设奠定了基础。后20余年的"确立学科"时期,是我们自觉地从理论上探讨学科规律、进行学科理论建设,使学科地位得到认定,学科理论得到发展的时期,是由经验型向科学型转变的时期。这一时期又可以分为20世纪80年代"建构学科理论框架"和90年代"深化学科理论研究"两个阶段。80年代开始研究学科的性质、特点,探索学科体系特别是学科理论体系的框架,以研究"教"为主初步展开了对总体设计、教材编写、课堂教学和测试评估的研究工作,并完成了一批为指导教学实践所急需的项目。90年代在语言学习理论研究的推动下,各方面的研究工作全面展开,学科体系得到进一步的充实和丰富。特别是发生在90年代的三次学术座谈会:1992年的"语言学习理论研究座谈会"、1994年的"对外汉语教学定性、定位、定量问题座谈会"和1997年的"语言教育问题座谈会",在推动学科理论发展方面发挥了重大的作用。在前10年研究成果的基础上,教学的规范化问题被提到日程上来,而对语言习得的研究又促进新一轮的教学方法的改革,这就给21世纪学科建设提出了新的要求。本文所回顾的主要是第二时期的学科理论建设。

一 进一步研究学科的性质、特点及其科学定位,以明确学科的发展方向

学科的特点是一门学科得以存在的基础,学科的性质则决

定学科内容、任务及其发展方向,明确学科的性质和特点,是学科理论建设的首要任务。对外汉语教学作为一种第二语言教学或外语教学的学科性质,是在学科建立之初明确提出来的,但长期以来出现过一些不同的看法和争论。至于学科的特点和定位问题,则还有一个认识不断深化的过程。围绕对学科的性质、特点和定位的认识,几十年来大规模的讨论有三次。

1. 从学科否定论到学科不可替代性的确认。早期出现过的学科否定论,认为教外国人汉语是"小儿科",凡是中国人都能教汉语,不承认这是一门学科,认为不需要什么学问;或者认为它只是附属于中文学科或外语学科,没有独立的学科地位。持这种看法的,很多是对我们学科的性质和特点并不了解的人。而早在50年代就曾经亲自从事过对外汉语教学的著名语言学家吕叔湘先生和朱德熙先生,以及一直关心对外汉语教学的王力先生,则为这一学科的确立大声疾呼:"对外汉语教学,我认为是一种学问,一种科学。"(王力,1984)吕必松等学者从80年代初就开始致力于本学科特点和性质的研究,指出对外汉语教学学科所具有的鲜明特点和别的学科不可替代的性质。随着本学科的学科建设取得愈来愈明显的成就,学科的特点为更多的人所了解,特别是对外汉语专业在我国的专业目录中被定为三级学科,这种否定论的市场也就愈来愈小了。

2. 从"对外汉语文化教学学科论"到学科的语言基本属性的确认。80年代末、90年代初,对外汉语教学界的很多学者关注并参与文化教学问题的研究,并提出要进一步加强对外汉语教学中的文化教学的主张,从而在本学科形成了研究文化教学的热潮。与此同时,我们队伍内部在对外汉语教学学科性质、内涵和任务等问题上产生了某些不同的看法。有一种意见认为对外汉语教学要"突破汉语基础教育",要进行"系统的文化知识教学",认为"对外汉语教学的学科内容是汉学,而不仅仅是语言培训",要"把学校办成汉学家的摇篮",最后导致要把"对外汉语教学学科"改为"对外汉语文化教学学科",这样就改变了本学科的基本任务和根本性质。从理论到实践方面所存在的分歧已经影响到本学科的专业建设、课程建设和教师队伍建设,引起了对外汉语教学界的普遍关注。1994年举行的"对外汉语教学的定性、定位、定量问题座谈会"上,通过切磋和研讨,在学科名称、学科性质、学科研究对象等重大问题上取得了一定的共识。会议重申了本学科作为语言教学的学科性质,"语言是它的基本属性和内涵"。(杨庆华,1995)明确指出语言教学和文化教学"是两种不同性质的教学……它们不可能属于同一学科"。(纪要,1995)这次讨论对澄清一些模糊的看法,引导我国对外汉语教学事业和学科建设继续沿着正确的方向健康发展起了重要的作用。

3. 是语言学科还是语言教育学科——对学科定位认识的深化。明确学科的性质,除了要弄清语言教学与文化学科的关系,即语言教学是姓"语"还是姓"文"的问题,还要进一步弄清语言教学与语言学、应用语言学的关系,这就涉及本学科的科学定位问题。传统的看法是把语言教学归入语言学科,认为狭义的应用语言学就是指语言教学。不少国内外学者早就对这一传统看法提出了挑战,认为尽管语言学是语言教学最重要的理论基础之一,从宏观上、微观上对语言教学有着重大的影响,但不论从研究的对象或学科的目的任务,甚至从研究方法来看,这毕竟是两门不同的学科。把作为一门综合学科的第二语言教学仅仅定位于其支撑理论之一的语言学是不恰当的。今天,语言教学需要摆脱长期以来的纯语言学研究方法的影响,在更为广阔的学术背景和更多基础学科特别是心理学和教育学理论的支持下,从事学科研究,走出自己的路子,体现出学科的本质特点。在这个问题上,吕必松先生率先指出,对外汉语教学"是语言教育学不可或缺的一个组成部分"。(吕必松,1995)1997年举行的"语言教育问题座谈会"以及后来发表的一些论文中,不少学者对本学科的科学定位问题进行了深入的探讨,如《语言教育学是一门重要的独立学科》(刘珣,1997,1998)、《关于建设具有中国特色的语言教育学献议》(陈光磊,1997)、《"对外汉语教学"的学科性质论探》(王魁京,1998)等,都主张建立我国的语言教育学科。这表明对本学科性质和发展方向的认识在进一步深化。

    对一门学科的性质和特点的认识随着学科的发展而不断得以明确,这是符合事物发展规律的。对外汉语教学是一门新兴的学科,目前我们对它的认识还仅仅是一个漫长过程的开始。有关"小儿科"的论调无论在国外还是在国内,无论在社会上还是在我们对外汉语教学界内部,都还没有绝迹。这固然是因为社会上存在重科学技术而轻人文学科的倾向,在人文学科中重文学、文化而轻语言,而对语言教学的研究又比对语言本身的研究更少得到重视;但更为重要的是,对外汉语教学作为一门学科要真正站立起来,需要有更多的、不仅在国内外汉语教学界而且在整个第二语言教学领域,甚至对其他学科都产生一定影响的理论研究成果和体现更高效率的语言教学实绩。这就对21世纪本学科理论研究提出了更高的要求。对语言教学和文化教学之间的复杂关系,目前我们还只有非常基本的、粗略的认识,对外汉语教学界在这个问题上的不同学术观点的讨论还在进行中,更全面的认识有待于对诸如语言教学中文化因素体系、跨文化交际文化大纲等的细致、深入的研究。至于我们学科的定位问题的讨论更是刚刚展开,不同观点的争论有可能使它成为21世纪初的一个热点问题。这个问题的深入探讨,需要从进一步研究包括对外汉语教学在内的语言教育学科与语言学、心理学、教育学等相邻学科的关系开始;而这一问题的研究成果,将会直接影响到本学科未来的发展方向,使我们在依靠语言学的同时,更多地汲取心理学、教育学和认知科学研究的新成果,找出一条更能体现本学科性质和特征的发展道路。

二 探索一条从"对外汉语"的角度研究汉语的新路子

汉语是对外汉语教学所教授的内容,从教育学的观点来看,它是对外汉语教学的客体,与对外汉语教学的主体——学生和教师,同为本学科理论研究的对象。对汉语的研究和对汉语习得、汉语教学的研究以及对学科研究方法学的研究,构成了我们学科的基础理论的主要部分,可以称为我们学科的本体。对汉语的研究,是我们学科发展的"基础"和"后备力量"(朱德熙,1989),也一直是对外汉语教学界最受重视、参与者最多、成绩最显著的研究领域。从50年代初,吕叔湘、周祖谟、朱德熙等著名语言学家就直接从事对外汉语教学工作,所以我国一直有语言学家参与或关心对外汉语教学和研究的好传统。他们指导对外汉语教学或直接从事这方面的研究。如《语音研究和对外汉语教学》(林焘,1996)、《对外汉语教学中语汇教学的若干问题》(胡明扬,1997)、《论语言的深层结构和对外汉语教学》(邢公畹,1996)、《配价语法理论和对外汉语教学》(陆俭明,1997)等。相当一部分则是专门从事对外汉语教学的同仁们的研究成果,这说明对外汉语教学界不仅是汉语语言学理论的"消费者",同时也是"生产者"。

1. 现有的汉语语言学的研究不能满足对外汉语教学的需求。但是,我们也不能不看到,对外汉语教学的实践,目前还不能从现有的汉语语言学研究的丰硕成果中得到足够的理论支持和帮助。问题在于一般语言学的研究与对外汉语教学的需求之间还存在着相当的距离。

近年来出现了"对外汉语"一词。起初,连本学科的不少同仁也觉得这一术语难以接受:汉语只有一个,不存在"对外"或"对内"的不同汉语。但现在"对外汉语"已逐渐为较多的人所认同,而且已成为专业目录上的专业名称(专业代码 050103)。这一术语的含义也许应理解为"作为第二语言教学和研究的汉语",也就是从一个新的角度来研究的汉语。对外汉语教学是汉语作为第二语言的教学,它与汉语作为母语的教学的巨大差别也体现在其教学内容,即所要教的汉语上,这是从对外汉语教学事业初创阶段就为对外汉语教学界所重视的问题。现在所知道的本学科最早(1953年)的一篇论文中,周祖谟先生提出了至今看来仍有极高学术价值的、有关对外汉语语法教学的三个特点:重表达、重实践、重对比。我国第一部正式出版的对外汉语教材《汉语教科书》(邓懿等,1958),以其"独具特色的语法切分"、"突出句子系统、表达系统、情貌系统、补语系统"的内容选择、"成功地运用比较的手段以加强针对性"等特色,在 50 年代不仅为对外汉语教学,也为语言学界初步建立了"一个新的语法体系"(吕文华,1994),实际上就为研究"对外汉语"提供了一个很好的范例。另一方面,从事对外汉语教学的教师们都深切地感到,现有的为母语是汉语者编写的(其实也就是把汉语作为母语来研究的)汉语语法著作,不能满足教外国人汉语的需要。"有些语法书中花费不少篇幅讲的,甚至是长期以来争论不休的问题,在我们的语法教学中并不是困难的所在⋯⋯而我们教学中常常遇到的、迫切需要解决的许多问题,在这些书里却往往找不到或很难找到满意的解释"。(刘月华,1983)可见对外汉语教学界要依靠但不能只是依赖语言学界,不能采取"拿来主义"的态度把语言学界对汉语的研究成果直接用到对外汉语教学中;语言学界现有的研究成果也不能全部解决对外汉语教学的内容问题。因此,摆在对外汉语教学界同仁面前的就不仅仅是按已有的研究成果编排语法教学大纲的问题,而是"在汉语作为外语教学中的语法研究应该怎样进行"的问题。(刘月华,1983)从对外汉语教学的角度来看,有很多汉语事实的描写和解释,需要我们和语言学家们一起努力。

2. "对外汉语"研究特点的探讨。90年代以来,很多学者的注意力更多地放在汉语作为第二语言教学与研究的特点上。郑懿德明确提出,"为对外汉语教学服务的语法研究,应当把重点放在汉语的'组装规则'方面","从考察解释汉族人习焉不察而外国人学习汉语时比较敏感的语言现象这一角度,对汉语语法研究作出贡献"。(郑懿德,1992)杨庆蕙认为,在语法规则的阐述上要注意句法、语义、语用三个平面的有机结合,突出强调语义和语用;要注重比较,包括汉外对比、正误对比和相似语法现象的比较。(杨庆蕙,1994)赵金铭总结了教外国人语法的六点原则:是教学语法而不是理论语法——突出"用法"研究;是教外国人的语法而不是教本国人的语法——语法规则要细,管辖范围要窄;是从意义到形式而不是从形式到意义——要注重意义,从意义出发;不仅是分析的语法更是组装的语法——符合于句子生成的过程;不仅是描写的语法更是讲条件的语法——着重说明语法现象出现的条件;不能是孤立地讲语法而是在语际对比中讲汉语语法——与学生的母语或媒介语对比以突出汉语的特点。(赵金铭,1994)这些实际上也是对外汉语语法研究的特点。

3. 对外汉语研究的初步成果。从对外汉语的角度研究汉语语言学,50年代就已开始。老一辈的学者们如邓懿、周祖谟、王还先生等从创建对外汉语教学语法体系开始,为这方面的研究打下了很好的基础。《汉语教科书》就是早期对外汉语研究成果的集中体现。70年代以来,王还先生一直坚持对汉语句式和虚词的研究,还从汉英对比的角度切入对外汉语的研究,也大大推动了汉外对比的研究。王还先生研究的主要成果汇集在1987年出版的《门外偶得集》中。80年代以来,对外汉语教学界的中青年学者们,沿着老一辈开辟的道路做了很多的研究工作,取得了令人瞩目的成果。这里仅举几个例子:刘月华等于1983年出版的《实用现代汉语语法》,是针对外国人学习汉语的特点、为指导学生正确地使用汉语而编写的第一部系统的对外汉语语法书,被吕叔湘先生称为"一本很有用的书","有不少内容是别的书上不讲或一笔带过,而这本书里有详细说明的"。(吕叔湘,1983)赵淑华主持并完成了中国国家教委博士基金项目《现代汉语句型统计与研究》,对近400万字的语料进行句子切分,并对其中60万字语料进行了句型分类统计与句法结构分析,建成了两个现代汉语句型语料库。这是一项为对外汉语教学研究,也是为汉语语言学研究服务的、有深远意义的基础工程。房玉清1994年出版的《实用汉语语法》是为外国学生系统地学习汉语语法编写的又一本语法专著,胡明扬先生认为"作者对汉语的动态范畴、数量范畴、时空范畴、语气范畴的研究以及对某些助词的处理很有特色,有不少创见"。(胡明扬,1994)吕文华于1994年出版的《对外汉语教学语法探索》,是第一部专门研究对外汉语教学语法体系的专著,该书在论述了我国对外汉语教学语法体系建立和发展的过程、分析其特色与不足的基础上,提出了改革、完善对外汉语语法教学体系的设想,对推动对外汉语语法研究很有启发意义。

近20年来,本学科在对外汉语方面的研究成果,除了体现在各种对外汉语教材以及数百篇论文中,还较为集中地体现在由钟梫、吴宗济、李德津、张维、许德楠、刘月华、陈亚川、范开泰、赵金铭、郑懿德、房玉清、赵永新、常敬宇、李明、张静贤、易洪川、李大遂、刘广徽、郝恩美、潘文国、熊文华、李芳杰、周小兵、崔希亮、卢福波等人撰写的数十部紧密结合对外汉语教学的语音、词汇、语法、汉字、汉外对比等专著和论文集中,体现在如《现代汉语频率统计与分析》《北京口语调查》《现代汉语句型统计与研究》《现代汉语语法研究语料库》《现代汉语研究语料库》等大型的研究项目中。可以预见,在21世纪,这方面的研究将会加大力度,从建立并完善科学的对外汉语的教学语言体系开始,逐步拓宽研究领域并向深层发展,形成作为我们学科基础理论的一种新的汉语语言学。

4. 对外汉语中的文化因素研究。跟母语研究相比较,重视语言中文化因素的研究是对外汉语研究的一个显著特点。作为对外汉语的教学内容,在传统的语音、词汇、语法、汉字之外还要加进文化因素。10多年来对外汉语教学界围绕语言中的文化因素问题进行了热烈的讨论。这场讨论是由80年代中期张占一提出将文化内容划分为交际文化和知识文化两个部分而引起的,他把跨文化交际中造成交际障碍的规约性的文化因素称为交际文化。交际文化概念的提出,使第二语言教学中浩如烟海的文化因素有了新的界定,因而获得不少人的赞同;也有人对交际文化理论的不完整之处提出了异议。这场争论又引发了对与语言密切相关的文化因素的范围和分类的深入探讨,赵贤州、陈光磊、王国安、毕继万、鲁健骥、张德鑫、于丛扬、林国立、周思源、程棠、杨国章、李润新、孟子敏、葛中华、卞觉非、魏春木等,以及胡明扬先生、王德春先生都参加了讨论,有的提出了自己的分类方案。其中魏春木等所提出的文化行为项目和文化心理项目两大类114个子项目的分类法,比较全面而系统地概括了基础汉语教学阶段的文化项目,受到大家的重视;陈光磊的语构文化、语义文化、语用文化的三分法因与语言教学贴得很紧、便于在教学实践中应用而产生了较大的影响。讨论又延伸到语言课堂教学中文化因素的导入或揭示的问题以及文化导入或文化揭示的原则与方法。在"对外汉语教学定性、定位、定量问题座谈会"上作了初步的总结:将作为语言课组成部分、语言中所包含的文化因素的教学,和与语言课无直接关系、但作为专业课程设置所必需的文化知识课的教学区分开来,这两部分文化教学的任务、内容、教学原则和教学方法都不相同。语言教学中文化因素的研究并未到此结束,文化因素还必须具体化,文化因素的教学也必须量化,这就有待于文化因素大纲的制定。

三 汉语习得的研究开辟学科理论建设的新领域

20世纪后半叶,第二语言习得研究逐渐成为西方语言教育学科的一个新兴的研究领域。由于它所涉及的不仅是语言教学问题,还与语言学、认知科学、心理学、社会学等学科密切相关,因此已成为上述诸学科共同关注、积极参与的研究领域。

我国对外汉语教学界自觉地从事汉语习得的研究并与国外学者的研究相接轨起始于20世纪80年代,90年代由于"语言学习理论研究座谈会"(1992年)的推动,以及会后出版的研究第二语言学习理论的第一本论文集《语言学习理论研究》的影响,这一研究受到广泛的重视,参与研究的学者增多,研究范围也逐步扩大。除了已发表的论文外,1998年出版了对外汉语教学界第一本研究语言学习理论的专著《第二语言学习理论研究》(王魁京,1998)。汉语习得研究的历程是从介绍西方的语言习得理论开始的。1984年鲁健骥发表《中介语理论与外国人学习汉语的语音偏误分析》,首次引进了中介语和偏误分析理论。90年代孙德坤、陶炼、温晓虹与张九武、王建勤、袁博平等相继对国外语言习得的研究和理论作了研究性的介绍,从拉多的对比分析到塞林格的中介语理论、克拉申的输入假说、乔姆斯基的普遍语法理论等,开阔了我国学者与广大教师的思路,也从理论上给大家以指导与借鉴。同时,吕必松、鲁健骥等对汉语中介语的研究方向与策略作了探讨。

10多年来,汉语习得本身的研究,一直是研究者们关注的热点,比较而言,也是取得研究成果最大的一个方面。这方面的研究,经历了三个阶段,即病句研究、偏误分析、习得顺序和习得过程的研究。

1. 从病句研究到偏误分析。首先我们不能不提到我国对外汉语教师在20世纪60至70年代就大力进行的留学生病句研究,其研究成果集中体现在《外国人学汉语病句分析》(佟慧君,1986)及后来的《汉语病句辨析九百例》(程美珍等,1997)等书中。留学生学习汉语病句的收集、整理与研究,对教师课堂教学曾起过很大的参考作用。但这种从"教"的角度出发对学生的病句分析,只是把学习者的病错句与目的语的标准形式进行词汇、句法的对比,指出其结构或语义上的错误所在和如何进行语言学的解释,未能涉及学习者的心理因素和学习规律。到80年代末、90年代继续进行的病句分析,实际上已经受到中介语理论的影响,接近于偏误分析。这一早期的病句研究阶段,不妨称之为"前中介语研究阶段"。

20世纪80年代中期随着中介语理论的引进,我国对外汉语教学界有关汉语习得的研究进入第二阶段,即中介语理论指导下的偏误分析阶段。这是一种从学生学习的角度出发、以探讨习得规律为目的的研究。1992年《语言学习理论研究座谈会纪要》及吕必松先生发表的论文中都指出,语言学习理论的研究要"以中介语研究为突破口",这就大大推动了这方面的研究。愈来愈多的教师、学者对偏误分析和中介语的研究产生了兴趣,除鲁健骥所做的系列研究外,梅立崇、李大忠、刘明章、吕文华、李晓琪、王魁京、王绍新、王韫佳、陈小荷、高莉琴、李红印、马燕华、金红莲、杨翼、罗青松、刘颂浩、高宁慧、熊文新、彭利贞、蒋印莲、田善继等都发表过偏误分析的文章,研究内容涉及汉语语音、词汇、语法、汉字、语用、语篇等各个方面。有关偏误分析的论文占发表的语言学习理论研究论文中的很大一部分,成为90年代学科理论研究的一个"热点"。

2. 习得顺序和习得过程研究的初步成果。汉语习得研究进入第三个阶段的标志,是开始了习得顺序和习得过程的研究。这是中介语研究的深入发展,它突破了只是对中介语的偏误部分所进行的横切面式的、静态的分析,转而对中介语发展轨迹进行全面的、动态的研究。20世纪90年代初期和中期,一些年轻的学者首先成为这一领域的探索者,他们发表了一批数量虽不多但极富开创意义的成果。其开创意义不仅表现在他们研究所得的结果上,还表现在他们所采用的个案跟踪或规模调查等实验方法和科学的统计方法上,为本学科的实证性研究作了有益的尝试并起到了示范作用。难能可贵的是,他们所采用的成人第二语言习得的纵向个案研究以及以多项语法结构同时进行的调查研究,在国外的同类研究中也不多见,他们的研究触角已经伸向并勇敢地冲击这一学术领域的前沿,显示了我国年轻一代学者科学探索的勇气和理论研究的潜力。孙德坤首先进行了个案跟踪的纵向研究,于1993年发表了《外国学生现代汉语"了·le"的习得过程初步分析》;赵立江首次进行了纵向的个案跟踪与横向的规模调查相结合的研究,于1996年发表了《外国留学生使用"了"的情况调查分析》;王建勤首次通过对大规模的语料(914条)的研究,探讨"不"和"没"否定结构的习得过程并首次在研究中运用了科学统计方法,于1996年发表《"不"和"没"否定结构的习得过程》;钱旭菁运用横向规模调查的方法,通过日本留学生不同学习阶段掌握汉语趋向补语的准确度来探讨趋向补语的习得顺序,并提出该语法结构的教学顺序,于1997年发表了《日本留学生汉语趋向补语的习得顺序》。最近的也是迄今规模最大的一项对汉语肯定句式和疑问句式习得顺序的综合研究,是施家炜于1997年完成的《外国留学生22类现代汉语句式的习得顺序研究》。这一作为其硕士论文的课题采用了选自北京语言文化大学《汉语中介语语料库系统》语料分析、测试及问卷调查、个案跟踪三种语料收集手段和研究方法,对留学生22类现代汉语句式的习得顺序进行了横向与纵向相结合的研究,在对预期假设进行检验的基础上提出了一套"外国留学生汉语作为第二语言习得顺序理论假说",并首次提出"自然顺序变体理论假说",对自然顺序及其变体、习得等级、习得顺序的成因及制约因素进行了探讨。在第六届国际汉语教学讨论会上,王建勤发表了《表差异比较的否定结构的习得过程》,孙德金发表了《外国留学生汉语体标记"了""着""过"习得情况的考察》一文。与此同时,一些研究论文以认知心理学理论为指导,运用实验的方法,探讨汉语习得过程中的心理机制和认知规律,如:《从留学生识记汉字的心理过程探讨汉字教学》(王碧霞,1994)、《外国留学生在快速显示条件下阅读汉语句子的实验报告》(刘威,1995)、《从听力测试谈留学生听力理解方面的障碍》(毛悦,1996)等。而另一些研究论文则侧重从理论上对汉语习得过程和习得机制以及汉语中介语的特征进行探讨,如:《第二语言习得内在过程的认识与作为外语的汉语教学理论问题的思考》(王魁京,1991)、《语言是不是知识》(陈贤纯,1995)、《汉语中介语的分阶段特征及教学对策》(王珊,1996)、《语言能力模型与语言能力测试》(张凯,1995)、《语言能力与外语能力的同质性》(张凯,1997)、《第二语言能力结构研究回顾》(陈宏,1996)、《汉语能力结构差异的检验与分析》(陈宏,1997)。

　　特别值得提及的是,北京语言文化大学于1995年首次完成了"汉语中介语语料库系统",该系统收集了汉语中介语原始语料350多万字,核心语料100多万字。这是目前国内外规模最大的汉语中介语语料库,它的建立为汉语中介语和汉语习得的研究提供了非常有利的条件。

　　3. 学习者的个体因素和语言学习环境的研究。语言习得的研究离不开对语言学习者的研究。迄今为止,我国对外汉语教学界在这一领域中研究的最大项目为《外国人学习与使用汉语情况调查研究报告》(高彦德等,1993)。这是一项历时两年多、涉及89个国家1 178名调查对象的研究课题,该课题调查的重点是学习者学习汉语的目的、就业情况、不同专业人员对基本语言技能掌握运用情况及主要困难、对语音词汇及语法的掌握情况及需求、对课程内容及教材的评价与需求等。虽未多涉及学习者的生理和心理因素,与国外一般的研究内容不尽相同,且调查方法主要采用问卷式和座谈式,但这是有关学习者个体因素大规模研究的首次尝试,调查的资料及所得的结论对教学有很大的参考价值。有关学习者因素分析的文章还有:《日本人性格的若干特点对其汉语学习的影响》(梁霞,1994)、《学生情感与课堂教学》(金兰,1996)、《日本留学生汉语学习的感知结构分析》(王珊,1997)、《高级汉语学习者的学习策略与学习效果的关系》(杨翼,1998)、《外国学生汉语学习策略的认知心理分析》(徐子亮,1999)等。对语言学习环境的研究目前成果较少,看来这一重要的课题尚未引起我们的重视。已发表的文章有:《关于开展课堂教学活动的一些设想》(孙德坤,1992)、《语言环境与第二语言获得》(张崇富,1999)、《对外汉语课外延伸教学的思考》(王珊,1999)、《语言学习环境与对外汉语教学》(郭茜,1998)等。

从以上的分析可以看到,20世纪80年代初开始的汉语习得研究异军突起,为我国对外汉语教育学科理论建设打开了一片新的天地。它推动教学理论研究的深入发展,也使得我们的研究与国外第二语言教学的研究逐步接轨。特别是在汉语的偏误分析和习得顺序、习得过程的研究等方面,开了个好头,取得了初步的成果。汉语习得的研究方兴未艾,已经成为21世纪最活跃、发展最快的学科研究领域之一。

四 教学理论和教学方法的研究促进教学的科学化、规范化和教学改革

语言教学理论"研究对语言规律、语言学习规律的综合应用","是学科理论的核心,是学科存在的主要标志"。(吕必松,1990)对外汉语教学理论和教学方法,揭示对外汉语教学的客观规律,全面指导对外汉语教学实践,是本学科理论研究的重点。有关对外汉语教学理论的研究有一个发展的过程。在对外汉语教学"开创事业"时期的20多年中,所发表的数十篇论文主要是探讨教学方法、解决教学中的具体问题。20世

纪80年代初,由于学科建设的开展,学科意识的不断增强,开始了对教学理论宏观的、系统的研究,同时对教学方法和教学活动各个环节的研究全面展开,也加强了对国外教学理论和教学流派的介绍和研究。据统计,80年代发表的教学理论和教学方法的论文近300篇,专著10多部。90年代则是研究成果大量涌现的时期,这一阶段教学理论研究的特点是:更自觉地结合认知心理学、语言习得、跨文化交际等理论,深入探讨教学规律;对以往的教学和研究成果从新的理论高度进行总结,研制更为科学的标准和大纲;对语言要素和语言技能的不同课型的研究更为深入,并在此基础上进行课程规范化的研究。

1. 建构学科教学理论体系的框架。对外汉语教学体系的框架是20世纪80年代逐步形成的,主要奠基人是吕必松先生。吕必松最早对学科理论进行了系统的研究,揭示了对外汉语教学的性质和特点,论述了学科的基础理论和应用理论,并提出学科建设的任务。在教学理论方面,他提出由四大部件组成、受三类变因影响的教学结构,提出了总体设计理论与教学活动四大环节理论,从而创造性地建构了学科理论体系和教学理论体系,并为本学科同仁所认同。有关论述体现在他的论著《对外汉语教学探索》(1987)、《对外汉语教学发展概要》(1996)、《华语教学讲习》(1992)、《对外汉语教学研究》(1993)以及《对外汉语教学概论(讲义)》(1996)之中。90年代以来出版的通论性的教学理论著作还有《语言教学原理》(盛炎,1990)、《对外汉语教法学》(张亚军,1990)、《中高级对外汉语教学论》(李杨,1993)、《对外汉语教学通论》(赵贤州等,1996)、《第二语言教学论》(周小兵,1996)等。这些专著各有特色,或以介绍国外理论为主,或以论述对外汉语教学的史实见长;或综观全局,或突出某一教学阶段,从不同侧重点探讨本学科的理论。《对外汉语教学是一门新型的学科》(施光亨、赵永新,1992)一书则对本学科的学科地位和学科的发展现状作了集中、概括的介绍,有利于人们对这门学科的正确了解。此外,已发表的数千篇有关教学理论的论文,从不同方面充实、丰富这一理论框架。1997年北京语言文化大学出版的《对外汉语教学研究丛书》,比较系统地总结了主要是该校教师、学者几年来在本学科各领域的研究成果,也从一个侧面反映了我们学科在有关方面的研究水平。

随着学科的发展,新的理论特别是语言习得和语言认知研究的深化,对学科教学理论体系的认识也会不断发展,现有的学科教学理论架构需要通过不断吸取国内外语言教学理论和相关研究成果来加以完善和创新。对教学理论各个部分的研究,现在也很不平衡,有的方面还有空白,更需要加以补充。

2. 以教学原则的研究为中心探讨对外汉语教学法体系。本文所用的"教学法"一词,是指运用教学理论所阐述的教学规律,解决具体教学中"怎样教"的问题,建立以四大环节为主的全部教学过程和教学活动的方法体系。

20 世纪 80 年代曾有过关于我国对外汉语教学法名称的议论,有的学者主张用"综合法",有的说是"结构—功能法"或"功能—结构法",至今尚无定论。从当前整个第二语言教学法研究趋向来看,愈来愈多的学者认为任何一种教学法流派都有其存在的合理性,但没有一种十全十美的教学法,而且也不可能以一种教学法来适应不同需求、不同等级、极其复杂的教学情况。因此西方学者们从 20 世纪 80 年代后期以来,把对理想的教学法的追求转到对教学原则的研究上来。教学原则是统帅教学法的灵魂,我国学者也一直重视教学原则的总结与研究。从 20 世纪 50 至 60 年代的"以词汇教学和语法教学为中心"、"重视口语训练"、"联系实际"(周祖谟,1953)、"实践性原则"、"综合教学"、"语文并进"、"对不同学生在不同阶段四会有不同的侧重点"、"课内课外相结合"、"学以致用"、"精讲多练"(钟梫,1979)等原则到 70 年代的"实践第一"的观点(吕必松,1977),80 年代的"结构与情景、功能相结合"(吕必松,1980)、"交际性原则"(王德佩,1987),80 年代后期到 90 年代的"结构、功能、文化相结合"原则,以及 90 年代对中高级阶段的对外汉语教学、短期汉语教学、速成汉语教学原则的探讨等等,形成了我们探索对外汉语教学法原则认识不断深化的漫长的历程。值得注意的是,在这一过程中,虽然我们曾得到国外不少教学理论的启发,但对汉语教学规律的认识主要还是我们在反复实践中不断总结而获得的。

特别要提出的是"结构、功能、文化相结合"的原则,完全是我们自己提出的、带有中国特色的提法。我们运用唯物主义辩证法的指导思想,分别汲取了国外结构法和功能法的长处,又舍弃其走极端的弊病,同时对文化因素的教学进行了长期的讨论,才在此基础上提出这一既反映了对外汉语教学的主要内容,又反映了基本教学路子的原则。由于受语言习得理论的启发以及我们对语言学习环境的重要性的认识,我们还提出了建立校内校外、课上课下、学习与习得相结合的教学法体系。对"三结合"的原则和新教学法体系的设想,还没有进行深入的研究，今后抓住这一重点，并结合对其他重要的教学原则的研究，将有助于建立体现汉语教学特点的、汉语作为第二语言的教学法体系。

3. 以总体设计的研究带动教学活动的科学化与规范化。

已有数十年历史的对外汉语教学，随着其规模的不断扩大，教学质量的要求不断提高，对教学活动的全过程进行必要的规范化、标准化，既是教学第一线的需要，也是学科理论建设的需要。20世纪80年代，吕必松提出总体设计理论，把对外汉语教学作为一项系统工程来研究，规范并协调课程设置、教材编写、课堂教学、测试评估等教学活动的环节，解决对外汉语教学中存在的盲目性、随意性和无序状态。80年代后期，总体设计成为本学科探讨的中心问题之一，发表了很多这方面的文章。由于当时的认识水平和教学实践的限制，有些文章着重理论性的探讨或局限于某一单位的课程设计。1988年中国对外汉语教学学会组织研制的《汉语水平等级标准和等级大纲(试行)》正式出版，这是对外汉语教学界30多年来第一个指导性、规范性的标准和大纲。该大纲在试行数年后，又进行了修订，分别于1992年出版了《汉语水平词汇与汉字等级大纲》，1995年出版了《汉语水平等级标准与语法等级大纲》。1995年北京语言文化大学还制定了直接为教学服务的《中高级对外汉语教学等级大纲(词汇·语法)》。在这期间，赵贤州、李景蕙、盛炎、刘英林、程棠、吕文华、李杨、孙瑞珍、陈灼等人撰写了一批论述或评介等级标准、等级大纲的文章。"标准"和"大纲"的研制与修订，标志着我国对外汉语教学在科学化、规范化方面跃上了一个新台阶。"标准"和"大纲"是总体设计研究的成果，又成为规范今后的课程设置、教材编写、课堂教学和测试评估的依据。90年代中期以来,吕必松、李杨、崔永华、孙晖、卢晓逸、潘文国、马箭飞、顾圣皓、刘亚林等发表了一批论述本科专业教育、预备教育、速成教育、短期教育、华文教育以及外交人员个体化教学的总体设计的文章,这些文章是在多年教学实践的基础上,总结各种类型教学的规律,并参照"标准"和"大纲"来规范课程设置而研究的成果,反映了我们对总体设计认识的新高度。

上个世纪末的20年间,汉语教材的编写取得了很大的成绩,不仅满足了国内教学的需要,还有一批质量较高的教材为国外汉语教学界广泛采用,使我国教材成为世界上影响最大的汉语作为第二语言的教材。但教材编写也存在不少问题,主要是相当长一段时间因无"纲"可依而影响到教材的科学性;另外在300多部教材中,雷同、平庸之作不少,同一水平重复的现象严重。"标准"与"大纲"的制订,理顺了教材编写与总体设计的关系;而为了提高新的教材的编写质量,加强了教材编写理论的研究,90年代出现了很多研究新一代教材的文章。现在,不少面向21世纪的新型教材正在酝酿或编写之中。

在课堂教学研究方面,不论是言语技能或是语言要素的教学都开始了比较深入的研究。其中专著有《听力训练81法》(杨惠元,1988)、《汉语听力说话教学法》(杨惠元,1996)、《外语阅读教学与心理学》(陈贤纯,1997)以及《对外汉语教材教法论》(赵贤州等,1990)、《对外汉语课堂教学技巧》(崔永华等,1997)。有关论文则占教学理论和教学法论文中的很大部分。在语言要素的教学方面,语音教学研究由于一度存在的教学质量滑坡现象而引起了人们的注意,一些学者如王韫佳等通过实验语音的研究探索语音教学方法的改革;词汇教学与语法教学相比一直缺少严密的体系和教学规范,胡明扬先生等专家多次著文强调词汇教学的重要性,已引起了大家的重视。汉字教学研究长期以来囿于传统教学方法进展甚微,几乎成了被遗忘的角落。而西方学者们因为切身感受到汉字学习的困难,主张汉字按自身规律独立教学,同时也期望我们在汉字的故乡能加强这方面的研究。我国学者如张朋朋等长期从事汉字教学改革的探索,提出了"语和文先分后合"的新思路并编写了一些突出汉字规律的汉字教材,越来越受到人们的重视。1997年召开了第一次"汉字与汉字教学研讨会",以推动汉字教学的研究工作。目前这方面研究已出现一些新成果,如:《汉字研究与对外汉语教学》(石定果,1997)、《汉字部件和对外汉字教学》(崔永华,1997)、《汉字教学与汉语教学》(吕必松,1998)、《汉字教学:教什么?怎么教?》(卞觉非,1999)等。

在测试评估方面,汉语水平考试(HSK)从1984年开始研制,10多年里已发展成为世界上影响最大的,包括基础、初中等、高等三个不同等级的汉语水平考试;在19个国家建立了考点,考生已有10多万。在语言测试理论研究方面,除了刘英林、刘镰力主编的论文集外,郭树军、谢小庆、张凯、陈宏、何芳等人发表了一批研究测试效度和信度的文章。对成绩考试的研究及教学评估的研究,目前成果还不多。

为了进一步完善对外汉语教学的标准和大纲的制订,目前一部分学者正从事汉语功能意念大纲以及文化因素大纲的研究。杨寄洲、李泉、卢伟、林国立等发表了有关的论文。此外,北京语言文化大学正进一步加强课程和课堂教学的规范研究,以彻底摆脱教学中的随意性,更好地扫清提高教学质量的障碍。第一部论述课程规范的专著《对外汉语教学初级阶段的课程规范》(王钟华,1999)已经出版。

4. 教学手段现代化的研究带动教学方法的改革。很多学者也注意到进一步推动教学改革的迫切性。崔永华认为,目前我国流行的对外汉语教学模式是在20世纪80年代中期定型的,它反映的是60至70年代国际语言教学的认识水平,而上个世纪末30年间的国内外语言学、第二语言教学、语言心理学、语言习得研究、语言认知研究等方面的成果,未能吸收到教学模式中来,而且我们的教学模式也非常单一。(崔永华,1999)可以说,相当长时间以来我们在教学法的研究和探索方面显得非常沉闷,整个对外汉语教学界大体上按照相同的模式进行教学,几乎没有什么突破;而我们的教学效果并未达到令人满意的程度,我们的教学法体系也远未形成。这就需要我们大力进行教学改革的探索。同时我们还应该看到日新月异的信息传输技术的发展和教学手段和方式的现代化的趋势。在教学手段现代化方面,多年来张普、郑艳群、徐娟、黄建平、隋岩等在计算机辅助汉语教学、运用多媒体技术方面作了很多的研究,也取得了相当的成果,但总的来看对外汉语教学界在这方面仍相当滞后。随着网上远程教育的开展,语言教学将冲破传统的教学观念和模式,打破时间、空间的限制,成为面向全球的开放式、双向交互式的新型教学体系。技术手段的改革有可能引起一场新的教育革命,影响到教学内容、课程设置甚至教学原则。对此我们不但要有思想准备,而且要进行前瞻性的研究。

第三节　学科理论研究的现状和面临的问题[①]

一　理论建设是学科建设的关键

我们把对外汉语教学学科建设的任务归结为教学建设、理论建设和教师队伍建设。这三项任务之间的关系是：教学建设是中心，理论建设是关键，教师队伍建设是根本。我们说理论建设是学科建设的关键，是出于以下几点考虑：

1. 理论是学科的立足之本。我国对外国人的汉语教学有悠久的历史，中华人民共和国成立之后，对外国人的汉语教学更成了国家的一项专门的事业。但是在过去相当长的一个时期内，对外汉语教学并没有成为一门学科，究其原因，就是没有形成自己的学科理论。直到20世纪70年代末，由于出现了改革开放的新形势，也由于受到国外语言教学理论的影响，我国对外汉语教学界才开始产生学科意识，同时更加认识到加强理论研究的必要性和重要性。经过广大对外汉语教学工作者的共同努力，终于初步形成了对外汉语教学的学科理论体系，对外汉语教学这门学科才得以建立起来。

2. 理论是教学发展的火车头和推进器。我们把语言教学的全过程和全部教学活动概括为总体设计、教材编写、课堂教学

---

① 本文摘自吕必松《对外汉语教学学科理论建设的现状和面临的问题》，《语言文字应用》1999年第4期。

和测试四大环节,如果没有科学理论的指导,各项教学活动都只能盲目从事,不但不会有根本性的突破,连起码的教学质量也难以保证。迄今形成的各种语言教学法流派,都有各自的理论基础。我国对外汉语教学也在不断地进行改革,每一项改革也都是在一定的理论指导下进行的。

3. 理论是教师队伍建设的学术基础。教师队伍建设有多种途径,其中最重要的途径是培养和培训。培养主要是指通过专业训练培养新教师,培训主要是指有计划、有目的地提高原有教师的素质。无论是培养新教师,还是培训原有教师,都离不开系统的理论指导。一个学科的教师队伍的素质跟这个学科的理论水平是分不开的,只有整个学科的理论水平提高了,教师队伍的素质才能得到相应的提高。

4. 加强理论建设是发展对外交流的需要。跟其他门类的语言教学一样,对外汉语教学也不是孤立的。它不但是世界汉语教学的一个组成部分,而且也是世界语言教学的一个组成部分。因此,我们不但要在世界汉语教学界开展学术交流,而且也要在世界语言教学界开展学术交流。交流总是双向的,在向人家学习的同时,也必须有东西供人家学习。如果没有一定的学术水平,在世界汉语教学界和世界语言教学界就没有我们的地位和发言权,我们就没有资格跟人家交往和对话。

二 基础理论建设和教学理论建设

我们把对外汉语教学的学科理论归结为基础理论和教学理论两个方面,下面分别介绍。

(一) 基础理论建设

基础理论是与应用理论相对而言的。作为一种语言教学，对外汉语教学的教学理论离不开语言理论、语言学习理论和一般教育理论的指导，实际上是对这些理论以及其他相关理论的综合应用。因此，我们把语言理论、语言学习理论和一般教育理论统称为对外汉语教学的基础理论。对外汉语教学界关于基础理论的研究，主要集中在语言理论和语言学习理论这两个方面。

1. 关于语言理论的研究

我们认为，语言理论可以从宏观和微观两个方面指导和影响语言教学。对语言的本质和特点的论述及描写，是认识语言学习和语言教学的本质所不可缺少的理论依据，这就是语言理论在宏观上对语言教学的指导和影响。对语言事实的研究与描写，包括各种定量研究和对语音、词汇、句型、语法、语用规律和规则的描写以及对话语和篇章规律和规则的描写等，对语言教学的总体设计、教材编写、课堂教学和测试等具体教学活动有直接的指导作用，是这些具体教学活动所不可缺少的理论依据。这种描写越全面、越深刻、越细致，对语言教学的帮助就越大，这就是语言理论在微观上对语言教学的指导和影响。

语言理论研究不但是专业语言学家的任务，而且也是语言教师的任务。在汉语研究和汉语与其他语言的对比研究方面，我国已形成了对外汉语教师与专业语言学家和计算机专家相结合的大好局面。对外汉语教师在向专业语言学家和计算机专家学习的同时，也形成了自己的研究特点。例如：结合教学的实际需要，针对外国学生学习汉语的特点和难点开展研究；研究的重点是汉语本体和汉语与其他语言的对比；涉及的内容相当广泛，包括对汉语特点的论述和描写,对汉语语音、语法、词汇等具体语言事实的描写,对汉语词汇和句型的定量分析,对汉语语体特点的研究,汉语和外语在语音、语法、词汇等方面的对比研究,外国留学生汉语偏误分析,汉字的属性和特点研究,以及汉语教材和工具书的编写,等等。

王力先生早就深刻地指出:"一切语法上的规律,对于本国人,至多只是'习而不察'的,并不是尚待学习的。……我们的书虽不是为外国人而著,却不妨像教外国人似的,详谈本国的语法规律。譬如有某一点,本国人觉得平平无奇,而外国人读了,觉得是很特别的,那么,正是极值得叙述的地方。"(《中国语法理论·导言》,中华书局,1957)要做到"像教外国人似的""详谈本国的语法规律",就必须了解外国人学习的难点。语法研究是这样,语音、词汇、语用等方面的研究也是这样。所以吕叔湘先生强调指出:"教外国学生汉语对我们的启发比教汉族学生更大,更容易推动我们的研究工作。"(《教书与研究》,《对外汉语教学》1984年第1期)因为对外汉语教师熟悉外国人学习汉语的特点和难点,所以他们结合教学需要开展汉语研究更能揭示汉语的规律,他们的研究成果除了能满足对外汉语教学的需要之外,也是对语言学的贡献。

语言本身也是一种文化现象,又是文化和信息的一种载体。因此,每一个民族的语言都带有该民族特有的文化印记,不同民族之间的文化差异有许多就表现在语言和交际之中。这就决定了人们在学习第二语言的过程中,特别是在学习外语的过程中,必然会遇到一些不熟悉或难以理解的文化现象,这类文化现象就成为理解和使用目的语的文化障碍。要消除这种文化障碍,在第二语言教学中就必须同时进行相关文化因素的教学。影响语言理解和语言表达的文化因素多半是隐含在语言的语音系统、词汇系统、语法系统和语用系统中的反映一个民族的心理状态、价值观念、生活方式、思维方式、道德标准、是非标准、风俗习惯和审美情趣等等的一种特殊的文化现象,对这类文化现象进行专门的研究,建立起系统的理论,不但是第二语言教学的迫切需要,而且也是语言理论建设的一项重要任务。

在国外跨文化交际理论的影响下,从20世纪80年代开始,关于文化因素教学问题的研究也成了我国对外汉语教学学科理论研究的热点之一。在美国留学的张占一先生在他的硕士论文中首先提出的"交际文化"理论(《汉语个别教学及其教材》,《语言教学与研究》1984年第3期),对这一领域的研究产生了积极的推动作用。对"交际文化"的概念和定义虽然有不同的看法(卢伟《对外汉语教学中的文化因素研究述评》,《世界汉语教学》1996年第2期),但是这方面的研究和讨论与关于培养交际能力问题的研究相结合,大大提高了在语言教学中进行相关文化因素教学的自觉性,在总体设计、教材编写、课堂教学和测试中已开始注意吸收有关的研究成果,把相关文化因素的教学和测试作为教学和测试的一项不可缺少的内容。

2. 关于语言学习理论的研究

无论在国内,还是在国外,语言教学的效率和成功率都不能令人满意。语言教师、语言学家、心理学家和心理语言学家都在为提高语言教学的效率和成功率而努力。过去,人们总是把希望寄托在改革教学内容和教学方法上,研究的内容都侧重于"教什么"和"怎么教",产生了一种又一种的教学理论和教学方法,形成了许许多多的语言教学法流派。历史上的不同的教学法流派按说应该一个比一个更加先进,但是不同教学法的教学效果却难以区分高下。人们认为,出现这种情况的一个重要原因是这些教学理论和教学方法并没有完全反映语言学习的客观规律,都或多或少带有主观设想的成分。

20世纪60年代末、70年代初,国外语言教学研究的重点开始转移,从重点研究"教什么"和"怎么教"转向重点研究"怎么学",语言学习和习得研究逐渐发展成为一个专门的研究领域。80年代初,鲁健骥先生在《中介语理论与外国人学习汉语的语音偏误分析》一文中介绍了国外的中介语理论,并运用这一理论对留学生汉语学习过程中的语音偏误进行了科学的分析,从而引起了我国对外汉语教学界对语言学习理论研究的注意。但是这方面的研究还是迟迟没有开展起来。为了推动这一领域的研究,1992年5月,《世界汉语教学》《语言文字应用》《语言教学与研究》三个杂志编辑部联合召开了语言学习理论研究座谈会,邀请语言学界、心理学界和语言教育界的部分专家、学者就语言学习理论研究及相关问题进行学术交流和讨论。会后发表了《语言学习理论研究座谈会纪要》(张旺熹执笔,中文稿载《语言文字应用》1992年第4期、《语言教学与研究》1992年第4期,英译稿载《世界汉语教学》1992年第4期),并把分别在三个杂志上发表的座谈会论文汇集成论文集《语言学习理论研究》出版。(北京语言学院出版社,1994)这次会议对我国语言学习理论的研究作了初步的总结,同时具有动员的性质,对推动这一领域的研究发挥了积极的作用。现在,语言学习理论研究已成了我国对外汉语教学界最重要的研究领域之一,许多学者已经做了大量开拓性的工作。主要是:通过评介引进国外的语言学习和习得理论;结合汉语和汉语教学开展语言学习和习得理论的研究和讨论,在外国人汉语学习的偏误分析和中介语研究方面取得的成就最为显著。(详见吕必松《二十世纪的对外汉语教学——学科地位的确立和学科理论研究》,载《二十世纪的中国语言学》,北京大学出版社,1998)

中介语(interlanguage,也有人译作"中间语")是指第二语言学习者特有的一种目的语系统,这种系统在语音、词汇、语法、文化和交际等方面既不同于学习者的第一语言,也不同于目的语,而是一种随着学习的进展向目的语的正确形式逐渐靠拢的一种动态的语言系统。国外不同的学派、不同的学者用不同的方法对不同学习者的目的语表现进行研究的结果,得出了以下一些基本一致的结论:

(1) 人们习得第二语言的语法结构有一定的顺序;

(2) 这个顺序与儿童习得第一语言的顺序相近;

(3) 这个顺序并不因学习者第一语言的不同而不同;

(4) 这个顺序也不因年龄的不同而不同;

(5) 第一语言不同的学习者通过某一特定阶段所需时间的长短不一。

上述结论如果得到进一步证实,对改进语言教学有重要意义。例如:

(1) 可以根据语法习得的顺序性特点来划分教学阶段,这样划分出来的教学阶段才是客观和科学的。我们现在一般把教学阶段划分为初级、中级和高级,但是并没有一个统一的划分标准,所以在不同的教学单位和不同的教材中,初、中、高的含义不完全相同。

（2）可以根据语法习得的顺序性特点来制定教学大纲，使教学大纲建立在更加科学的基础之上，为教材编写和课堂教学提供更加可靠的科学依据。

（3）可以根据语法习得的顺序性特点研制编班测试和水平测试的试题，试卷可以大大简化。

（4）可以根据"第一语言不同的学习者通过某一特定阶段所需时间的长短不一"这一特点，在教学进度上加强针对性。

（5）在语法教学上可以共享第一语言习得和第二语言习得、儿童语言习得和成年人语言习得以及操不同第一语言的人习得同一种第二语言的研究成果。

总之，国外中介语研究的初步结论如果能够得到进一步证实，对实现语言教学的科学化、规范化和标准化具有决定性的意义。国外的研究大部分是关于英语习得的，其结论是否适用于印欧语系以外的语言，尤其是是否适用于汉语习得，还需要通过我们自己的研究去证实。

中介语研究是在批判语言对比研究理论和偏误分析理论的基础上发展起来的，但是中介语研究也离不开语言对比研究和偏误分析，所以我们不应当把中介语研究看成是对语言对比研究和偏误分析的全面否定，而应当把它看成是对语言对比研究和偏误分析的发展。中介语研究实际上成了语言研究和语言教学研究之间的一个十分重要的结合点，它把语言研究、语言对比研究、偏误分析、语言学习研究和语言教学研究紧紧地联系在一起，是一种综合性的研究。这种综合性的研究对每一个单项研究都有促进作用，能揭示孤立的单项研究所难以发现的规律或问题,所以无论"中介语系统"的假设最终能不能被证实,这种研究的视角和方法都值得高度重视。

(二) 教学理论建设

语言教学理论的直接研究对象是语言教学本身,主要的研究内容包括教学的性质和特点、教学过程和教学活动以及与教学有关的各种内部和外部因素在教学中的作用,研究目的是揭示语言教学的客观规律,并根据语言教学规律提出教学原则和教学方法,推动各项教学活动沿着科学化、规范化和标准化的方向向前发展。语言教学规律是由语言规律、语言学习规律和一般教育规律等共同决定的,是这几种规律的综合体现。因此,要揭示语言教学的客观规律,要使语言教学成为一门真正的科学,就必须通过专门的研究,从语言理论、语言学习理论和一般教育理论中吸取有用的成分,加以综合、梳理,使这些有用的成分统一起来,形成能够全面指导语言教学的理论系统。这样的理论系统就是语言教学的教学理论,这一情况说明:语言理论、语言学习理论和一般教育理论是语言教学的基础理论,与这些基础理论相对,语言教学理论是一种应用理论,这种应用理论具有综合性和跨学科性,这也是语言教学本身的重要特点;语言教学理论的综合性和跨学科性也决定了它是唯一能够全面指导语言教学的理论,是语言教学学科理论的核心,是语言教学学科存在的主要标志,它的成熟程度就代表这个学科的成熟程度。这一情况也说明:语言教学理论的发展要受到语言理论、语言学习理论和一般教育理论等基础理论的制约,同时又通过教学实践和教学理论的研究去检验、修正和补充有关的基础理论。我国对外汉语教学的教学理论的研究已经形成了从理论到实践、又从实践到理论以及从基础理论到应用理论、又从应用理论到基础理论的双向发展的特点。

对外汉语教学的教学理论研究有一个从萌芽到草创到发展的过程,现在正处于发展阶段,理论体系还没有达到完全成熟。

20世纪50年代是我国对外汉语教学理论的萌芽时期。这一时期的主要成就是明确了对外国人和对我国少数民族学生的汉语教学不同于对我国汉族学生的语文教学,对成年人的教学不同于对儿童的教学,指出必须针对非汉族成年人学习汉语的特点进行教学;明确了对外国人和我国少数民族学生的汉语教学是培养他们实际运用汉语的能力;指出了结合对外国人进行汉语教学的需要加强汉语研究的必要性。

60年代和70年代是对外汉语教学理论的草创时期。这一时期的主要成就是对建国以来的教学经验进行了较为系统的总结,提出了"实践性原则"和"相对直接法"等概念,形成了一套行之有效的课堂教学方法,同时萌发了学科意识,开始注意加强理论建设。

80年代以来是对外汉语教学理论建设全面发展的时期,取得了丰硕的研究成果。例如:

1. 开辟了新的研究领域——对外汉语教学的宏观研究。

70年代末、80年代初,随着我国科学的春天的到来,对外汉语教学界的思想也空前解放,在学习和借鉴国外语言教学理论和教学方法的过程中,进一步认识到,跟语言教学的世界先进水平相比,我国的对外汉语教学还处于相当落后的状态。同时意识到,我们面临的问题不是局部的,造成落后的原因是多方面的。因此,任何一项局部的改革或改进都无法从根本上解决问题。要改变我们的被动和落后状态,首先要从更高更广的角度分析各种内部和外部的矛盾,弄清各种内外因素之间的相互关系;并在此基础上,抓住关键,有计划、有步骤地进行系统的改革和建设。这一指导思想很快引发了对外汉语教学的宏观研究。研究的内容包括:

(1) 论述了对外汉语教学的性质和特点:对外汉语教学既是一种第二语言教学,又是一种外语教学。作为一种第二语言教学,它有别于汉语作为本族语教学,而跟其他第二语言教学有一些共同的特点和共同的规律。作为一种外语教学,它有别于对我国少数民族的汉语教学,而跟其他外语教学有一些共同的特点和共同的规律。然而,我们所教的毕竟是汉语,汉语本身的特点又决定了汉语作为第二语言和外语教学也有别于其他第二语言和外语教学。在教学重点的选择和教学内容的编排上,在听、说、读、写的关系的处理上,都必须从汉语的特点出发,不能照抄其他语言教学的做法。对外汉语教学的上述性质和特点决定了我们既要研究第二语言和外语教学的一般规律,又要研究汉语作为第二语言和外语教学的特殊规律。

(2) 提出了学科建设的任务,即:改革和完善教学法体系以提高教学质量、加强理论研究以提高学术水平、加强教师队伍建设以提高教师素质。

(3) 提出了总体设计理论,这一理论的大致框架是:语言教学的全过程和全部教学活动可以归结为总体设计、教材编写、课堂教学和测试四大环节;每一种类型的语言教学都是一个立体结构的实体,这个立体结构的各个构件之间存在着一定的内在联系;总体设计的任务就是根据语言、语言学习和语言教学的一般规律,结合汉语和汉语教学的特点,提出全面的教学方案,使整个教学过程和全部教学活动成为一个统一的、协调一致的、科学的整体;总体设计的内容和工作程序是:根据教学对象的学习目的确定培养目标和教学要求;根据培养目标和教学要求确定教学内容;根据学生的自然状况、教学要求和教学内容确定教学原则;根据教学要求、教学内容和教学原则确定教学途径。总体设计的基本原则包括交际性原则、针对性原则、科学性原则和可行性原则;总体设计是一种系统工程,它的直接理论基础是语言理论、语言学习理论和一般教育理论,同时又要以一定的教学经验为依据;因此,总体设计不但直接反映对语言规律、语言学习规律和一般教育规律的研究和认识的程度,而且直接反映教学经验的成熟程度。

总体设计理论在对外汉语教学中的主要意义和作用是:有利于提高人们对语言教学的宏观认识,以便在教学工作中提高自觉性,减少盲目性;有利于加强对教学全过程和全部教学活动的综合研究以及对各个具体教学环节和各项具体教学活动的专题研究,并推动语言教学的基础理论的研究;有利于在教学业务基本建设和日常教学工作中树立全局观念和系统观念,看到工作的重点和关键;有利于建立科学的教学体系,并推动各项教学活动向标准化和精密化的方向发展。

为适应总体设计、教材编写和汉语水平考试(HSK)研究的需要,中国对外汉语教学学会组织研究制订了《汉语水平等级标准和等级大纲(试行)》。

2. 对教学本身进行广泛的、多角度的专题研究,对各项教学活动的研究全面展开。有关的论文和专著除了研究理论问题以外,更多的是对教学本身的专题研究,例如语言要素及文化因素教学,言语技能和言语交际技能训练,课堂教学、课程和课型教学,中高级汉语教学、短期汉语教学、个别教学,古代汉语教学,教材、工具书的编写,教学大纲的制订和教学评估,语言测试等等。

3. 关于教学原则、教学方法和教学技巧的研究进一步深化。例如:引进了"交际性原则"的概念,揭示了语言要素、言语技能、言语交际技能及文化背景知识的相关性和一致性,提出了结构、情境及功能相结合的原则以及用不同的方法训练不同的言语技能的原则。

三 对外汉语教学学科理论建设面临的问题

前面提到,对外汉语教学的学科理论建设还处于发展阶段,学科理论体系还没有完全达到成熟,因此必然面临着大量有待于进一步研究解决的问题。我今天不可能全面论述这些问题,只能就我认为需要进一步引起重视的几个问题谈一点不成熟的看法。

(一) 关于教学与科研的关系问题

教学是中心,科研是关键,教学与科研必须紧密结合,互相推动,这在理论上似乎没有什么分歧。但是跟其他专业的教师相比,对外汉语教师课时多,教学任务重,难以安排较多的时间开展理论研究,这几乎是对外汉语教学界普遍存在的一个大问题。也有一些教师不善于安排时间,或者宁可业余兼课,也不愿花较多的时间开展理论研究。要解决这方面的问题,首先需要各级领导重视理论研究,把理论研究也列入教师的职责范围,同时提供相应的研究条件,采取适当的鼓励措施。同时要加强对教师的思想教育,提倡对事业的奉献精神。成就事业是一种奉献,乐于为成就事业而奉献的教师越多,事业发展的步伐就越快。

(二) 关于理论研究和理论应用的关系问题

我们开展理论研究的目的是为了在教学中应用,以便不断推动教学的进步。关于理论研究和理论应用的关系,总会存在两个方面的矛盾:

一是教学上需要解决的某些理论问题,还没有可供应用的研究成果,这是理论落后于实践的一面。例如,在语言理论方面,我们还缺少关于口语和书面语比较的系统研究成果,还缺少关于话语和篇章结构的系统研究成果,还有大量语言事实的规律我们知之甚少或若明若暗,无法向学生作出科学的解释。语言学习理论的研究还刚刚开始,可供应用的成果更加有限。这些都属于理论落后于实践。

二是有一些可供应用的研究成果还没有应用到教学中来,这是实践落后于理论的一面。例如,我们在汉语语法和汉字研究方面都有大量可供应用的成果,至今还没有完全反映到教学中来。

理论和实践的这种矛盾是一种必然现象,也是事物发展的普遍规律。就像两条腿走路,必然是一条腿领先,一条腿落后,否则就不能前进。理论与实践之间的这种矛盾,正是推动事业发展的动力。问题在于我们能不能自觉地把握和利用这样的矛盾。所谓自觉地把握和利用这样的矛盾,就是能够经常注意针对教学的需要深入开展理论研究,以实践推动理论的发展;同时能够经常注意把可供应用的研究成果及时应用到教学中来,以理论推动实践的进步。当然,不是说一见到什么新理论,就马上拿到教学实践中去推广应用。推广应用新理论应持慎重态度,通常的做法是先进行试验,试验成功后再加以推广。我所说的应用就包括根据理论研究的新成果开展教学试验。一种新理论从提出到试验再到推广应用,要有一个相当长的周期,我们主张把可供应用的理论及时应用到教学中来,就是希望尽可能缩短这个周期,也就是尽可能缩短理论发展和教学发展之间的时间差。只有这样,才能加快对外汉语教学发展的步伐。

(三)关于单项研究和综合研究的关系问题

我们日常进行的研究,多半是单项专题研究。这样的研究当然非常重要,因为没有单项专题研究就不可能有综合研究。相比较而言,我们的综合研究似乎更加薄弱。我这里所说的综合研究,是指把单项专题研究的成果集中起来,进行全面、系统和简明扼要的评述。这样的综合研究不仅是理论研究的一个重要方面,而且也是理论研究和理论应用之间的一座桥梁。我们有不少研究成果没有及时应用到教学实践中去,原因之一就是缺少综合研究,语言教学和文化科学知识教学的区别之一就是理论研究的成果往往不能直接应用到课堂教学中去,而必须首先对有关的成果加以综合、梳理,使其形成一定的系统,并且把它反映到教材中去,才能在课堂教学中应用。但是教材的编者往往无暇进行这种综合、梳理的前期工作,这就需要进行综合研究。迄今编写出版的许多对外汉语教材,有不少是大同小异,我认为造成这种状况的原因之一就是教材编写的前期准备工作不足,没有把已有的研究成果吸收到教材中来。加强综合研究最简便的办法就是对各个领域研究的进展情况分别多写述评,最好每年都有若干个专题的年度述评和阶段性述评。

正确处理教学与科研的关系,正确处理理论研究和理论应用的关系,正确处理单项研究和综合研究的关系,对发展对外汉语教学具有十分重要的意义。下面举一个具体的例子来说明这一点。

在教学实践上,我们当前需要进一步研究解决的一个最大的问题是教学路子问题。我这里所说的教学路子,是指帮助学生掌握所学语言的途径和方式。我们知道,不同门类语言教学的共同规律之一,是教学内容都必须包括知识传授和技能训练两个方面,这是语言教学与其他人文科学教学的重要区别之一。这里所说的知识,是指语言知识、语用知识以及跟语言和语用相关的文化知识,语言知识又包括语音、词汇、语法和文字等语言要素以及关于语言和语言要素的理论知识;技能则是指听、说、读、写等言语技能和相应的言语交际技能。语言知识、语用知识和有关的文化知识是客观存在的,不会因为任何个人是否存在而受到影响;言语技能和言语交际技能则总是跟具体的人联系在一起的,是指具体的人的技能,离开了具体的人,就无法表现这样的技能。所谓语言教学,实际上就是通过适当的途径和方式以及相应的方法和技巧,把客观存在的语言知识、语用知识和有关的文化知识转化为学习者个人的言语技能和相应的言语交际技能。怎样进行语言知识、语用知识和相关文化知识的教学,怎样进行言语技能和言语交际技能的训练,怎样处理知识传授和技能训练的关系,怎样处理不同知识传授之间的关系和不同技能训练之间的关系,以便更有效地帮助学生完成从知识向技能的转化,等等,就属于教学路子方面的问题。

　　教学路子要由教学内容来决定,语言教学的路子必须与所教语言的特点相一致。汉语有自己的特点,汉语教学的路子应当根据汉语的特点来决定,而不能照抄其他语言教学的路子。但是长期以来,我们的对外汉语教学所采用的教学路子,基本上是印欧系语言教学的路子。现在仍然占主流地位的对外汉语教学的教学路子的主要特点是:不严格区分口语体语言和书面语体语言;按照"语文一体、语文同步"的模式组织教学内容和进行技能训练;把"词"和"句子"作为教学内容的基本单位;把汉字排除在语言要素之外,使其成为词汇教学的附属品;追求教学方法的唯一性,或突出听说法,或突出功能法,或突出结构—功能法或功能—结构法,等等。结果是:学生书面语言能力普遍严重滞后,普遍对汉字有一种误解,认为汉字太难。造成这种状况的主要原因是教学路子不对头,不符合汉语的特点。

　　我们虽然早就强调汉语教学要从汉语的特点出发,不能完全照抄其他语言教学的方法,但是汉语到底有哪些特点?怎样根据汉语的特点来设计对外汉语教学的路子?这还是一个没有解决的问题。这里既有理论探讨的问题,也有理论应用的问题。就理论探讨而言,汉语的特点还需要继续研究;就理论应用而言,有大量的研究成果可以拿到教学中来试验。例如,汉语口语体语言与书面语体语言的区别远远大于一些主要的西方语言在这方面的区别,仅凭这一点,就值得我们去利用已有的研究成果进行建立专门的书面语言教学系统的试验,以改变学生书面语言能力普遍严重滞后的状况。汉语的书写符号是方块汉字,这是一种比较特别的文字,它的特点不仅仅在于形体,而且还在于跟语言本身的特殊关系。关于汉字的性质和特点的大量研究成果都有利于改变人们对汉字的错误认识,也有利于改进汉字和汉语教学,只要通过综合研究把这些成果加以系统化,就足以支撑建立汉语书面语言教学系统的试验。

我们提出建立汉语书面语言教学系统,不仅仅是为了提高书面语教学的效率,而且也是为了从整体上提高对外汉语教学的效率,从根本上改变对外汉语教学的面貌,加快对外汉语教学的现代化进程,包括提高多媒体教学和远程教学设计的科学化程度。

第二章
对外汉语教学的学科属性

第一节 对外汉语教学的性质和特点[①]

一 为什么要讨论对外汉语教学的性质和特点?

无论做什么事情,首先要了解要做的事情的性质和特点。否则,就难以把这件事情做好。新中国对外国人进行汉语教学已经有了三十多年的历史,但这项工作的性质和特点至今没有普遍被人们所理解。

在许多人的心目中,教外国人汉语是一件最容易不过的事情,甚至认为只要会说中国话,就能教外国人学汉语。就是在我们这个教师队伍中,甚至在多年来一直从事这项工作的教师中,也还有人认为教外国人学汉语,尤其是教初级汉语,并不需要多大的学问。即使认识到教外国人学汉语有一定的难度,也会认为总比中国人教外语要容易一些。

现在大家都感到加强理论研究和加强教师队伍建设的重要性。但是理论研究抓什么?按照什么标准和要求来建设我们的

---

① 本节摘自吕必松《谈谈对外汉语教学的性质和特点》,《语言教学与研究》1982年第4期。

教师队伍？在这些问题上，人们的看法并不完全一致。这种不一致，在研究课题的选择上，在对研究成果的估价上，在教师的选拔和培训的方向上，在对教师业务水平的衡量标准上，常常会表现出来。这种不一致，也正反映了对这项工作的性质和特点还没有取得统一的认识。

1978年3月召开的北京地区语言学科规划座谈会上，第一次谈到了关于把对外国人的汉语教学当作一个专门的学科来建设的问题，提出："要把对外国人的汉语教学作为一个专门的学科来研究，应成立专门的研究机构，培养专门的人材。"（《北京地区语言学科规划座谈会简况》，《中国语文》1978年第1期）这一看法看来已得到一定的重视。对外汉语教学研究会现在得以成立，说明对外国人的汉语教学作为一个专门的学科已得到正式承认。承认对外国人的汉语教学是一个专门的学科，对推动这项事业的发展具有深远的意义，这是我国对外国人的汉语教学发展到了一个新的阶段的重要标志之一。我们今后的任务就是认真搞好这个学科的建设。而要全面考虑这个学科的建设，就必须对这一学科的性质和特点加以认真的研究。

以上种种，说明我们在走过了三十多年的漫长道路之后，回过头来讨论一下对外国人的汉语教学的性质和特点这样一个最基本的问题仍然很有必要。

二 对外汉语教学的性质和特点是什么？

一种事物的性质和特点，总是在跟其他事物的比较中显示出来的。研究一种事物的性质和特点，就是研究这种事物跟其他事物的区别。就语言教学而言,首先存在着第二语言教学跟第一语言教学的区别;在第二语言教学中,又存在着外语教学跟本国其他民族语言教学的区别;世界上的语言千差万别,每一种语言都有自己的特点,同样是第二语言或外语教学,还存在着某甲语言教学跟某乙语言教学的区别。以上这些区别,归根到底是由于学习第二语言跟学习第一语言的情况不完全相同,学习外国语言跟学习本国其他民族语言的情况不完全相同,学习某甲语言跟学习某乙语言的情况不完全相同。对外国人的汉语教学是一种第二语言教学,又是一种外语教学。我们研究对外国人的汉语教学的性质和特点,实际上就是研究学习第二语言跟学习第一语言有什么不同,学习外语跟学习本国其他民族语言有什么不同,学习汉语跟学习其他语言有什么不同,这些不同点对教学提出了哪些特殊要求。对外国人的汉语教学的性质和特点,就是由这些不同点及其对教学的特殊要求所决定的。

(一) 对外国人的汉语教学是一种第二语言教学。学习第二语言的特殊性决定了第二语言教学的特点。

所谓第一语言和第二语言,是从语言学习的先后顺序说的。每一个人都有自己的母语,如果在母语之外再学习其他语言,就叫做学习第二语言。如果在第二语言之外再学习其他语言,还可以根据学习的先后顺序分别叫做学习第三语言、第四语言,等等。但通常都把学习母语以外的其他语言笼统地叫做学习第二语言。跟第二语言相对,母语就叫做第一语言。外国人学汉语是学习第二语言,所以我们对外国人的汉语教学是一种第二语言教学。成年人学习第二语言跟学习第一语言有什么不同?这些不同点对教学提出了哪些特殊要求?

第一节 对外汉语教学的性质和特点

1. 学习环境和学习方式不同

人们学习第一语言,可以分为两个时期,即自然学习时期和学校教育时期。最基本的语言能力是在自然学习时期习得的,学校教育要在学生已经具备了一定的语言能力的条件下进行。学校教育的主要任务是继续提高学生的语言能力和语言素养,特别是读和写的能力和素养,而不需要从培养学生最基本的语言能力开始。

在自然学习时期学习语言,学习者总是处于现实的交际环境中,在接触实物和实情的同时接触和理解语言;他们又是交际活动的积极参加者,实际上是在参加交际活动的过程中学习语言。在现实环境中他们可以听到各种各样的谈话,但对各种各样的谈话并不能全部理解,更不能全部接受,而只能按照由近及远、由具体到抽象、由简单到复杂的顺序有选择地接受他们能够接受的东西。最初学到的是形象鲜明、发音简单、反复出现、跟自己关系最为密切的单词,在词汇量不断增加的同时,逐渐学会一些简单的句子。代表抽象概念的词和结构复杂的句子很晚才能学会,抽象的概念往往还需要进行专门的解释。

在现实环境中理解语言,在交际活动中学习语言,按照由近及远、由具体到抽象、由简单到复杂的顺序习得语言,这些都是学习第一语言的特点。实践证明,学习第二语言也离不开上述特点。实际上,这些情况也就是人们学习语言的普遍规律。所不同的是,成年人学习第二语言往往一开始就要靠学校教育,最基本的语言能力要在课堂上培养。但是课堂不同于现实环境,不可能让学生像学习第一语言那样,随时随地接触各种各样的语言环境;课堂教学也不同于现实交际,不可能让学生像学习第一语言那样随时随地根据自己的需要与可能进行各种各样的交际活动;课堂教学更不同于自发的学习,不应该让学生在语言的海洋中根据自己的接受能力碰到什么就学习什么。学校教育是一种有计划、有组织的教学活动。在第二语言教学中,必须有计划地安排教学内容和组织语言材料,有计划地创造语言环境,有计划地组织和引导学生进行尽可能接近于现实的交际活动的语言操练。由此可见,从事第二语言教学,必须根据人们学习语言的普遍规律,在教学内容的安排、语言环境的创造、交际活动(姑且把课堂操练也看作是一种交际活动)的组织等方面进行精心设计和精心组织。这些都可以看作是第二语言教学的特点之一。

第二语言教学的全部活动大致上可以分为总体设计、教材编写、课堂教学(包括有计划、有组织的课外语言实践活动)和测试这四大环节。每一个环节都需要精心设计和组织。而每一个环节的设计和组织,都还有许多语言学、心理学和教学法等方面的理论问题和实际问题需要解决。就全世界范围来说,第二语言教学的历史已相当悠久,也产生了不少关于第二语言教学的理论和方法。但是第二语言教学至今仍处于探索时期,还没有找到一种大家都能接受的理论和方法。人们对第二语言教学的效率和成功率普遍感到不满意。怎样提高第二语言教学的效率和成功率,是人们普遍关心的问题。要解决这些问题,就必须加强理论研究,同时要提高教师的素质。这一点也说明,搞好第二语言教学并不像有些人想象的那么容易。对一个新教师来说,第一堂课的第一句话怎么说都是问题,更不用说熟悉所有的教学环节、开展深入的理论研究了。

2. 语言习得过程不同

我们把通过学习而获得语言的过程叫做语言习得过程。这是心理语言学研究的对象,我们在这方面还缺少深入的研究。这里只能根据人们都能观察到的现象谈一点不成熟的看法,供大家讨论。

无论学习第一语言还是学习第二语言,习得一种语言现象至少要经过理解、模仿、记忆和应用这样几个阶段。这几个阶段大致可代表一个语言现象的习得过程。

在学习第一语言时,人们总是在现实环境中看到实物或实情的形象,听到表示这种实物或实情的声音。经过多次反复而把这两者联系起来,就获得了代表这个实物或实情的概念。经过模仿和记忆,逐渐学会发出表示这一概念的声音,这样就学会了一个词。再经过反复应用,就达到了巩固和熟练。这就是一个词的习得过程。句子表示概念与概念之间的关系,要理解句子的意思,也必须借助于实物或实情。通过实物和实情了解概念与概念之间的关系,听到表示这些概念的词和其他有关的语言成分组合起来的一连串的声音,经过多次反复而把看到的和听到的联系起来,就理解了一个句子的意思。经过模仿和记忆,逐渐学会按照一定的方式把有关的词组织起来,这样就学会了一句话。再经过反复应用,就达到了巩固和熟练。这就是一个句子的习得过程。人们学习语言,并不总是靠一句一句地学。随着学到的词和句子的增加,到了一定的阶段,就能根据需要创造新的句子。以上只是一种粗略的描写,实际情况可能要复杂得多。如果上面的描写基本上是正确的,那么我们就可以承认这样的结论:人们学习第一语言是把语言和概念以及概念与概念之间的关系结合在一起学习的,习得语言的过程,也是建立概念、形成思想和思维能力的过程。人们的语言能力和思维能力是同时形成和发展起来的。这也是学习第一语言的特点。

　　跟上面的情形相比,人们学习第二语言,特别是成年人学习第二语言,跟学习第一语言有很大的不同。成年人学习第二语言时,头脑中已经贮存了大量的概念,而且已经形成了一个跟思维能力紧密地联系在一起的完整的语言系统,能够按照一定的规则把有关的词语组织起来,表达各种复杂的思想。不同民族的语言有一定的共性,从不同民族的语言中,往往可以找到反映同样的概念以及概念与概念之间的关系的相对应的词和语法关系。因此,在学习第二语言的过程中,虽然还会遇到一些母语中没有或者母语中虽有但自己没有接触过的新概念,也还需要形成新的思想,提高思维能力,但在多数情况下,特别是在经过教师精心安排的初级阶段,一般不需要或不完全需要从建立概念开始,也可以不包括或不完全包括形成思想和思维能力的过程。成年人学习第二语言,特别是在初级阶段,却需要了解所学语言即目的语的某个声音所表示的是一个什么样的已知概念,某种结构形式所表示的意思相当于母语中的什么结构形式所表示的意思;或者了解某个已知的概念或意思在目的语中用什么样的声音和结构形式来表达;并进而通过模仿和记忆逐渐学会用这种跟母语不同的声音和结构形式来表达已知的概念和已有的思想。

　　上面的情况说明,学习第一语言是建立概念与声音的直接联系,而学习第二语言却需要通过母语这个"中介"来建立概念与声音的联系。这一点对学习第二语言既有有利的一面,也有不利的一面。有利的一面是:可以节省大量建立概念、形成思想和思维能力的时间;学习和使用母语的经验,有些也适用于第二语言学习。正因为成年人头脑中贮存了大量的概念,已经形成了一定的思想和思维能力,并且具备了学习和使用母语的经验,所以在学习第二语言时一般都有较强的理解能力。不利的一面是:母语的特点、原有的生活经验和民族习惯在某些方面、某种程度上对习得第二语言有干扰甚至抗拒作用。在语音方面,母语中没有的音、调不容易发出;跟母语相近的音、调又容易套用,而套用母语的音、调就更难纠正。词汇方面的麻烦也不少。词所代表的概念,实际上代表了人们对客观事物的分类和归类。不同民族对客观事物的分类标准和角度往往不完全相同,不同的分类标准和角度造成了大部分相对应的词所代表的概念的内涵不完全相同。例如,英语中 uncle 一词所包含的意义就相当于汉语中的伯父、叔父、舅父、姑丈、姨丈等这些概念的总和;汉语中的"家"这个词兼含英语的 family, home, house 等词的部分意义。不同民族语言中相对应的词的内涵的不同给第二语言学习带来了一定的困难。例如,汉语中的"他""她""它"同音,实际上我们一开始是当作一个概念、一个词来学的,只是书写形式不同;而英语中相当于这个 tā 的词却有三个,一个是 he,一个是 she,一个是 it。中国人学习英语,这就是个难点。这几个词看起来很简单,其实不然。学了多年英语的人还常常会忘记把 she 跟 he 区别开来。语法上的麻烦更多。人们一旦具有了思维能力,就要进行思维活动,思维活动当然离不开语言。在学习第二语言的初级阶段,由于积累的词和表达方式还很有限,不足以用来进行思维活动,所以在进行思维活动时就只能借助于母语。就是到了高级阶段,也很难完全摆脱母语进行思维活动。每一种语言都有自己特定的表达方式,由于要用母语进行思维活动,在使用第二语言时总免不了要套用母语的表达方式,排斥目的语的特定的表达方式。学了多年英语的人,还常常会忘记在现在时单数第三人称动词后面加上一个"s"。许多国家的学生学汉语,要经过多次反复练习才能把"他学习在教室里"改为"他在教室里学习",以后一不小心还会犯类似的错误。从上面这几个最简单的例子可以看出,在学习第二语言的过程中,母语的势力是非常顽固的。因此,如何帮助学生摆脱母语的干扰,培养学生用目的语进行思维的能力,就成了第二语言教学中要研究的一个重要问题。"直接法"主张在第二语言教学中绝对禁止使用学生的母语。但是如果不使用学生的母语,在解释词义和语法现象时就会遇到很多麻烦。一些表示抽象概念的词语和复杂的语法现象是很难通过展示实物或创造情境的办法解释清楚的。如果用学生的母语进行解释,既可以帮助学生更好地理解,又可以节省大量时间。禁止使用学生的母语,也不能禁止学生用母语思维。假设我们正在学习 book 这个词,按照"直接法"的要求,教师不能把 book 翻译成"书",而只能通过展示实物的办法来帮助学生理解词义。教师在教这个词的时候,要一面在嘴里说着 book,一面在手里举起一本书。但当我们看到手里举着的那个东西的时候,耳朵里虽然没有听到"书"的声音,头脑中却立刻出现了"书"的概念。也就是说,我们已经自动地把 book 翻译成"书"了。同样,如果把 I, study, English 这几个词连成句子,只要我们懂得这几个词的意思,很快就会在头脑中把这个句子翻译成"我学习英语"。可见,在学习第二语言的过程中,尤其是在学习的初级阶段,用母语思维是一种自然的倾向。这种自然倾向是不可改变的,就像水必然要往低处流、人必然要用脚走路的自然规律不可改变一样。但实践证明,这种自然倾向是可以逐步摆脱的,摆脱的办法是因势利导。一方面,我们不绝对禁止使用学生的母语,另一方面,对学生母语的使用又要严加控制。通常只限于在必要时帮助学生理解和检查学生是否理解;如果要培养学生的翻译能力,则用来进行对译练习。除了这些以外,应尽量避免使用学生的母语,以便引导学生在理解的基础上把主要精力用在目的语的练习上,尽量减少学生用母语思维的机会。教师还要通过比较找出两种语言在语音、语法、词汇等方面的异同和对应关系,以便有针对性地安排教学内容,把握教学重点;必要时还应给学生点明目的语跟母语的异同。学生对两种语言的异同和对应关系有了一定的认识,就能有重点地进行练习,自觉地排除母语的干扰。这样,随着学到的词汇和表达方式的积累和熟练程度的提高,学生就能逐步学会用目的语思维。总之,在第二语言学习中,第一语言的影响是一种客观存在。这种影响对学习第二语言既有有利的一面,又有不利的一面。在设计和组织第二语言教学时,既要注意利用其有利的一面,又要努力克服并逐步消除其不利的一面,这就免不了要进行两种语言的比较。比较的结果应主要体现在教学内容的编排和教学重点的选择上,但也不应完全排除理论上的对比讲解。在对两种语言进行对比的基础上安排教学内容,确定教学重点,并努力帮助学生克服母语的干扰,逐步培养他们用目的语进行思维的能力,这是对成年人进行第二语言教学的另一个特点。

既然在第二语言教学中要适当地使用学生的母语,要通过比较两种语言的异同来揭示它们的对应关系,并据此正确安排教学内容和教学重点,适当地进行理论上的对比讲解,那么从事第二语言教学的教师就不但要熟悉所教的语言即目的语的理论、知识和技能,而且要了解学生母语的理论、知识和技能,还需要掌握对比语言学的理论和方法。在第二语言教学中,同一个班的学生不一定操同一种母语,一个教师的教学对象也不一定能多年固定不变,因此一个教师有可能面对操各种不同母语的学生。一般教师只懂得自己母语之外的一两种其他语言。如果不掌握本班学生的母语,就需要借助于有关学生母语的间接知识来弥补这种不足。

(二) 对外国人的汉语教学是一种外语教学。学习外语的特殊性决定了外语教学的特点。

第二语言可以是本国其他民族的语言,也可以是外国语言。外国人学习汉语是学习外国语言,所以我们对外国人的汉语教学又是一种外语教学。作为一种外语教学,它不但不同于母语教学,而且也不同于本国其他民族语言的教学。成年人学习外语跟学习母语和学习本国其他民族的语言有什么不同?这些不同点对教学提出了哪些特殊的要求?

1. 学习的目的和学习动力不同

人们学习母语,最初是出于一种天然的目的和动力。要得到妈妈的帮助,就要学会呼唤妈妈;要玩玩具,就要学会玩具的名称;肚子饿了,不吃不行,于是要学会吃东西的"吃";如此等等。总之,为了求得生存和进行正常的生活,就必须跟别人交际,就必须学会用于交际的语言。从这个意义上说,人们学习母语是环境逼迫的。语言关系着生存和正常的生活,非学会不可。正因为如此,凡是生理上没有特殊缺陷的人,都能学会一种口头语言,几乎找不到失败的例子。进入学校教育时期以后,除了继续提高听说能力以外,还要学习读写。这时的语言学习,可以说是出于一种综合目的,即为了提高交际能力,为了提高文化素养,为了进一步学习文化科学知识,以及为了职业的需要,等等。这些都离不开语言的素养,都迫使人们去继续学习语言。学习本国其他民族的语言,特别是学习不属于母语的本国各民族共同语也具有类似的性质。

成年人学习外语,特别是在高等学校学习外语,学习目的往往是单一的。或者是为了职业的需要(例如当翻译、当教师、从事外交或对外贸易工作、到国外工作或谋生等),或者是为了学术的需要(例如要用这种语言学习某种专业或从事某个方面的学术研究等),或者是出于其他的特殊目的(例如到国外旅游或短期旅居、应付一定范围内的社交活动、提高某种文化素养等)。由于学习目的各不相同,不同的教学对象对语言内容和语言技能的要求也往往不同。有的要求像操这种语言的本族人一样比较全面地掌握这种语言,有的只要求能看懂某一类专业书刊,或者只要求能在某一范围内进行口头交际。上述特点决定了在设计和组织外语教学时必须加强针对性,使教学内容和教学要求切合学生的实际需要。对于各种不同的语言技能,对有些教学对象必须全面要求,对有些教学对象则必须根据需要有所侧重;语法教学也应当根据需要选择重点;因为不同的教学对象对词汇范围的要求往往很不一样,所以对词汇内容更应进行精心选择。成年人学习外语,时间都很有限,只有加强教学的针对性,根据学生的需要选择教学内容,确定教学要求,才能在尽可能短的时间内满足学生对所学语言的要求。也只有加强教学的针对性,使学生感到所学的东西跟实现自己的理想和抱负有密切的关系,才能激发起他们的学习热情,增强学习动力。

但是也应当看到,成年人学习外语,学习的动力往往是有限的。这主要是因为这时已经掌握了一种语言,一般情况下可以用这种语言进行交际,所以缺少客观的强制性。许多人学习外语的目的并不明确;而要学好一门外语又需要付出艰巨的劳动,所以即使有了明确的学习目的,也不一定有克服困难的毅力。如果没有职业上的特别要求或其他的特殊原因,也就是说如果没有客观强制性,在学习中一旦遇到困难,就有可能中断学习或者降低学习要求。为了避免出现上述情况,除了加强教学的针对性以外,还需要通过不断地改进教学内容和教学方法来提高教学的趣味性,尽量减少语言学习中的枯燥感。同时要加强思想教育,并采取有效措施帮助学生克服学习中遇到的实际困难。

学习目的的单一性和学习动力的有限性决定了外语教学必须加强教学的针对性,即根据学生的实际需要确定教学内容和教学要求,并通过不断改进教学内容和教学方法来提高学生的学习兴趣和增强学习动力,这可以看作是外语教学的特点之一。要做到这些是很不容易的。实际上外语教学既是一门科学,又是一种艺术。作为一门科学,它要求教师具有关于语言和语言教学的理论和知识;作为一种艺术,它又要求教师具有组织和表演的才能。

2. 文化背景不同

人们在运用语言进行交际时,总离不开一定的文化背景知识。由于各民族的历史、文化传统、社会制度、生活环境和生活条件等各不相同,人们在学习外语时总会遇到一些自己所不熟悉的文化背景知识。例如,生活在社会主义制度下的中国人一般不了解资本主义世界的股票市场和议会选举等情况,而多数外国人却不了解中国的人民公社制度以及"四个坚持"和"责任制"等的深刻含义。在外语教学中,除了要进行语言本身的教学以外,还必须进行文化背景知识的教育,因为学生如果不了解有关的文化背景知识,就很难理解语言本身。在不同的社会制度和文化传统的影响下,人们的价值观念、风俗习惯等除了阶级的差别以外,还有一些民族的差别。这些差别也属于文化背景知识。这里要特别指出的是,这类差别不可避免地要反映到语言的特点和语言的使用上来。因此成年人学习外语,不仅会遇到一些自己所不熟悉的文化背景知识,而且会由于价值观念和风俗习惯的不同而产生一些心理上的障碍。例如,"你吃饭了吗?""上哪儿去啊?"等等,都是中国人常用的打招呼的话,但是如果见了英国人或美国人就问"Have you eaten? Where are you going?"他一定会感到奇怪,甚至会产生反感,认为你这个人很粗俗,不文明。又如,如果你对一个英国或美国妇女说"You are very beautiful".她一定会感到高兴,而且会立即表示感谢;但是如果贸然对一个不太熟悉的中国妇女说"你长得很漂亮",她就会怀疑你的用心,甚至会骂你一声"神经病!"再如,如果对一个中国妇女说"你胖了",她可能会感到高兴,至少不会表示不满;但如果对一个西方妇女说"You became fat."她就会感到这是对她的侮辱,因而可能会表示抗议。上述情况说明,不同民族的文化传统、风俗习惯以及观念和心理上的差别会带来语言使用上的差别。如果不了解这些差别,在交际活动中就会闹笑话,甚至出乱子。使用母语的习惯有时也会对外语的习得产生干扰甚至抗拒作用。像"你长得很漂亮"之类的话许多外国学生一学就会,因为这符合他们的心理特点,他们也急于学会表达。相反,像"你吃饭了吗?""上哪儿去啊?"这样一些中国人每天都说的打招呼的话,许多外国人很少使用。不是因为这些话难学,而是因为说这些话不符合他们的心理特点。为了解决这类问题,外语教学中不但要通过文化背景知识的教育来帮助学生理解语言本身,而且要设法使学生通过了解有关的文化背景知识来消除心理上的障碍,以便能正确地使用所学的语言。这也是外语教学的一个特点。一般说来,在同一个国家内,各民族之间的交往总要多一些,相互之间的了解总要深一些;政治、经济等方面的共性也较多。这些共性也会反映到语言和语言的使用上来。因此学习本国其他民族的语言遇到的文化和心理上的障碍一般会少一些。

由于在外语教学中不但要进行两种语言的对比教学,而且要进行两种文化背景知识的对比教学,因此,从事外语教学的教师不但要熟悉有关目的语的文化背景知识,而且要熟悉有关学生母语的文化背景知识。这就要求外语教师不但需要具备一定的专业知识和技能,而且需要具有高度的文化素养。

(三) 对外国人的汉语教学是一种汉语教学。汉语本身的特殊性决定了汉语教学的特点。

上面谈到的是第二语言教学和外语教学的一些共同的特点。除了这些共同的特点之外,每一种语言的教学又都有各自的特点。这主要是因为每一种语言在语音、语法、词汇、文字等方面都有一定的特殊性,而这些特殊性必然要反映到教学中来,形成教学上的特点。对外国人的汉语教学也不例外。

例如,汉语是有声调的语言。汉语的声调有区别词义的作用,说话时声调用错了,就可能引起听话人的误解。一个人的语音听起来是否标准,在很大程度上是由他的声调是否正确所决定的。而对以非汉藏语系语言为母语的学生来说,汉语的声调是一大难点。因此在对外国人进行汉语教学时,必须把声调教学作为语音教学的重点。

又如,许多语言的动词有时态和人称的变化,名词和代词有性、数、格的变化,这些往往都是教学的重点。汉语的动词、名词、代词没有这些变化(只有人称代词有单数和复数的区别,"们"有一些特殊的用法),教学中就不存在这类问题。许多语言的动词有及物和不及物的严格区别,而汉语的及物动词和专门的不及物动词为数极少,甚至不难尽举,绝大部分动词可以两用,这就减少了很多麻烦。但汉语中有一些特殊的表达方式,如量词的用法,"把"字句,各种补语等,都是外国人普遍感到头痛的问题,因此都必须作为教学的重点。汉语的动词没有时态的变化,动词本身的教学要简单得多;但汉语有一套表示时态概念的特殊的方法,对这套特殊的方法我们至今还没有提出系统的研究成果,这就给教学带来了一定的困难。中国人说话、写文章,时态方面的错误并不严重,因此一般的语法书也不把时态范畴作为重点内容。而外国人在学习和使用汉语时,常常在时态方面错误百出。这主要是因为我们没有提供时态表示法的规律。汉语中主语和谓语的关系非常灵活、松散,主语既可以是施动者,又可以是受动者,非施非受的主语也很普遍。主谓关系这样灵活、松散,使汉语的表现力更强、表达更简洁,这是汉语的一大优点。但外国人学起来就有不少困难,特别是受动主语和一些非施非受的主语往往很难掌握。一般只会说"不吃饭了",不会说"饭不吃了";只会说"打破了杯子",不会说"杯子打破了"。至于像"今天我的班""他这个人我心里有数"这类表达方式,恐怕更是望尘莫及。可惜这方面的问题至今在教学中还没有引起足够的重视。以上说的都是教学重点问题。什么是语法教学的重点，要由每一种语言本身的特点来决定，不可能确定对各种语言都完全适用的所有的教学重点（也许有可能确定对各种语言都完全适用的部分教学重点）。按照什么样的顺序安排语法点，也要从每一种语言的实际情况出发。英语中 Please open the door. 是个结构简单的句子，可以在初期教给学生。汉语中相对应的表达方式有"请你开开门""请你开一下门""请你把门开开"等，结构都比较复杂，如果按严格的语法规则系统进行教学，一般要到语法教学的中期甚至中后期才能教这几种句式（当然也可以不按严格的语法规则系统进行教学）。每一种语言都有自己特定的语法教学系统，对这种系统研究得越充分、越彻底，语法教学的效果就会越显著。而对外国人进行教学的语法系统跟对本族人进行教学的语法系统又必须有所区别。

再如，汉语的书写符号是方块汉字，对大多数外国人来说，汉字的认读和书写是一大难点，因此，汉字教学必然要成为汉语教学的一个重点。而要加强汉字教学，就要涉及如何处理听说和读写的关系。这是一个在外语教学中人们一直普遍关心并且长期争论不休的问题。"语法翻译法"把教学的重点放在阅读和笔译上，不重视听说训练，因此不能培养学生的听说能力。"听说法"则反其道而行之，把教学的重点完全放在听说训练上，即使安排一点读写训练，也要到很晚才开始，严格规定按照听、说、读、写这样的顺序进行教学。据说用这种方法培养的学生，读、写能力和文化素养普遍较差。其实听说法是照抄儿童学习母语的办法。人出生几周以后就有了听觉，整天可以听到别人说话的声音。但到一岁左右才开始学说话。如果有学习条件,大约四五岁可以学习认字,再晚一些时候才能学习写字。可见,儿童学习母语,听、说、读、写这几项语言技能是逐项获得的,获得这几项语言技能的顺序是不可改变的,每两项语言技能的获得,中间还要间隔一定的时间。这主要是因为幼儿的智力还没有得到充分的发展,不可能一开始就同时学习几种语言技能。上学以后就可以全面发展听说读写的能力,并且可以把主要精力用在读写上。成年人跟幼儿不同,可以同时学习几种语言技能。而且从教学上看,听、说、读、写可以互相促进,所以如果需要全面培养学生的"四会"能力,就应该把这几种语言技能的训练有机地结合起来。当然,所谓结合,也不是混同一体。它们之间既然有区别,想混同一体也是不可能的。一般说来,听和说要结合得紧一些,但学习的顺序总是先听后说;读和写要结合得紧一些,学习的顺序应当是先读后写。听说和读写相隔的时间不宜太长,孰先孰后,就要具体分析。英国人学法语,法国人学英语,文字上的困难不是太大,尤其是认读的困难不是太大。听说先于读写,即使领先的时间长一些,只要不禁止学生看书,教学上就不会遇到太大的困难。汉语却比较特殊。由于汉字难认、难写、难记,如果不加强读写训练,就会反过来影响听说训练。因此汉语教学中如何处理听说和读写的关系,必须充分考虑汉语的特点,不能照抄其他外语教学的做法。我们对一年级的教学,历来主要靠一门精读课来进行听、说、读、写的全面训练。这样安排的目的是把四种语言技能的训练紧密地结合起来,防止出现"瘸腿"的现象。但这种办法给教师分工和课堂教学带来了一定的麻烦。为了解决这一问题,我们曾经进行过把听说和读写分开来教学的试验,设听说和读写两门课,听说课领先。听说课不出现新的汉字,借助汉语拼音和读写课中学过的汉字进行听说训练。实践证明,这种分课教学的办法有一定的好处。但由于听说课不出现新汉字,学生到读写课看到汉字时,对听说课学过的词印象不深,甚至要当作生词重学一遍。这样,同一个生词等于要学两遍,无形中增加了学生的负担,使分课教学的优越性未能得到充分的发挥。最近部分同志又提出了一个新的试验方案,建议设读写、听力、说话三门课,以读写课打头,按照读写——→听力——→说话的顺序进行教学,并通过各门课相重叠的语音、语法和词汇内容来建立三门课程之间的内在联系。这一方案充分考虑了汉语教学的特点,如果试验获得成功,就可以从教学的总体安排上解决汉语教学中如何处理听说和读写以及听和说、读和写的关系等问题。

综上所述,我们对外国人的汉语教学既是一种第二语言教学,又是一种外语教学。作为一种第二语言教学,它有别于汉语作为本族语教学,而跟其他第二语言教学有一些共同的特点和共同的规律;作为一种外语教学,它有别于对我国少数民族的汉语教学,而跟其他外语教学有一些共同的特点和共同的规律。但是我们所教的毕竟是汉语,汉语本身的特点又决定了汉语作为外语教学也有别于其他的外语教学。因此,我们既要研究第二语言教学和外语教学的一般规律,又要研究汉语作为外语教学的特殊规律。这就对从事汉语作为外语教学的教师提出了许多特殊的要求。他们不但需要精通汉语的理论、知识和技能,而且需要熟悉一两种外语的理论、知识和技能,还要掌握对比语言学的理论和方法;不但需要具备语言学、心理学、教学法等方面的专业知识,而且需要具有高度的文化素养,熟悉中国和外国的有关文化知识,还需要具有组织教学的才能。

第二节 对外汉语教学的定性和定位[①]

我国改革开放以来,对外汉语教学越来越受到各级领导部门的重视,对外汉语教学事业得到了蓬勃的发展。不但教学规模迅速扩大,而且创办了专业刊物,成立了专门的学术团体、专门的研究机构和专业出版社,并建立了培养对外汉语教师的专业。经过广大对外汉语教学工作者和关心对外汉语教学的语言学家、心理学家的共同努力和辛勤开拓,理论研究也获得了长足的进步,早已结束了没有学术专著的历史,并已初步形成了自己的学科理论体系,各项教学活动正在从经验型向科学型转变。所有这些都说明,对外汉语教学作为一门专门的学科,已经具备了坚实的基础。当然,由于把对外汉语教学作为一门专门的学科来进行研究的历史还很短,学科理论还不太成熟,在总体设计、教材编写、课堂教学、测试以及教师队伍建设等方面还有大量紧迫的工作要做。这就要求我们进一步加强对外汉语教学的学科建设,推动各项对外汉语教学工作的全面开展,以便适应世界汉语教学发展的新形势,对世界汉语教学作出与汉语故乡的地位相称的新贡献。

但是,由于近年来我国涉外教育和对外汉语教学在发展过

[①] 本节摘自中国对外汉语教学学会等《对外汉语教学的定性、定位、定量问题座谈会纪要》,《世界汉语教学》1995年第1期。

程中出现了一些新的情况,在对外汉语教学的学科性质和内涵等问题上便产生了某些不同的看法,甚至对对外汉语教学学科本身也产生了某些怀疑。例如:

1. 随着外国留学生人数的增加和学习者原有汉语水平的提高,为了更好地适应多方面的学习需要并进行统一管理,有些高等院校成立了院系一级的新的教学机构,增加了新的专业或课程,或改变了原有专业的名称。而"对外汉语教学"这个名称和它的内涵却不能涵盖新的机构、专业和课程,因此,要不要改变对外汉语教学的名称或扩大它的内涵?

2. 新建机构和新增专业的名称多半带有"文化"或"汉学"等字样,改变原有专业的名称也是为了突出或强调"文化"教学。那么,是不是应当把"对外汉语教学"学科改变为"对外汉语文化教学"学科?

3. 还有一种意见认为,国外的汉语教学主要是培养汉学家,我们的对外汉语教学必须与国外接轨,把培养汉学家作为重要任务;而要培养汉学家,就必须提高对外汉语教学的层次,扩大对外汉语教学的研究范围。也就是说,对外汉语教学不但要从事语言教学与研究,而且要从事文化教学与研究,否则,对外汉语教学怎么能培养汉学家?

上述种种问题,不但关系到对外汉语教学的学科地位和研究对象,而且也关系到对外汉语教学的专业建设、课程建设和教师队伍建设,对课堂教学也不无影响。在理论和实践上存在的分歧已引起了对外汉语教学界的普遍关注,因此,召开这样一次座谈会,使不同的意见都能得到充分发表和交流的机会,通过坦诚的切磋、研讨在尽可能多的问题上取得共识,不但具有重要的理论意义,而且具有迫切的现实意义。

一 学科的性质、内涵与名称

学者们认为,对外汉语教学是一种第二语言或外语教学,跟作为第二语言或外语的英语教学、法语教学等具有同样的性质。跟"英语教学""法语教学"以及其他许多名称一样,"对外汉语教学"这个名称也具有多重涵义。例如:我们可以说"对外汉语教学事业",这里的"对外汉语教学"是一项事业的名称;我们也可以说"对外汉语教学工作",这里的"对外汉语教学"是一种工作或职业的名称——这种工作或职业就是对外国人进行汉语教学;我们还可以说"对外汉语教学专业",这里的"对外汉语教学"是一个专业的名称——顾名思义,这个专业是指培养对外汉语教学人材的专业,而不是指培养汉语人材的专业。为了更好地发展对外汉语教学事业,更有效地从事对外汉语教学工作,进一步办好对外汉语教学专业,就必须开展理论研究。作为一种研究对象,"对外汉语教学"就成了一门学科的名称,就像把文学作为研究对象的学科就叫做"文学"、把数学作为研究对象的学科就叫做"数学"一样。

学者们认为,作为一门学科,必须有自己特定的研究对象、研究内容、研究目的和理论体系。对外汉语教学的研究对象就是作为第二语言或外语的汉语学习和教学。具体地说,就是研究外国人学习和习得汉语的规律及相应的教学规律。对第一语言为非汉语的我国少数民族学生和海外华侨、华人的汉语教学也是一种第二语言教学,因此,对外汉语教学的某些经验和研究成果也适用于对我国少数民族的汉语教学和海外的华语文教学。对外汉语教学的研究内容是作为第二语言或外语的汉语学习和教学的全过程以及与此相关的各种内部联系和外部关系。从纵向上说，就是研究学生从开始学习到真正掌握，即汉语水平达到接近说汉语的汉族人的水平的过程；从横向上说，就是研究总体设计、教材编写、课堂教学和测试等全部教学活动。对外汉语教学的研究目的是揭示作为第二语言或外语的汉语学习和教学的内在规律，以便指导教学实践。对外汉语教学已经初步形成了自己的理论体系，这个理论体系由基础理论和应用理论两部分组成。基础理论包括语言理论、语言学习理论、跨文化交际理论和一般教育理论等；应用理论是指教学理论和教学法（教学法的部分内容具有理论性质，因此不妨把它也归入理论范畴）。对外汉语教学的学科理论就是建立在综合应用语言研究、语言学习研究、跨文化交际研究和语言教学研究等方面研究成果的基础之上的，所以是综合性的，跨学科的。

　　学者们认为，要认清对外汉语教学的学科性质与内涵，还必须把机构、专业、课程和学科等不同的概念区分开来。吕必松先生指出："一个大学可以设若干个学院，一个学院可以设若干个系，一个系可以设若干个专业，一个专业必须开设若干门课程，不同的课程往往属于不同的学科……机构、专业、课程和学科是不同的概念，不能因为机构、专业和课程变了，学科的名称和内涵也跟着改变。"在专业方面，还要区分培养"汉语"人才的专业和培养"汉语教学"人才的专业，前者属于作为第二语言的"汉语"或"汉语言"专业，后者属于作为第二语言的"汉语教学"或"汉语教育"专业。作为第二语言的"汉语"专业和"汉语教学"专业虽然都是对外汉语教学的研究对象，但是它们的培养目标、教学内容和教学要求等有明显的区别，所以是不同的专业，绝不能混淆。蒋妙瑞司长在讲话中指出：应该把对外汉语教学的定性、定位、定量问题分一分，一个是学科本身的"三定"，一个是专业的"三定"，甚至还有汉办工作的"三定"，这些都不是一码事。

学者们认为，目前还不宜改变"对外汉语教学"这个名称。杨庆华先生指出："从1983年'对外汉语教学'这个名称诞生到现在，已经十余年了，它基本上体现了这个学科的性质和特点，在国内外也产生了广泛的影响。按照约定俗成和学科名称唯一性原则，我个人的意见是，不宜再作改变，应该把它固定下来。"杨庆华先生还指出：中共中央早在1986年在讲到对外国人的汉语教学这一工作时就正式使用过"对外汉语教学"这个名称；1993年中共中央和国务院颁布的《中国教育改革和发展纲要》还明确提出要"大力加强对外汉语教学工作"；我国权威经典文献《中国大百科全书·语言文字》也把对外汉语教学作为正式条目。杨庆华先生认为，"截至目前，还没有一个比'对外汉语教学'更简明、更精确的名称来取代它"，"如不维护它的唯一性、稳定性和严肃性，对对外汉语教学工作和学科建设都是无益的"。

二 语言教学与文化教学的关系

学者们认为，语言教学和文化教学在教学目的、教学内容、教学原则和教学方法等方面都有根本的区别，是两种不同性质的教学，教学规律也没有足够的共同点，所以它们不可能属于同一学科。此外，"文化"是一个内涵很广的概念，讨论文化教学问题，首先要对所指"文化"的内涵作出界定。

学者们也认为，语言教学本身不能脱离文化因素的教学。这里所说的文化因素，是指跟语言理解和语言表达密切相关的文化因素。语言教学的目的是培养学生用这种语言进行交际的能力，而交际能力的培养与相关文化因素的教学有连带关系。语言是文化信息的一种载体，每一种语言都打着民族文化的印记，不存在脱离文化的语言。因此，在学习一种第二语言或外语时，如果不同时学习这种语言中所包含的文化因素，就无法理解这种语言，在交际中也不可能进行正确的理解和表达。我国对外汉语教学界早已兴起的关于"交际文化"的研究和讨论，就是为了在对外汉语教学中更自觉地进行跟语言理解和语言表达密切相关的文化因素的教学。关于如何在对外汉语教学中更自觉地进行文化因素教学的研究，是当前对外汉语教学研究的热点之一，这跟当前社会上兴起的"文化热"可以说是一种巧合。但是我们绝不能因为"文化热"的兴起而忘记语言教学的特点和规律。

学者们认为，培养汉学家应当成为我国教育的一项重要任务，但是语言教学的任务是使学生掌握语言本身和具备用这种语言进行交际的能力，把培养汉学家作为汉语教学的目标是不现实的。不同的汉学家有各自不同的研究领域，因此，培养汉学家要靠我国整个教育界和学术界共同努力，不是对外汉语教学可以单独完成的任务。汉语教学可以为培养用汉语工作的汉学家服务，但是它本身的目标不是培养汉学家。

学者们强调，对外国留学生进行汉语教学和中国文化教学都必须按规律办事，不同的专业和课程必须按照一定的客观规律进行科学分工。与汉语教学密切相关的文化教学，除了汉语课中的文化因素教学以外，还有汉语言专业中文化知识课的教学。现有汉语言专业中开设的文化知识课，初级阶段有用学生母语或媒介语开设的中国概况课，中、高级阶段有中国文学、中国历史、中国经济等课程。但是必须指出,文化知识课和汉语课在教学内容、教学目的和教学原则等方面都有根本的区别。它们的教学内容各有自己所属的学科:中国文学课属于文学学科,中国历史课属于历史学科,中国经济课属于经济学科,而汉语课则属于语言学科。文化知识课的主要教学目的是教授文化知识,给学生必要的文化知识储备,使学生具备必要的知识结构,以便适应专业学习和工作的需要。汉语课的教学目的则是培养学生的汉语能力和汉语交际能力。文化知识课由于是用汉语讲授,也有助于提高学生的汉语能力,但是培养汉语能力不是文化知识课教学的主要任务。教学内容和教学目的不同,教学原则和教学方法也不可能相同。文化知识课主要是理论和知识的传授,而汉语课则必须强调技能训练。当然,对外汉语教学也应当研究文化知识课的教学,但是这种研究不可能是全面的,一般只能从课程设计的角度进行研究。正如吕必松先生所说:"对外汉语教学不能不研究汉语言专业的课程设计,从课程设计的角度说,也仅仅是在课程设计这一点上,汉语言专业中的文化课教学也是对外汉语教学研究的对象。"

至于汉语课和汉语言专业的文化知识课以外的广义的文化教学,其教学内容所属的学科门类很多,范围很广,跟对外汉语教学是完全不同的两回事,不属于对外汉语教学研究的范围。

三 形势与任务

国家教委主管部门的领导同志对对外汉语教学事业面临的形势和当前的任务发表了重要意见。李海绩先生指出:"我们的对外汉语教学工作面临着少有的机遇,也面临着严峻的挑战";

"开放的中国需要了解世界,世界也需要了解中国,这其中汉语作为一个工具、桥梁、载体,扮演了非常重要的角色。"他通报了周边国家和欧洲一些国家汉语教学的情况,介绍了一些国家要求增派汉语教师的迫切愿望,强调"形势喜人,形势逼人。如果我们不努力工作,不适应这一要求,就辜负了国家对我们的期望,也会使外国朋友失望"。

这次座谈会的热门话题之一是如何办好汉语言专业,蒋妙瑞司长在讲话中也着重谈了这方面的问题。他指出,专业问题很复杂,外语教学界也在讨论,有人认为培养学生的语言综合技能和交际能力这一点绝不能动摇,否则,几个专科加起来也仅仅是专科而已。也有人主张,在重视语言技能的基础上,应根据人才市场的需要,培养复合型人材。蒋司长介绍说,复合型人材受用人单位欢迎,已有报道,但是也有不同的看法。对于各种不同的看法,现在就做结论,为时还早。蒋司长强调,办专业要慎重,首先要具备三个条件,一是要有稳定的生源,二是要有较好的社会职业需求,较好的工作出路,三是要有相对成熟的办学方案和模式。在对外汉语教学界,北京语言学院的本科教育是一种模式,办得是成功的,还可以有别的模式。

关于当前的工作,蒋司长指出,基础汉语教学是我们当前的主要任务,一是这类学生人数最多,二是我们现在的教学效果还不够理想,2年学汉语,4年学专业,统共要6年,时间长了点儿。国内国外的语言教学都有好的成功的经验,应该广泛地吸收、借鉴。李海绩先生提出了1995年对外汉语教学工作的重点,包括:进一步加强基础汉语教学、短期速成汉语教学和中高级汉语教学的研究;国内要突出地抓示范性教材的编写,国外通过合作编教材的方法,编出适合国外需要的受欢迎的教材;把教师培训和教师资格审查结合起来,对外国的汉语教师,经过培训、考试,也可以考虑授予资格证书;加强 HSK 的工作,明年要有新的举措;国外的汉语中心,已开办的,要帮助巩固、加强,条件成熟的要采取适当的形式协助开办;改进出国教师的选派、管理工作。

学者们强烈呼吁上级领导和主管部门积极采取措施加强对外汉语教学的学科建设,提高对外汉语教学的学科地位。当前的迫切任务之一是积极创造条件建立对外汉语教学的博士点,并把硕士点从现代汉语专业中独立出来。培养更多的对外汉语教学的硕士研究生和准备培养这方面的博士研究生,是提高对外汉语教学的专业层次和学科的学术层次、使我国对外汉语教学在国际上发挥更大作用的关键性措施。学者们还呼吁尽快组织力量制订汉语言专业的教学大纲,修订或编写出具有示范作用的新一代汉语教材。

第三节　对外汉语教学与其他语言教学的异同[①]

对外汉语教学是语言教学中一个重要的、比较有特殊性的组成部分。它是由中国教师操母语教授中国语文。看起来与我国国内的对中国人的语文教学没有什么差异。持这种看法的人,忽

[①] 本节摘自徐甲申《对外汉语教学与其他语言教学的异同》,《语言文字应用》1998 年第 4 期。

视了学习者即教授对象不同这一本质性区别。由这一点决定了对外国人的汉语教学与对中国人的外语教学和对我国少数民族的汉语教学更相近,它们同属于第二语言教学的类别。但是,它们三者之间又都存在着一些具体的差别,也需要细致的研究才能更清晰地看到。下面将四种语言教学分10项内容加以对比(见表2—1至表2—10),以便更清楚地分析它们的异同。

一 对照

表 2—1 教授对象

	国、民族区别	母语	汉语能力	分班方式	年龄	母语干扰	文化程度
语文	无	汉	有	统一	7—22	有	0起点
外语	无	汉	有	统一	①13— ②18—	有	初中高中
民汉	有	民	无·弱	统一	①13—	有/弱	初中高中
外汉	有	外	无	不统一	①18— ②22—	有	高中大本

表 2—2 教学内容

	语言	语法			文字	词汇				口语与书面语		文化
		小	中	高		甲	乙	丙	丁	口	书	
语文	非重点	不教	教	修辞	小、中、高					不学	学	文道统一
外语	重点	重点教授			英32 俄32 日51	8 000—12 000				学	学	为辅
民汉	重点	重点教授			2 905	8 822				学	学	
外汉	重点	重点教授			2 905	8 822				学	学	为辅

第三节　对外汉语教学与其他语言教学的异同

表 2—3　教学方法

	阶段	等级	课时	技能训练	设施	教学法应用	班型
语文	小6中3高3大4	/	/	听、说、读、写,以写为主	一般教室	直接	大
外语	(中3高3)大	日3—1英4—8	普中3高3本大4	读、听、说、写,重听、说	视听	功能、结构	小
民汉	初中高	HSK1—8	高：4—6/周	读、听、说、写	视听	对比	大
外汉	初中高	HSK1—8	3 200	读、听、说、写	视听	对比功能、结构	小

表 2—4　学习目的

	提高文化程度	培养交际能力	研究　深造
语文	✓		部分
外语		✓	部分
民汉		✓	部分
外汉		✓	部分

表 2—5　习得或学习方法

	口语	书面语	主要获取知识途径	学习年限
语文	自然习得	学习	学习·环境	小学—大学(16年)
外语	学习	学习	学习（听说读写）	初中—高中—大学(10年)
民汉	学习/自然习得	学习	学习（听说读写）	高中·大学(3—7年)
外汉	学习	学习	学习（听说读写）	进修生：短期—1年　本:4年　研:2—3年

表 2—6 测试

	视听	口语表达	读解	作文	综合	翻译	语法	汉字书写
语文	无	无	有	有	有	无		有
外语	有	有	有	有	有	有	有	无
民汉	有	有	有	有	有	有	有	有
外汉	有	有	有	有	有	有	有	有

表 2—7 培养目标

	能力方面为主的培养目标
语文	使学生具有识字、读书、汲取知识、营造自我身心的能力
外语	培养利用外文交际、吸收知识和进行工作的能力
民汉	从略
外汉	培养外国人与中国人用地道的中国话进行交际的能力,理解中国文化、与我友好

表 2—8 语言环境

	自然环境	设备应用
语文	好	无·不需要
外语	差	有、条件不等
民汉	差、较差、较好	有、条件不等
外汉	好	有、条件较好

表 2—9 社会、学界认可情况

	难易度	学科
语文	易	已有
外语	难	已有
民汉	较难	正在建设
外汉	易	正在建设

表 2—10 教师资格

	母语	外语	普通话	资格证书
语文	要求	不要求	要求不严	无
外语	不要求	要求	要求不严	无
民汉	要求	(汉语)	较严	有
外汉	要求	要求	严	有

二　分析

1. 语文教学的教授对象是汉语为母语者，语文教学要自小学一年级开始一直持续到大学阶段。因学生是在母语环境中成长起来的，所以入学时及学习期间都不存在言语交际方面的障碍。进入学校学习语文的目的主要是识字、掌握词汇、学习读书、提高理解和写作能力、加强文化修养，为其他各种知识的学习打基础。这些学生不学习语法也能正确使用自己的母语进行交际。而学习语法的目的在于更系统、更深刻地认识和运用自己的语言。他们必须学习识字和书面语，因为这是区别文盲与非文盲的一个重要标志。同时因为现代汉语是由古代汉语发展而来，现代汉语中也还保留了许多古代汉语的成分，所以到了一定的阶段还要学习一定量的古文。

语文教师的条件一般是师专毕业可以教中小学，师大毕业可以教高中，研究生毕业可以教大学本科。但是这种要求并不很严格，随意性比较大，这或许也是我国目前语文教学质量不高的一个重要原因。

通过上面的对比可以看到，语文教学要比其他语言教学的难度小得多，它的学生全都是会说中国话的，根本不用从"口语"教起，而且并不需要什么特殊的语言环境、复杂的设备和高额的投入。但花费的时日却不少，一个学生从小学到大学要一直学16年语文，效果如何？社会反响很不一致。但是，多数意见是不满意，这是因为中国语文的确是特别难教、难学，还是因为什么别的原因？应该好好研究一下。

2. 我国外语教学的教授对象基本上也都是以汉语或少数民

族语为母语者。他们一直到了初中才开始把外语作为第二语言来学习,当然也有少数学校从小学三年级就开始教外语,但由于这样做的结果势必影响到他们奠定母语基础,所以不值得提倡。

外语教学的内容与语文不同。必须从发音和最基本、最简单的词汇教起。同时,为使学生能尽快地掌握规律,举一反三建立一个新的语言习惯,还要在开始阶段就教授最基本的语法现象。为提高学生的学习效率,必须按其接受知识的认知规律编排所学知识的先后顺序。为使教材内容更加上口,便于使用,要人为地制造一些语言环境和相应的语体。教师自始至终都要强调语言技能的训练。

但是,中国学生毕竟是在汉语环境中学习外语,教师又大都是中国人,因此他们无法在接受外国文化熏陶、社会背景影响的同时来学习外语,所学的语言和表达方式不一定地道。而且他们在语言、语法上的一些错误,并不一定都能得到及时、准确的纠正。

从事外语教学的教师由于必须受高等教育才能获取资格,而且有机会到国外进修、深造,所以也较受社会青睐。

通过对照,可以看出,我国的外语教育已得到社会的重视,尤其是改革开放以来的"外语热"一浪高过一浪。而且,语种也相对比较集中。这对于提供师资并不十分困难。然而,尽管有天时、地利、人和等诸方面的有利因素,总体来说教学效果仍然偏低,普及程度更差。许多专家指出,广告、牌匾中的英文错误触目皆是,不能说完全与外语教育无关。在当前要营造国际化环境下,如何处理好外语教育与国际化人材培养问题,不能不令我们这些工作在语言教育第一线上的人深思。

3. 对外汉语教学是一门新兴学科,尤其教学对象全部是外

第三节 对外汉语教学与其他语言教学的异同

国人。因此,仅从外国人把汉语作为外语来学习这一基本事实出发,就可以认定该学科的属性为第二语言教学。其主要特征是:(1)学生是不同国籍的外国人,绝大多数是在无汉语基础的情况下到我国留学学习汉语的,这些留学生至少都有从小学到高中的受教育经历,大部分都有过学习外语的经验,具有认识语言规律的一般能力。(2)教材编写的指导思想、内容安排、练习方式等不同于语文教学,而是要与外语教学相一致。口头语言和书面语言并重。必须从最简单的发音、汉字、词汇、口头语言等教起,逐步积累,在达到一定程度后再教书面语言。只教口语不教书面语,等于培养中国的文盲。只教书面语,不教口语则失去到中国来留学的意义。因为仅是书面语言的学习,不一定非要到中国来学不可。(3)留学生在学习汉语过程中严重地受到其母语的干扰,在较长时间内使用"中介语"进行交际,特别是不同母语的学生编在一个班内,他们的"中介语"的生成原因也各不相同,作为教师必须研究其形成规律,有意识、有针对性、有理论指导地加以纠正,才能取得好的教学效果。(4)汉字学习是大多数非汉字圈国家留学生的一大难题。三千左右的常用字平均每字10画还多一点,而且纵横交错,构造复杂,仅偏旁部首就有214种之多(如包括形近者几乎快到300种)。因汉字是中国语文和中国文化不可分割的一部分,致使留学生无法回避这个困难。这就要求教师站在中外语言文化之上,从宏观到微观把握汉字的特点,进行有效的教学。

应该说,这四种语言教学中难度最大的是对外汉语教学。它是同时具备了语言教学、外语教学、成人教育、速成教育等几方面特征的第二语言教学。所教的内容又是在各种语言中属历史最长、文化背景最为丰富且难度较大的一种语言。但是通过近40年来的刻苦努力、钻研探索,所取得的成绩是巨大的。特别是近十几年来,在学科建设上是极有成效的。当然,不是说没有问题。我认为,当前最大的问题仍然是没有从根本上即从学科性质上认清对外汉语教学是第二语言教学。从亲族、血缘关系上看,语文教学是它的叔伯兄弟,而外语教学才是它的亲兄弟,对外汉语教学要从教学理论、教学方法乃至教材编写、技能训练方法等诸方面更多地向外语教学学习。过去,对外汉语教学与语文教学进行对比、参照的机会多一些,靠拢得也紧密一些,那是因为受到了表面上都是教汉语的现象的蒙蔽,也是因为多数教师从汉语教学中转过来,对原先的业务更为熟悉的缘故。现在,要多从外语教学中汲取营养,充实自己。

三 结语

中国语文教学、外国语教学、对少数民族的汉语教学和对外汉语教学都同属于语言教学。语言,不论是汉语还是外语,都是文化的载体。同时,它们又都是工具。学习语言的目的都应该是为了使用,为了更好地荷载文化。因此,这四个方面的语言教学都要以提高应用能力为主。古人说:"工欲善其事,必先利其器",语言文字能力就是这"器"的一种,必须尽可能地使其锋利。这是它们的共性。由这一共性决定了它们同属于语言教学这一大的学科。然而,它们之间还有许多差异,这些差异决定了它们分别成为语言教学的几个分支学科。其中"外语教学在本科阶段,是一种以技能训练为主、知识给予为辅的教学活动",这一点与语文教学不同。而对外汉语教学学科比较特殊,它既有外语教学的以技能训练为主的特点,又要求教师有相当深厚的汉语言功底和语言理论知识,对于中国人司空见惯、外国人却难以理解的语言现象不仅不能以"习惯用法"来搪塞,还要有足够的外语知识和外语能力,用来进行不同语言之间的对比,更好地纠正学生在学习汉语过程中出现的语病,判断学生的中介语发生的根源,并去纠正它。与此同时,从事对外汉语教学的教师必须时刻提醒自己虽然讲的和教的都是母语,但实际上是外语教学。这一点很难做到,但必须做到。必须有针对性地根据不同国籍、不同学习经历,特别是对不同学习汉语的经历的人采用不同的方法,要不断地从心理学等各种角度深入研究外国学生在学习汉语过程中的认识规律,以求提高学生学习的效率和成功率。

第四节 语言教育学的学科独立性[①]

国家对外汉语教学领导小组办公室召开"语言教育问题座谈会",从事对外汉语教学、少数民族汉语教学、外语教学和母语文教学等方面的专家学者在一起,专门讨论语言教育问题,交流各自的情况、经验和学术信息,探讨语言教育的共同规律和不同门类语言教学的特殊规律,这在我国还是第一次。这次会议不仅将为从更加宏观的角度审视对外汉语教学的学科地位和发展方向提供机会,还将为推动我国语言教育的进一步发展,促进我

---

① 本节摘自刘珣《语言教育学是一门重要的独立学科》,《世界汉语教学》1998年第 2 期。

国整个语言教育的学科建设产生深远影响。这里,谨提出一些不成熟的看法,求教于大家。

一 深化对语言教育学科重要性的认识

我们认为,这次会议首先要进一步明确语言教育的意义和目标,强调语言教育学科的重要性,提高这门学科的学术地位。

近半个世纪以来,我国政府和学术界在语言文字规范、改革和政策制订等语言规划方面做了大量的工作并取得了重大的成果;与此同时,对语言教育问题也十分重视,把发展对外汉语教学看作是"国家和民族的事业",在大力发展外语教学、少数民族汉语教学和中小学语文教学等方面也作出了巨大的努力。但由于受重文(学)轻语(言)的学术传统的影响以及现实社会中的一些原因,人们对语言教育重要性的认识并没有达到应有的高度,语言教育在理论研究和实践方面都不能适应国家建设和社会发展的需要。关于母语文教育,吕叔湘先生曾经指出:"十年的时间,2 700多课时,用来学本国语文,却是大多数不过关。"[①]外语教育看似颇受社会青睐,红火之势经久不衰,但效果也并不太理想,大多停留在升学、求职、出国等"应试教育"层面上,外语运用能力真正过关的人也不多。至于外语教育在人的素质培养方面的深远意义,更未成为普遍的认识。而在蓬勃发展的对外汉语教学中,把这项重要的事业仅视为赚钱、创汇手段的现象,至今仍不少见。更要指出的是,由于语言教育所具有的工具性、技能性的特点,与其他基础理论学科相比,总有人认为"没有多少学

---

① 参见吕叔湘《吕叔湘论语文教学》,山东教育出版社1987年版。

问","缺乏学术性和理论性"。社会上的这一偏见甚至也影响到了语言教学队伍本身,有的人自己就感到理不直气不壮。其实这种看法是没有任何根据的。现在很多学者都认为"语言学是领先的科学",那么关系到亿万学习者如何掌握语言的语言教育学,其学科地位又该如何看待呢?

随着科学的迅速发展,社会的不断进步和国家之间、人民之间相互关系的日益密切,特别是世界经济一体化进程的加速,语言教育在当今社会和国际交往中正发挥着前所未有的重大作用,这也正是近几十年来语言教育愈来愈受到重视的原因。在迎接新世纪到来的时候,人们自然想到了发展语言教育的问题。比如,美国外语教育委员会(ACTFL)等 40 多个单位在美国联邦政府教育部和全美人文基金会的资助下,于 1996 年完成了《外语学习的标准:迎接 21 世纪》的研究项目,提出了用来概括 21 世纪外语教育的目标和学习标准的 5 个"C",即 Communication(运用语言进行交际),Cultures(体认多元文化),Connections(关联其他学科),Comparisons(通过比较了解语言文化的特性),Communities(应用于多元性的社区)。

我们正是要从社会的生存和发展、国家现代化的实现和造就 21 世纪新人的高度来认识语言教育的重要性。面对今天和未来社会的发展,我们认为,语言教育至少有三重意义:

第一,语言作为知识的载体、文化的载体,是信息传播最重要的载体,在信息时代,其重要性怎样估价也不为过。语言学习和语言教育已成为社会生存和发展的基本需要。

第二,语言是交际工具。我国要实现四个现代化,要深化改革开放,在经济、文化、政治各个方面参与国际交流与合作,要了解外国并让外国了解我们,这就离不开外语和汉语的语言教育。

第三,语言教育是人类教育的基础。第二语言教育不但可以开发人的智能并促进人们的社会交往能力,而且还可以培养人们的多元文化意识,在培育21世纪新人,提高人的基本素质方面起到特殊的作用。

二 建立语言教育作为一门独立学科的科学体系

吕必松先生在论述对外汉语教学学科性质时,曾指出:"对外汉语教学……是语言教育学不可或缺的一个组成部分。"①包括上述四个主要门类的语言教育是一个整体,组成一门共同的学科——语言教育学。这就需要我们加强联系,团结协作,从研究本领域的特殊规律出发,寻求语言教学的共同规律,从而发展我们这一共同的学科。但长期以来,我国不同门类的语言教学之间处于互相隔离的状态,信息得不到交流,研究成果不能共享。这种状况再不改变,就会阻碍我国语言教育学科的发展。我们四个方面的语言教育可以分为两大类:中小学语文教育属于第一语言教育;少数民族汉语教育、外语教育、对外汉语教育则属于第二语言教育(第二语言教育在某种条件下,还可能带有双语教育的性质)。这些都属于语言教育学的分支学科。每个门类的语言教育在发展我国整体的语言教育学科中,都有不可替代的作用。我国母语文教育面对两亿多学生,它要完成的教学任务和研究工作所涉及的广度和深度堪称世界母语教学之

---

① 参见吕必松《在对外汉语教学定性、定位、定量问题座谈会上的发言》,《世界汉语教学》1995年第1期。

最。这方面的研究成果也就具有不同一般的意义，可以为第二语言教学提供参考，给对比研究提供丰富的资料。我国有 56 个民族，各民族之间相互学习对方的语言，特别是广大少数民族学习汉语，其规模在世界上也是屈指可数的。我国外语教学界除了本身也具有相当大数量的学习者（有人估计，单英语学习者全国就有 3 亿），其积累的经验除了可以为各种外语教学的理论研究作出贡献外，还由于它们与英语、法语、德语、西班牙语等当前比较普遍教授的第二语言教学有紧密的联系，可以及时引进、介绍西方的语言教学研究成果。我国是汉语的故乡，对外汉语教学的研究在全世界的汉语作为第二语言教学界起着基地和中心的作用，在一定程度上影响着世界的汉语教学，同时也对汉语的研究和汉语作为母语教学的研究不断提出新课题，提供新成果。深入研究上述几个门类语言教育的特点，加强彼此间的学术交流与合作，必将大大促进我国语言教育学科的发展。

作为一门学科要有自己的学科体系。学科体系（也称为学科理论或学科理论模式）是一门学科的结构框架，它显示构成该学科的内部和相关的外部因素以及这些因素的作用和相互之间的关系，其核心部分是学科理论体系。加拿大语言教育理论专家斯特恩（H. H. Stern）在其《语言教学的基本原理》中，总结了西方学者在 20 世纪 70 年代至 80 年代初提出过的七种第二语言教育理论模式。[①] 我国从事语言教育的学者们也分别提出过不同的学科理论体系。如张鸿苓先生提出过"中学语文教育系

---

① 参见 H. H. Stern (1987) *Fundamental Concepts of Language Teaching*, Oxford University Press.

统的结构"①,章兼中先生提出过"外语教育学的理论模式"②,吕必松先生提出过"第二语言教学的结构"和"第二语言教学的学科理论"③,崔永华先生论述了对外汉语教学学科的理论体系、教学体系和人才体系。④

综观国内外学者们提出的各种理论模式和结构系统,我们认为,语言教育学科体系应当包括理论基础、学科理论和教学实践三大部分。理论基础指与本学科关系最密切、为本学科提供理论养料的一些基础学科,特别是语言学、心理学、教育学和跨文化交际学。这些学科在理论上从不同的方面支撑着本学科,使本学科体现出综合性和跨学科性特征。学科理论包括基础理论和应用理论,这是本学科自己的理论体系,是本学科之所以独立存在的主要标志。其中,基础理论通常又由目的语的教学语言体系(以教学语法体系为中心)、目的语的习得理论、目的语的教学理论和本学科的研究方法学所组成。应用理论则是指运用本学科的基础理论对总体设计、教材编写、课堂教学、测试评估、教学管理及师资培养等方面所进行的应用研究,它是学科理论与教学实践两大部分之间的中介。把教学实践纳入学科体系,能更好地体现本学科所具有的应用性特点,表明了本学科理论与实践之间的紧密关系。这里所指的教学实践,既是对学习者的教学,也是对未来教师的培养。

---

① 参见张鸿苓《语文教育学》,北京师范大学出版社 1993 年版。
② 参见章兼中《外语教育学》,浙江教育出版社 1993 年版。
③ 参见吕必松《对外汉语教学概论》(讲义),《世界汉语教学》1993 年第 1 期、第 2 期。
④ 参见崔永华《对外汉语教学学科概说》,《中国文化研究》1997 年春之卷。

应当说明一下,我们采用"独立学科"一词,并不是想割断语言教育与其他学科之间千丝万缕的联系,而是为了强调语言教育学是一门新兴的学科,它作为一门学科的资格和地位应当得到承认和重视。当今科学正沿着两个看似矛盾而实为统一的进程发展着:学科在愈来愈分化、专门化的同时,不同学科又在不断地交叉、渗透和综合。上述语言教育学科体系的构想,也许能反映出学科发展的这一总趋势。

三 进一步明确语言教育学科的科学定位

对语言教育学科的发展起重大影响的一个问题,是如何对这门学科进行科学定位,也就是科学地确定它在众多学科中的位置。

一门学科的科学定位,是由该学科的性质及其研究内容所决定的。语言教育学科既要研究所教的语言(教什么),也要研究学语言和教语言的方法(如何学和如何教),还要研究教学活动的主体(学生与教师的心理)。它是综合学科、交叉学科,有很多支撑理论,特别是语言学、心理学、教育学等都对其发展有极大影响,而且也自然成为该学科研究所涉及的内容。因此,对语言教育学科的科学定位,一直存在着不同的看法:有人把它归入教育学(学科教育学)范畴,更多的人则把它归入语言学范畴。而最为普遍的观点,则是把它与应用语言学紧紧地联在一起,甚至认为狭义的应用语言学就专指语言教学。这一传统的看法,现在不论在国外还是在国内都遇到了挑战。80 年代初美国学者汉默莱(H. Hammerly)在谈到语言教育学科的名称及其与相邻学科的关系时,就不同意把语言教学称为应用语言学。他甚至认为:"'应用语言学'这样的术语已经毫无用处了,尤其是现在已进入后结构主义语言学的时代。"①我们国内很多学者在近年来发表的论著中,也不同意把语言教学称为应用语言学。章兼中先生认为:"外语教育学不是语言科学,更不是应用语言学。有人把外语教育学或外语教学法与应用语言学等同起来是没有理论根据的。"②

在强调语言学作为语言教育学的主要理论基础,从宏观到微观都对语言教育起着极其重要的作用的同时,我们也认为,科学发展到今天,仍把语言教育仅仅定位于语言学范畴是不恰当的,把应用语言学看作是语言教育的同义语更为不妥。理由如下:

1. 与语言教育特别是第二语言教育相关联的学科,或者说语言教育所"应用"的理论,绝不仅仅是语言学,还有心理学、教育学、文化学、社会学等。事实是,单单"应用"语言学理论,解决不了语言教育的所有问题。有的学者认为,心理学、教育学对语言教育的影响绝不低于甚至还高于语言学。恰恰是一些"后结构主义语言学时代"的最重要的语言学理论,最难"应用"到语言教育中。把这门交叉学科仅仅定位于其支撑理论之一的语言学是不恰当的。

2. 语言教育与语言学理论之间的关系,绝不仅仅是"应用"。美国学者斯波尔斯基(B. Spolsky)1970年指出,这两者是"应用和启示"的关系:语言学关于语言本质的研究对语言教学

---

① 参见 H. Hammerly (1982) *Synthesis in Second Language Teaching* PO Box 1700 Blaine, Wash. USA98230.

② 参见章兼中《外语教育学》,浙江教育出版社 1993 年版。

有启示的作用;所谓"应用"仅仅指语言学对语言事实的描写可以为教学语法等提供资料。① 可见"启示"是更重要的,即使"应用"的那一部分,在很多情况下也不是直接的,不能采取拿来主义。美国语言学家塞林克更认为:"不能把第二语言教材或教学方法放在语言学的基础之上。"②英国语言学家科德也明确指出:"理论语言学同语言教学之间的关系是间接的","语言学理论和在课堂教学中实际应用的教材之间的关系也是间接的。仅仅依靠语言学理论是不可能为教学大纲内容的选择、安排和陈述提出一个标准的。"③这是因为语言学与语言教学毕竟是两门不同的学科,语言学研究的是语言本身,而语言教学研究的是如何学和如何教语言。简单说来,一个是"语言学",一个是"学语言",两者的研究对象、研究目的和研究方法是不同的。这就意味着并非语言学的所有理论都适用于语言教学;尤其是最现代的、最占统治地位的语言学理论,对语言教学并非最有用。斯波尔斯基等很多学者都认为转换生成语法理论最难运用到语言教学中来。④ 理论语言学家注重的是用抽象的规则和抽象形式描述语言的普遍特征,这与实际的语言教学相去甚远;而语言教育专家注重的是表现在具体言语行为中的某种语言的特点。即使是对具体事实的描写,如语法体系等,也不能从语言学中拿来就

---

① 参见 H. H. Stern (1987) *Fundamental Concepts of Language Teaching*, Oxford University Press.

② 参见 H. Hammerly (1982) *Synthesis in Second Language Teaching* PO Box 1700 Blaine, Wash. USA98230。

③ 参见科德《应用语言学导论》,上海外语教育出版社 1983 年版。

④ 参见 H. Hammerly (1982) *Synthesis in Second Language Teaching* PO Box 1700 Blaine, Wash. USA98230。

直接"应用"于语言教学,特别是第二语言教学。语言教育需要从"教"与"学"这一特殊的角度来研究语法、描写语法,建立"自己的"教学语法体系。这种教学语法体系更侧重于语言的运用和交际功能,要有利于学习者掌握语言的"组装规则",并形成语言交际能力。在研究方法上,要更多地运用对比分析手段,通过与学习者已掌握的语言进行对比,揭示目的语的特殊规律,从而确定教学的重点与难点;更多地运用偏误分析的方法,对学习者的中介语进行研究,了解目的语的习得过程和习得顺序。除了研究所教语言本身外,还要从跨文化交际的角度对蕴含在语言中的文化因素进行研究,要从心理学的角度联系学习者的个体因素进行研究等等。这些都体现了语言教育学的特点。

也正是从这层意义上说,语言教育学界不能只是作为语言学现有理论的"消费者",同时也应是语言学理论,特别是语言教学体系的"生产者"。今天的语言教学理论研究,已不再是早期那种对语言学理论的直接应用,而是强调从语言学理论中获得启示,以语言学理论为一种重要的"养料"来培养语言教学理论的"花朵"。同时,语言教学理论的研究又可以检验并丰富、发展语言学理论。

3. "应用语言学"这一名称非常笼统,不能明确表示出语言教育学科的内容。这一名称强调的是该学科"应用"别的学科理论的一面和它所具有的应用性的一面,而忽视了它作为一门专门学科所具有的理论性。

长期以来有一种看法认为,所谓"应用学科"就只能应用理论学科研究的成果解决实际问题,它的任务只是不断地向基础理论学科提供研究课题并接受其理论指导,它本身没有,也无需有什么理论,只要进行一些具体的应用研究,提供一些方法和技巧而已。这种看法不仅与科学研究的事实不合，而且随着新的边缘学科的大量出现更显示出其片面性。应用学科有其自身的理论研究领域和理论体系，它不仅需要进行具体的应用研究，不仅关注应用过程本身，而且要进行与之相关的基础理论研究。这是因为，首先，基础理论学科研究成果一般并不能直接应用到某一学科，而只是对该学科产生启示作用，启示就意味着需要研究，包括理论研究。其次，多学科的理论启示和应用，更需要从理论上进行选择与综合。第三，每一门应用性的学科也有自己的特殊规律需要揭示，并据此提出本学科的理论、原则和方法。当这部分的研究进行到一定程度，本身理论体系逐渐完善的时候，这门学科也就愈来愈取得"独立"学科的资格。社会语言学和心理语言学就是明显的例子，很多人认为，这两门学科今天已发展成独立的学科，不再附属于应用语言学的范畴了，当然这并不意味着它们与语言学之间不存在联系了。

　　语言教育学科，是在受众多相邻学科理论的启示，综合应用相邻学科有关理论的基础上，主要通过研究语言学习和教学本身的规律而形成了用于解决语言教学问题的一套系统的理论、原则和方法，因此它不仅是"理论的应用"，而且是一种"能应用的理论"。

　　4. 在应用语言学和语言教学之间画上等号，把应用语言学的范围缩小到如此地步，对应用语言学来说也欠公允。如果说100年前现代语言教学理论作为一门学科的雏形刚出现时，或是50年前应用语言学刚刚诞生时，语言学主要还是应用于语言教学，因此把语言教学划入语言学的范畴，甚至直接称之为应用语言学还是可以理解和接受的话，今天已有大量的语言学的边缘学科涌现，这些学科在应用语言学理论方面要比语言教育学科直接得多,现在再把语言教育作为应用语言学的同义语,更缺乏理据。

5. 今天的语言教育学已经进一步发现了自己的学科特征,明确了自己的发展方向,找到了自己的发展道路。100年来,语言教育(主要是第二语言教育)作为一门学科,从诞生走向自立,经历了三大阶段。20世纪初曾产生了直接法的"改革运动",标志着这门学科的萌芽;20世纪中叶,语言教学附丽于刚兴起的应用语言学,标志着这门学科的正式诞生;20世纪70年代以来,语言教育学逐渐摆脱了纯语言学研究的路子,不再是简单地把语言学研究的成果应用、转化到语言教学上,而是更多地借鉴心理学、教育学、社会学的理论和方法,转向对学习者的语言习得过程和规律的研究(特别是对中介语的研究)以及对学习者个体因素(尤其是认知和情感因素)的研究。这就找到了一条更能体现本学科特点的、独立发展的路子,这标志着这门学科正走向成熟,走向独立。这是世界语言教育学科发展的总趋势。

学科定位问题之所以值得探讨,是因为它将决定学科发展的方向。上面我们已从5个方面对传统的看法提出质疑。我们认为把语言教育这样一门具有独特内容,对社会发展起重要作用的新兴学科,仍仅仅归于语言学的一个分支或附类,笼统地称之为应用语言学,既不能完整体现这门学科的性质,也不能明确这门学科的发展方向,这就会对本学科的发展产生不利的影响。另一方面,我们不主张把本学科称为应用语言学,不把它定位于语言学科,也并不意味着否定或淡化语言学的指导作用,割断与语言学的联系。语言既是本学科的教学内容,教学语言体系是本学科基础理论的组成部分之一,那么,对语言的研究特别是对教学语言体系的研究,就必然是本学科研究的重点。而对语言的研究又离不开语言观的指导,因此语言学总是本学科最主要的支撑理论之一。

四　结语

当前我国各个门类语言教育正处在大发展的阶段,充分把握这一形势,不失时机地提出建立带有中国特色的语言教育学科并探讨其科学定位问题,是十分必要的。建立一个学科不易,需要长期不懈的努力,但提不提学科问题,有没有学科意识,是大不一样的。20年前我国学者提出对外汉语教学是一门学科,这20年来在对外汉语教学实践和理论研究方面所取得的成果,都是与这门学科的建设紧紧联系在一起的。我们有理由相信,各个门类的语言教育也必将在共同的学科建设中得到更快的发展。

第五节　对外汉语教学的学科属性[①]

一　引言

(一)

1997年12月国家对外汉语教学领导小组办公室组织有关方面专家召开了语言教育问题座谈会,就不同门类语言教育和教学方面的问题进行了广泛的交流和讨论。会后发表了《语言

---

① 本节摘自李泉《有关语言教育研究的几个问题——兼谈对外汉语教学的学科定位》,《汉语学报》2001年上卷第3期。

教育问题座谈会纪要》①,出版了《语言教育问题研究论文集》②。2000年1月中国对外汉语教学学会组织召开了第二次语言教育问题座谈会,进一步就有关问题进行座谈讨论,会后发表了《第二次全国语言教育问题座谈会侧记》③。这两次座谈会的召开,对沟通国内对外汉语教学界与少数民族汉语教学界、外语教学界、语文教学界的联系起到了积极的作用,为促进第一语言教学和第二语言教学等不同门类语言教学之间的学术和信息交流创造了条件,为加深对各门类语言教学特色和规律的认识提供了新的视角。

(二)

两次座谈会的成功召开,初步改变了长期以来国内不同门类的语言教学之间相互隔离的状态,为语言教育和教学成果的相互吸收和借鉴,从而更好地提高不同门类的语言教学效果开辟了新的渠道。不仅如此,两次座谈会及会后发表的有关论文中提出的一些具体观点和理论构想也令人耳目一新,值得探讨。本文拟在前人研究的基础上,结合我们在第二次语言教育问题座谈会上的发言,谈谈语言教育和对外汉语教学学科定位等有关问题。

二 关于语言教育

(一)

"语言教育"并不是一个陌生的概念,尽管《中国大百科全

---

① 参见张旺熹(执笔)《语言教育问题座谈会纪要》,《世界汉语教学》1998年第1期。
② 参见吕必松主编《语言教育问题研究论文集》,华语教学出版社1999年版。
③ 参见李晓琪、刘晓雨《第二次全国语言教育问题座谈会侧记》,《语言文字应用》2000年第2期。

书·语言文字》(中国大百科全书出版社,1988)、《中国大百科全书·教育》(中国大百科全书出版社,1985)等权威性工具书中尚未收这一词条,但是这一提法是能够为人们所理解和接受的。不仅如此,在现实语文生活中,特别是在国内多种门类的语言教学活动中,"语言教育"的提法还有着重要的现实意义和学术价值。一方面目前整个国民的语言素养、语言文字能力还不尽如人意,而国民的语言素养、语言文字能力对国家和民族的发展是十分重要的。因此语言工作者有责任呼吁加强国民的语言教育,使语言教育成为国民教育的基础和重要组成部分。[1] 另一方面,历史地看我国不同门类的语言教育,虽然都有不同程度的发展,但普遍存在效率不高的问题,难以与不断增长的语言人才市场需求相适应。[2] 在此情况下,用"语言教育"这一比语言教学内涵更为丰富的概念来统称国内各门类的语言教育和教学,包括母语教学、外语教学、双语教学和对外汉语教学等,并在语言教育的"旗帜"下开展对比和综合性研究,解决第一语言教学和第二语言教学所共同面临的问题或各自特有的问题是很有意义的。因此,把"语言教育"作为一个专门的术语提出来,并赋予其特定的涵义是很有必要的。就对外汉语教学来说,可以从语言教育这一角度思考和完善学科建设的层次,发展和规划对外汉语各类学历教育及其课程设置,拓宽我们的教育和教学观念。另一方面,可以从语言教育这一角度来开展与其他门类的语言

---

[1] 参见李晓琪、刘晓雨《第二次全国语言教育问题座谈会侧记》,《语言文字应用》2000年第2期。
[2] 参见张旺熹(执笔)《语言教育问题座谈会纪要》,《世界汉语教学》1998年第1期。

教育教学的对比研究,相互借鉴,吸取营养,加快学科理论建设的步伐。

(二)

但是,从目前有关语言教育的研究来看,一些学者似乎更多地把注意力放在建立"语言教育学",以及论证用"对外汉语教育(学)"来代替"对外汉语教学"上面。对于前者也许是很有价值的努力,能建立起"语言教育学"恐怕也是许多语言教育和语文教学工作者的良好愿望,特别是着眼于整个国民的语言素质教育来看;但是,要从理论和实践上证明确有必要用"对外汉语教育(学)"来代替"对外汉语教学",或是论证对外汉语教学不宜再归入应用语言学中,而应以"对外汉语教育(学)"的身份归入"语言教育学"(实际尚未建立起来)并最终归入教育学,那么实现这样的目标,路途将是十分艰难的。(详见下文)而且这样的目标至少从一开始是不可能得到绝大多数语言学和对外汉语教学工作者的完全理解和认同,也与提出"语言教育"这一概念的初始目的不完全一致。

因此,我们赞成"语言教育"的提法,但更赞成在这一概念下,把主要精力放在就不同门类语言教育教学的目的、内容、手段、方法、要求、环境、教学传统和理论基础等等,以及教学对象的学习动机、学习策略、认知规律、文化背景、文化态度等等,进行单一的或多方的对比研究,在异同对比中找出各门类语言教育教学的共性和个性,更全面深刻地认识各门类语言教育教学的性质、特点和规律,并在互相启发和借鉴中共同提高教学效率。我们也只是在这样一个总体目标下赞成"语言教育"的提法。事实上,只要我们有这样一个明确的目的,在"语言教学"这个概念下进行两个或多个门类语言教学的对比研究同样也是可以的。总之,多门类语言教育研究的根本目的是求同寻异,求同就是探讨共性,探求普遍性规律;寻异就是探讨个性,寻求不同门类语言教学的特有规律,以使教学更有针对性。语言教育研究的方法主要是对比,否则很可能还是各谈各的。而目的不明确或不突出,方法不得当,就不可能取得理想的效果。

(三)

关于"教育与教学"、"语言教育与语言教学"、"对外汉语教育与对外汉语教学"之间的联系与区别的讨论是很有意义的。但讨论的目的应立足于深化对外汉语教学的学科研究和理论建设,并应结合对外汉语教学的学科性质,结合对外汉语学历教育的培养目标及其课程设置等,而不应把对比研究的目的有意无意地定位在试图用一种概念或说法代替另一种概念或说法上,否则就可能从一个极端走向另一个极端,从而无助于学科的发展。

我们认为,就对外汉语教学这种第二语言教学或外语教学来说,在许多情况下"教育"和"教学"所指的内容并没有太多的本质上的区别,它们之间的关系只能说是大同小异。说"教学"不能完全包括"教育"的内容,例如,最好说"学历教育"不说"学历教学"。但同样也可以说"教育"不能完全替代"教学",比如"课堂教学"就不能说成"课堂教育","第二语言教学"也不能说成"第二语言教育","汉语教学"(作为第二语言)不宜说成"汉语教育","教学方法"也不能说成"教育方法",等等。同样,无论是说"语言教育"还是说"语言教学",其中核心的内容仍然是语言(汉语)教学,即语言知识的传授和语言技能培训。这是由第二语言教学的根本目的和学科性质决定的,也是由教学对象的特点和需求决定的。实际上,对外汉语教学中所说的"教育"自然包括"教学"的内容,反之亦然,差别只是侧重点不同而已。因此,"教育和教学""语言教育和语言教学""对外汉语教育和对外汉语教学"这些互相对应的概念在对外汉语教学研究中可以同时并存,可谓合则兼美;试图用一个概念取代另一个概念既不可能也不合适,可谓分则两伤。

(四)

关于建立独立的"语言教育学"学科,据报道已成为不少学者的共识。[①] 学者们从我国语言教育的现状和长远利益出发,论述了建立独立于语言学和应用语言学的新型学科"语言教育学"的必要性,并从宏观上进行了思考。对此我们同样认为这是可以探讨的,这样一种远大的目标也是令人鼓舞的。但是,"语言教育"能否成为一个独立的学科不完全取决于建立这样一个学科的意义有多么重要,更不取决于是否把它认定为一个学科;而取决于它是否有自己独立的教学目标和教学内容,取决于它能否有自己的教学理论以及按这一理论组织起来的学科知识体系,取决于这一理论体系在整个教育体系中与相关学科的关系是否协调,还应取决于它的学科性质是否明确。由此看来,要建立语言教育学科首先要解决许多问题,同时还会遇到许多问题。

首先,不同门类的语言教学虽然都属于语言教育的大范畴,但各门类语言教学的具体目标却不尽相同。比如,对中小学生

[①] 参见张旺熹(执笔)《语言教育问题座谈会纪要》,《世界汉语教学》1998年第1期。李晓琪、刘晓雨《第二次全国语言教育问题座谈会侧记》,《语言文字应用》2000年第2期。

的母语教学与对外国人的汉语教学目的是很不一样的；前者重在读写能力的培养，后者则是听说读写全面要求，但一般以听说领先。因为前者已经掌握了汉语（特别是口语），后者正在习得汉语。所以对于前者主要是语言教育，重在语言文字运用能力的提高和整体语言素养的增强；对于后者主要是语言教学，重在语言知识和技能的传授。从教学内容上看，不仅不同门类的语言教学的目的语不尽相同，就是相同的目的语其教学内容也不会完全相同，例如，对国内不同少数民族的汉语教学与对不同外国人的汉语教学的内容，特别是教学的侧重点是应该有所不同的，因为教学内容及其侧重点应通过与学生母语的对比来决定。此外，从教学对象上看，不同门类的语言教学对象其差异更是明显的：有国别、母语、民族、年龄、知识结构、文化背景、目的语、语言环境等方面的差别，也有学习目的、学习动机、学习方法、学习过程等方面的差异，甚至在教学要求、教学方法、评测内容和标准等方面也存在着许多差别。当然，不同门类的语言教学在上述诸多方面的差别究竟何在、达到什么程度，它们之间的共性有多少、是哪些、达到什么程度，都还需要作深入的研究，这也正是"语言教育"所应研究的主要内容。

至于"语言教育"能否有自己的理论体系，这一理论体系究竟是个什么样子的，跟周边学科的关系如何，目前尚无定论。不过已有学者在这方面进行了开拓性的研究，如刘珣先生指出："语言教育学科体系应当包括理论基础、学科理论和教学实践三大部分。理论基础指与本学科关系最密切、为本学科提供理论养料的一些基础学科，特别是语言学、心理学、教育学和跨文化交际学。""学科理论包括基础理论和应用理论，这是本学科自己的理论体系,是本学科之所以独立存在的主要标志。其中,基础理论通常由目的语的教学语言体系(以教学语法体系为中心)、目的语的习得理论、目的语的教学理论和本学科的研究方法学所组成。应用理论则是指运用本学科的基础理论对总体设计、教材编写、课堂教学、测试评估、教学管理及师资培养等方面所进行的应用研究,它是学科理论与教学实践两大部分之间的中介。""教学实践,既是对学习者的教学,也指对未来教师的培养两个方面。"[1]这里,为我们描绘了语言教育学科体系的基本框架,为进一步研究提供了很好的参考和借鉴。显然这是一种"应然性"(即应该是个什么样子的)的宏观构想,要把它完善起来成为一个"实然性"(即实际是个什么样子的)的体系,特别是结合母语教学、外语教学、双语教学和对外汉语教学等不同门类的语言教学来考虑的话,还应作更进一步的详细论证。此外,"语言教育"能否成为一个独立的学科还要看它的学性性质是否明确。由于构想中的语言教育学至少涵盖了第一语言和第二语言两种性质不同的语言教学,这就使得它本身的学科性质变得不够明确。说某种语言教学是母语教学或外语教学,其性质是明确的。但是,"语言教育学"的学科属性就比较模糊。

总而言之,由于"语言教育"包容的范围相当广泛,涉及到不同门类、不同性质的多种语言教学,因此要想在语言教育研究的基础上建立起一门新型的学科(语言教育学)不会是一件很轻松的事。尽管如此,我们对建立语言教育学科这样一种学术追求

---

[1] 参见刘珣《语言教育学是一门重要的独立学科》,《世界汉语教学》1998年第2期。

仍持积极的态度，不过"语言教育"能否真正成为一门学科，除了取决于上面所说的一些条件外，从根本上说取决于在"语言教育"这一主题下进行不同门类语言教育教学的对比研究和综合研究所取得的成果如何。因此，应该集中力量进行全方位、多层次、多角度的对比研究，探求语言教育的共性和不同门类语言教学的个性，只有在这方面的研究有了足够建立起一门"学"的成果，才有可能建立起真正的语言教育学的学科理论体系。显然，把不同门类的语言教育和教学在"语言教育"的概念下归并在一起并不就是"语言教育学"；仅仅是"应然性"的论述和宏观构想同样难以建立起"实然性"的"语言教育学"。

二 关于对外汉语教学的学科定位

（一）

上面已经提到，在有关语言教育问题的讨论中，对外汉语教学的学科定位问题成为一些学者关注的一个焦点。其基本观点是：对外汉语教学不宜于归入应用语言学的范围内，而应归入语言教育学科内。其基本思路是：从讨论语言教育的范围入手，提出要建立独立于语言学和应用语言学的新型学科——语言教育学，并对这一学科的理论体系进行了阐述；或者是从分析语言教育和语言教学两个概念的内涵入手，进而提出把"对外汉语教学"提升为"对外汉语教育学"，并论证其必要性和可能性。与此同时，我国外语教学界的一些学者也提出外语教学的学科属性应归属于语言教育学。学科属性问题是一个非常重要的问题，因为它决定着学科的发展方向和理论建设的内容，对于发展和建设中的对外汉语教学来说尤其如此。因此值得严肃地对待和认真地讨论。下面将就不赞成把对外汉语教学归入应用语言学的一些主要论点(这些论点散见于本节注释提到的文献中,此处不一一注明出处)提些不同的看法,希望能有助于对问题的深入讨论。

(二)

有学者认为:与第二语言教学相关的学科,或者说语言教育或教学所"应用"的理论绝不仅仅限于语言学,至少还有教育学和心理学,因此"把作为综合学科的第二语言教学仅仅定位于其支撑理论之一的语言学是不恰当的"。在我们看来,这种批评并不是很有说服力的,认为把第二语言教学仅仅定位于其支撑理论之一的语言学是不恰当的,那么照此逻辑也可以说,把它归入也仅仅是作为支撑理论之一的教育学同样也是不恰当的,甚至是更不恰当。换言之,为什么定位于语言学(或同样是作为支撑理论的心理学,事实上从来没有人这样提出过)就不恰当,定位于另一个支撑理论教育学就恰当了呢?对此我们还希望能看到更详细的论述。

(三)

一些学者提出:"语言教育或教学跟语言学的关系并不是直接的关系。语言学解决不了如何教和如何学的问题。""并非语言学的所有理论都适用于语言教学。""即使是对具体事实的描写,如语法体系等,也不能从语言学中拿来就直接'应用'于汉语教学,特别是第二语言教学。""语言教育与语言学理论之间的关系,绝不仅仅是'应用'"。国外也有学者指出:"不能把第二语言教材或教学方法放在语言学的基础上。""仅仅依靠语言学理论是不能为教学大纲内容的选择、安排和陈述提出一个标准。"我们认为上述观点都是正确的,甚至是精辟和深刻的。但是,这些观点并不否认语言教学跟语言学之间的联系,否认的是"语言教学仅仅跟语言学有联系"。指出语言教学跟语言学之间不是直接的而是间接的关系,并不能证明语言教学(应用语言学)不该归入语言学,实际上语言教学跟教育学、心理学等其他学科的关系更是间接的。正是因为语言学不能解决教和学的问题,以及不是所有的语言学理论都适用于语言教学等等,因而才有跨学科的应用语言学产生的必要。正是因为有了教育学、心理学和语言学等的共同参与,才可能把诸如教材和教学大纲等方面的问题解决得更好,但这既不能说明语言学跟语言教学没联系,也不能说明把语言教学归入语言学"是一个历史性的错误"。实际上,不仅语言学解决不了语言教学的所有问题,单独任何一门学科也都不能解决语言教学的所有问题,语言学不光解决不了语言教学的所有问题,连它自身的问题光靠它自己也解决不了,也还要靠哲学、社会学、人类学、心理学等的支持。因此,一方面承认第二语言教学是一门独立的学科(叫应用语言学也好,叫语言教育学也好),另一方面又要求这个学科的所有问题(乃至教材编写和教学大纲的内容的安排等)都应由语言学来解决,如果不能都解决,那么第二语言教学这门学科就不能归属于语言学。这是很不合逻辑的要求,同时,这样一种要求过于"高看"了语言学,又过于"贬低"了第二语言教学。退一步讲,如果语言学能解决语言教学的所有问题,那么"语言教学"或"语言教育"还有没有必要成为一门学科也就值得考虑了。

(四)

国内外都有学者认为:"应用语言学"这一名称过于笼统,不能明确表示出语言教育科学的内容,把对外汉语教学和外语教学等第二语言教学归属于应用语言学容易引起误解,以为是语言学理论在第二语言教学中的应用。实际上"应用学科有其自身的研究领域和理论体系","它不仅是'理论的应用',而且是一种'能应用的理论'"。上述观点都是正确的,我们完全同意。但是,概念的"笼统"和"容易引起误解"能不能成为语言教学脱离应用语言学范畴的一个理由值得商量。是修正、丰富和发展应用语言学的内涵,从而让包括第二语言教学在内的语言教学仍留在应用语言学的范围内,还是索性把语言教学独立出来称作语言教育学?理论上说这两种选择都应该是可以的,但是可能有一个哪种选择更好些的问题。对此我们倾向于选择前者。这是因为,应用语言学发展到今天,早期的那种应用语言学(狭义的)"就是把语言学的知识和理论应用于语言教学中"的理解在国内外都已经不占主流,多数人认为这一解释是不够准确的,而认为应用语言学(第二语言教学)不仅限于把语言学理论用于教学实践,其理论基础和研究方法还取自教育学、心理学、社会学乃至文化学等多门学科。并且承认应用语言学有它自己的研究领域和理论体系,有"自己的特殊规律需要揭示"。因此,"笼统"和"容易引起误解"并没有对应用语言学的研究和理解造成实质的影响。

(五)

有学者指出,在应用语言学和语言教学之间画上等号,把应用语言学的范围缩小到如此地步,对应用语言学来说也欠公允。如果说早期语言学主要还是应用于语言教学,因此把语言教学划入语言学的范畴还可以理解和接受的话,"今天已有大量的语言学的边缘学科涌现,这些学科在应用语言学理论方面要比语言教育学科直接得多,现在再把语言教育作为应用语言学的同义语,更缺乏理据。"但是,一般认为,语言教学只跟狭义的应用语言学画等号,而广义的应用语言学是泛指研究语言在各个领域中实际应用的学科。并且认定狭义的应用语言学专指语言教学,尤其是指第二语言教学或外语教学[①];其他跟语言学有关的边缘学科不管与语言学关系密切还是疏远,都算作广义的应用语言学范围之内。从这个意义上看并没有缩小应用语言学的范围,只能说明语言教学在应用语言学中的特殊地位而已,一定程度上正好说明没有必要把语言教学从应用语言学中分离出去。

(六)

有学者认为对外汉语教学已发展成为一个专门的学科,其交叉性、边缘性和综合性已不是"应用语言学"所能包含得了的。另外,为适应包括华文教育在内的世界汉语教学在21世纪的发展,并逐步跟国际汉学接轨,把对外汉语教学定位在"语言教育"比"语言教学"更具有概括性和前瞻性。另有学者从中小学教材教法和课程改革的角度,也认为称"教育"是必要的,"教育"包含了情感、文化等因素。前文已经说过,当今的应用语言学(狭义)早已不限于语言学理论的支持,已发展为从单学科理论支持到

---

① 参见桂诗春《什么是应用语言学》,《外语教学与研究》1987年第4期。桂诗春《应用语言学》,湖南教育出版社1988年版。张志公"语言教学",《中国大百科全书·语言文字》,中国大百科全书出版社1988年版。刘涌泉"应用语言学",《中国大百科全书·语言文字》,中国大百科全书出版社1988年版。

多学科理论支持。① 教育学、心理学,乃至社会学、文化学和认知科学等学科的理论和方法都已成为应用语言学的理论基础,实际上应用语言学的多科性、多样性和开放性已成为当今语言学界和第二语言教学界多数人的共识。因此不但现在,就是对外汉语教学进一步发展的将来,对外汉语教学仍然可以包含在应用语言学的范围之内。换言之,第二语言教学理论的发展和所"应用"到的学科的拓宽,也就是应用语言学(狭义)理论的发展和"应用"学科范围的拓宽,这是一种"水涨船高"的关系。因此,关键是要更新观念,用发展的眼光来看待应用语言学。有学者从更高的角度、更广的范围来考虑对外汉语教学与"华文教育""国际汉学"接轨的问题,主张把对外汉语教学定位在"语言教育"上。但是"华文教育"在某些国家和地区是很敏感的提法,还是叫"华文教学"为好。② "与国际汉学接轨"是否是对外汉语教学应该和能够做得到的还值得再思考,而且我们还担心这种提法很可能导致对外汉语教学的"文化"化,从而不利于对外汉语教学的健康发展。③ 至于说"教育"包含了情感和文化等因素,但"教学"也同样包含这样的内容,而且更为自然,"教育"则有强加于人的味道,特别是"对外"而言。

---

① 参见刘润清《外语教学研究的发展趋势》,《外语教学与研究》1999年第1期。
② 参见李晓琪、刘晓雨《第二次全国语言教育问题座谈会侧记》,《语言文字应用》2000年第2期。
③ 参见编辑部《对外汉语教学的定性、定位、定量问题座谈会纪要》,《世界汉语教学》1995年第1期。杨庆华《在对外汉语教学定性、定位、定量问题座谈会上的发言》,《世界汉语教学》1995年第1期。吕必松《在对外汉语教学定性、定位、定量问题座谈会上的发言》,《世界汉语教学》1995年第1期。

（七）

建立语言教育学和把对外汉语教学改称对外汉语教育(学)，这是我国学者近年来提出的。对于前者是否可行可能现在下结论还为时过早，但我们对此持积极态度，并认为只有通过对多种门类的语言教育和教学的对比研究及其取得的成果如何来定。对于后者我们持更为谨慎的态度。此外，"语言教育学"能够建立起来的话也还有个学科定位的问题要考虑。"语言教育学"能否跟语言学、教育学一样成为一级学科，这种可能性不是没有，但决非是一朝一夕的事；定位于二级学科似乎只能归在教育学里，把包括对外汉语教学在内的第二语言教学归在教育学里是否妥当，是否有利于对外汉语教学的学科建设和发展尤其需要慎重考虑。另据盛炎先生指出，国外学者命名第二语言教学理论主要有以下几种：1.教育语言学(educational linguistics)，2.外语教育(foreign language education)，3.外语教学(foreign language teaching)，4.第二语言教学理论与实践(the theory and practice of second language teaching and learning)，5.第二语言教学科学(linguistics，由language 和 linguistics 合并而成的)，6.语言学习与教授原理(principles of language learning and teaching)，7.应用语言学(applied linguistics)。"其中以'应用语言学'的名称使用最为普遍。"[①]而且这七种名称中没有"语言教育学"的说法。

（八）

相反，把对外汉语教学看成是应用语言学的一个分支归在

---

① 参见盛炎《对外汉语教学理论研究中的几个热门问题的思考》，《中国对外汉语教学学会第三次学术讨论会论文选》，北京语言学院出版社 1990 年版。

应用语言学里,不仅上下位学科关系顺理,也与国内外应用语言学(第二语言教学)发展的总趋势相符。

桂诗春先生在《20世纪应用语言学评述》指出:国际应用语言学协会(Association Internationale de Linguistique Applique, AILA)自1964年成立以来,应用语言学蓬勃发展,体现在:1.每三年开一次国际大会,已开了12届,规模越来越大。1999年在东京召开的AILA'99更是盛况空前。会上,除全会的几次发言和总结外,有33个主题发言,宣读论文909篇,组织专题讨论105次。到目前绝大多数国家都成立了本国的应用语言学协会。2.西方各大学纷纷成立有关学科点(应用语言学、教育语言学等),培养了大批应用语言学的硕士、博士。我国1981年第一批学科目录中亦设立了"语言学与应用语言学"专业,现已有博士点3个,硕士点6个。3.出版了很多关于应用语言学或外语教学的杂志,如:*ELT*,*Language Learning*,*IRAL*(*International Review of Applied Linguistics*),*Applied Linguistics*,*International Review of Applied Linguistics in Language Teaching*,*Applied Psycholinguistics*,等等。4.各出版社如CUP,OUP,Longman,Pergamon,Multilingual Matters等纷纷出版关于应用语言学或外语教学的丛书。我国有关出版社也出版了多套应用语言学丛书。最近上海外语教育出版社引进了牛津大学应用语言学丛书19种,北京外语教学与研究出版社组织引进了一套"当代国外语言学与应用语言学文库"(50种,各书均附有导读)。桂先生指出:"所有这些发展都预示着应用语言学将以矫健的步伐迈入21世纪。""应用语言学正是研究各种英语教学对策的学问,具有无限的生命力。""在21世纪里,应用语言学进一步走向成熟。结合实际将会促使应用语言学研究向纵深发展,保证应用语言学有广阔的发展前景。"①吴一安先生在第二次全国语言教育问题座谈会上表示:"把语言学研究成果应用于语言教学将在亚洲地区蓬勃发展。语言教学归属应用语言学科是合理的、科学的,这也符合国际上语言教学学科的传统。"②

我国语言学界的应用语言学研究也获得了空前的发展。1990年、1992年、1994年、1999年已召开了四次应用语言学学术讨论会。在1999年第四次应用语言学学术讨论会上,林焘先生明确指出:应用语言学是中国语言学发展的动力。它在今后的发展可能会集中在两个方面,其一是计算语言学,其二是对外汉语教学。③许嘉璐先生《21世纪——中国应用语言学成熟、腾飞的时代》指出:我国的应用语言学起步较晚,加上历史的和社会的原因,一直在蹒跚地行进。但是在本世纪末,似乎有了转机。许先生举了一些事例来说明近年的变化,其中之一是说"学位目录把应用语言学列进中国语言学领域,这意味着我国有关部门认可了中国的应用语言学不仅仅限于第二语言教学,其主要的部分包括了中文信息处理、一般语言教学和语言社会应用研究。这一举措是符合语言学自身规律的,是为培养应用语言学的高级人才提供的前所未有的条件"。许先生预测"21世纪

---

① 参见桂诗春《20世纪应用语言学评述》,《外语教学与研究》2000年第1期。
② 参见李晓琪、刘晓雨《第二次全国语言教育问题座谈会侧记》,《语言文字应用》2000年第2期。
③ 参见红岩《第四次应用语言学学术讨论会纪要》,《语言文字应用》2000年第2期。

前半叶将是中国应用语言学成熟并且腾飞的时代"。① 陈章太先生也认为，"我国应用语言学正处于逐渐成熟和蓬勃发展阶段，表现出无限生命力。完全可以预料，今后一个时期还会有更快、更大的发展。"他同时指出"应用语言学是语言学的重要组成部分。它同本体语言学、普通语言学一起，共同组成完整的语言科学"。② 事实上，迄今为止我国语言学界的绝大多数学者也都主张把语言教学归入应用语言学范围内，例如：张志公，刘涌泉，龚千炎，冯志伟，周有光，陆俭明，赵金铭，等等。③

以上情况至少说明：在国内外应用语言学正以"矫健的步伐迈入 21 世纪"、即将迎来"大发展和腾飞"的前夕，在绝大多数语言学和语言教学工作者仍主张把包括对外汉语教学在内的语言教学归入应用语言学的情况下，试图把包括对外汉语教学在内的第二语言教学从"具有无限生命力"的应用语言学中分离出去，显然是跟国内外应用语言学发展的总趋势不相和谐的。

---

① 参见许嘉璐《21 世纪——中国应用语言学成熟、腾飞的时代》，《语言文字应用》2000 年第 1 期。

② 参见陈章太《关于应用语言学系列教材的几个问题》，《语言文字应用》2000 年第 1 期。

③ 参见张志公"语言教学"，《中国大百科全书·语言文字》，中国大百科全书出版社 1988 年版。刘涌泉"应用语言学"，《中国大百科全书·语言文字》，中国大百科全书出版社 1988 年版。龚千炎、冯志伟《应用语言学研究刍议》，《语言建设》1991 年第 6 期。周有光《应用语言学的三大应用》，《语言文字应用》1992 年第 1 期。陆俭明《关于开展对外汉语教学基础研究之管见》，《语言文字应用》1999 年第 4 期。赵金铭《"九五"期间的对外汉语教学研究》，《世界汉语教学》2000 年第 3 期。

第三章
对外汉语教学的学科理论体系

第一节 对外汉语教学学科概说[①]

简略地说,对外汉语教学就是教外国人汉语。外语教学是一个复杂的"教"和"学"的过程。对外汉语教学学科是研究对外国人进行汉语教学的规律的学科,它探讨怎样使学习者又快又好地掌握运用汉语的能力。

本文的任务是概略地说明我国对外汉语教学学科的框架和现状,内容包括:对外汉语教学事业的意义,对外汉语教学学科的定位、研究对象、理论体系、教学体系、人才培养体系以及学科的现状。

一 对外汉语教学事业的重要意义

1. 语言是人类最主要的交际工具。使用本族语的各国内部是这样,作为国际交流媒介的"外国语"也是这样。在当今这个正在变得越来越小的世界上,一种语言的使用范围常常跟一个国家、民族的国际地位密切相关。因此,世界上很多国

---

① 本节摘自崔永华《对外汉语教学学科概说》,《中国文化研究》1997年春之卷。

家都非常重视向世界推广自己的语言,以增进与其他国家的相互了解和各方面的交流。对外汉语教学事业的作用,也在于此。

2. 我国的对外汉语教学事业已经度过了40多个春秋。随着我国国际地位的提高和对外政治、经济、文化交往不断扩大,世界上学习汉语的外国人也越来越多。目前,国内进行对外汉语教学的高等院校已达300多所,1996年在校就读的外国学生有37 000多人,专职教师在2 000人以上。此项事业得到前所未有的发展。

国外学汉语、使用汉语的人数也在激增。总数难以统计,下面列举几个数据:法国国立东方语言文化学院在校生2 000多人;澳大利亚把汉语列为第一外语;美国把汉语列入大学升学考核语种之一,1990年至1995年学汉语的学生增加了36%;韩国近年每年仅在大陆学习汉语的各类学生就有近万人;日本有200所中学开设了中文课,从1997年开始,汉语作为大学入学外语考试语种之一。

3. 汉语日益受到国际社会的重视,依赖于我国经济的发展和国际地位的提高;反过来,汉语的推广又成为世界了解中国、增进我国与国际社会联系的重要纽带。例如,北京语言文化大学(原北京语言学院)建校34年来,已经培养出4万多名懂汉语的国际友人。他们之中已经有很多人活跃在国际政治、外交、经济、文化等各个领域。所以,对外汉语教学"是一项国家和民族的事业"。毫无疑问,培养更多的真正了解中国的国际友人,对21世纪中国与世界的交往必然会起到积极的作用。

4. 另一方面,随着来国内各高等院校学汉语的外国学生日益增多,对外汉语教学已经形成了相当的规模,逐步发展成为我国高等教育的一个日益受到重视的领域,成为我国教育走向世界的一条重要渠道。建立一个高水平的对外汉语教学学科,无疑将有利于提高我国教育在世界上的声誉。40 年来,伴随事业的发展和国际第二语言教学学科的发展,我国的对外汉语教学学科也得到了迅速的发展并逐渐走向成熟。

二 关于对外汉语教学学科

1. 对外汉语教学是一种外语教学,国际流行的学科名称为"第二语言教学"。①因此,对外汉语教学又可以称为"汉语作为第二语言教学"。外语教学和第二语言教学,又称"狭义的应用语言学",出现于 20 世纪 40 年代,60 年代进入发展时期。此后新的理论、方法层出不穷,经过半个多世纪的发展,已经成为一个相当发达的学科。世界上许多大学都设有第二语言教学的硕士和博士点便是一个证明。据统计,1986 年至 1988 年,美国有 143 所高校开设了 196 个英语作为第二语言教学(TESOL)的专业,其中博士专业 18 个、硕士专业 120 个、学士专业 25 个、教师证书 33 个。目前在美国、法国、意大利、埃及等国家已经有大学设立了汉语作为第二语言教学的博士点。

2. 出于习惯,我国学者把汉语作为第二语言教学定名为

---

① 一般认为,外语教学和第二语言教学是两个有差别的概念,为叙述简便,本文未作严格区分。

"对外汉语教学"。①在下文的讨论中,除特别说明外,我们把"对外汉语教学"和"汉语作为第二语言教学"作为同义语使用。

我国学者明确地提出把对外汉语教学作为一个学科来建设,始于1978年。近20年来,对外汉语教学工作者一边努力实践、总结经验,一边学习和吸取国外第二语言教学理论,使学科得到了较快的发展。

三 学科的研究对象及其特性

1. 任何一门学科都有自己特殊的研究对象。对外汉语教学学科的研究对象是"作为第二语言或外语的汉语的学习和教学,即研究外国人学习和习得汉语的规律和相应的教学规律。研究的内容则是作为第二语言或外语的汉语学习和教学的全过程。从'学'的角度,要研究学习者是如何学会并掌握汉语的;从'教'的角度要研究总体设计、教材编写、课堂教学、语言测试等全部教学活动"。②

2. 对外汉语教学学科是一个研究教学实践的学科。这种教学的对象(非母语的汉语学习者)也有自己的特殊性。学习者不同于学习汉语的中国儿童,一般是成年的、受过高中或高中以上教育的外国人,已经有了完善的母语能力、本族文化传统和一定的科学知识水平;这些学习者又不同于我国中文系汉语专业的学生,就多数学习者来说,他们是把汉语作为外语来学习的,

---

① 参见施光亨《对外汉语教学是一门新兴的学科》,北京语言学院出版社1994年版,第2页。
② 参见中国对外汉语教学学会《对外汉语教学的定性、定位、定量问题座谈会纪要》,《世界汉语教学》1995年第1期。

学习的目的是提高汉语的运用能力,而不把汉语的语言学知识作为主要学习内容。

3. 对外汉语教学的教学内容是汉语言,包括语言要素、言语技能、言语交际技能、语用规则和文化背景知识。朱德熙先生说:"上课很多问题说不清楚,是因为基础研究不够。所以我觉得应该强调汉语研究是对外汉语教学的基础,是后备力量。离开汉语研究,对外汉语教学就没法前进。"①在这个意义上,我们也可以说,现代汉语也是对外汉语教学学科的一个研究对象。

4. 学科研究对象(包括教学对象)的特殊性,规定了本学科的学科理论、研究方法和学科人才规格的特殊性。

(1) 本学科研究母语非汉语的汉语学习者学习汉语的规律,这涉及语言学规律、心理学规律、教育学规律乃至社会学规律等多方面的科学研究,是一门典型的交叉学科。因此,其学科理论必然建立在多种学科理论的基础上,而不单独依赖于某一学科。第二语言教学理论与语言学、教育学、心理学等学科有着渊源关系。

(2) 由于研究对象和理论基础的特殊性,对外汉语教学的研究方法也与其他学科不同。它需要进行语言研究,要对语言规律进行精密的研究、描写,但是它是从语言教学规律和语言习得的角度进行的语言研究;它较多地使用心理学的方法进行调查研究,也从教育学的角度研究教学规律,但这是跟语言规律相结合的调查、研究。

---

① 参见朱德熙《在纪念〈语言教学与研究〉创刊十周年座谈会上的发言》,《语言教学与研究》1989 年第 3 期。

(3) 上面的各种特殊性规定了从事对外汉语教学和研究工作的人员必须具有特殊的知识结构,包括:有较好的汉语言知识和运用能力,懂得外语教学方法和语言习得规律,有较好的外语能力,有较宽的中外文化知识,了解研究第二语言教学的方法等。

四 学科理论体系

对外汉语教学学科是一门综合运用多学科理论的"新兴的边缘交叉学科"①,是在多种学科理论和研究成果的支撑下形成和发展起来的。它在教学和研究实践中吸取各相关学科理论,形成本学科的基础理论、应用理论,指导本学科的实践,并用新的实践不断丰富、充实学科理论。本学科的学科理论体系可以分为三个层次,即学科支撑理论、学科基础理论和学科应用理论。

1. 学科支撑理论

学科支撑理论是第二语言教学理论(对外汉语教学学科理论)赖以生长的相关、相邻学科的理论。第二语言教学在教学和研究实践中,运用这些理论的相关部分,与自己的发展和创造有机地结合起来,形成和发展自己的理论体系。下面这些学科的理论可以看作本学科的支撑理论:

(1) 语言学。第二语言教学理论和实践的发展一直受着语言学理论的支配。听说教学法受美国结构主义语言学的影响而产生,认知教学法的理论基础是转换生成语言学。但是正如皮

---

① 参见许嘉璐《中国语言学现状与展望》,外语教学与研究出版社1996年版,第236页。

特·科德所说:"理论语言学同语言教学的关系是间接的。"①另外,心理语言学、社会语言学、对比语言学等语言学分支,也都对语言教学理论和实践有所贡献。

(2)心理学。实施和研究语言教学规律需要研究学习者接受语言的心理过程、策略,这需要借助心理学的理论和方法。当前,认知心理学在第二语言习得的研究中备受重视,是语言习得理论的主要支柱之一。

(3)教育学。语言教学本身就是教育的一个类别,需要遵循教育规律。比如制定课堂教学原则、教学计划、进行课程设计、教学评估等。在语言水平测试中,还不可避免地要大量运用教育统计学的原理和方法。

(4)有人认为,第二语言教学对文化学、哲学和社会学也有所依据。②

2. 学科基础理论

学科基础理论是指导本学科教学和研究实践的基本指导思想和方法论。本学科的基础理论是在综合吸取学科支撑理论相关部分的基础上,结合教学和研究的实践建立起来的。学科基础理论包括以下五方面:

(1)第二语言教学理论。这是本学科不断发展的传统学科理论。它建立在语言学、教育学和心理学的基础之上,回答第二语言教学的性质、特点、教学原则、方法等问题。它至今仍是对

---

① 参见科德《应用语言学导论》,中译本,上海外语教育出版社1983年版,第130页。

② 参见盛炎《语言教学原理》,重庆出版社1990年版,第7页。参见吕必松《对外汉语教学研究》,北京语言学院出版社1993年版,第33页。

外汉语教学中"教"的指导理论。

(2) 语言习得理论。这是近二十多年逐渐发展并流行起来的理论。它建立在现代语言学、认知心理学的基础之上,从语言学习者的立场出发,以学习者获得语言的过程为研究对象,试图了解外语学习者掌握目的语的过程和在获得过程中产生的现象及相关规律,以指导语言学习和教学活动。

(3) 汉语语言学。对外汉语教学学科研究的对象是汉语言教学。如皮特·科德所说:"要想为语言教学过程制订出一个真正周密的方案,那就必须按照'语言的'语言学术语来表达:列出语法结构表和词汇表,列出需要'熟练掌握'的音素表和发音的其他特征的表格。"[①]因此,对汉语言规律的了解和分析,是进行汉语教学的必备条件。另一方面,汉外语言对比也是对外汉语教学的一个重要手段,所以在教学和研究中也要用到外语研究的成果。

(4) 学科研究方法论。这是在综合各学科基础理论基础上建立的研究方法体系。对外汉语教学的规律是由语言规律、文化规律、语言习得规律和一般教育规律所共同决定的,是上述各种规律的综合反映。因此在本学科的研究中,必然综合运用相关领域的研究方法。如语言研究的方法(对学习内容的描写、对学习者错误类型的分析、中介语研究等)、心理学方法(研究语言习得的心理过程、学习动机、态度、性格差异对语言学习和习得的影响等)、教育学的方法(教学设计、教学评估、成绩测试等)。

---

① 参见科德《应用语言学导论》,中译本,上海外语教育出版社1983年版,第7页。

本学科的方法论体系不是各领域方法的拼凑,而是一个有机整体。以语言学方法为例:为了教学和研究语言习得规律,对外汉语教学也研究汉语的语音、词汇、语法和汉字,但这是结合语言习得过程进行的研究。另一方面,语言学的方法在对外汉语教学领域已经形成自己的特点。"在汉语本体研究方法上的突出特点是运用比较语言学的方法,进行汉外语的比较,从而找出学习的难点……这种从教学中发掘的研究课题,具有对外汉语教学本体研究的独特视角。其研究,不仅推动了对外汉语教学本身,也对现代汉语研究起了促进作用"①。

(5) 学科发展史。外语教学有 2 500 年的历史,经历了古典语言教学阶段(1880 年以前)、现代语言教学萌芽阶段(1880 年至第一次世界大战)、现代语言教学发展阶段(第一次世界大战至 20 世纪 70 年代)、现代语言教学深入阶段(20 世纪 70 年代以后)。对外汉语教学也经历了初创(20 世纪 50 年代至 60 年代)、改进(20 世纪 60 年代至 70 年代)、探索(20 世纪 70 年代至 80 年代)和改革(20 世纪 80 年代初以来)四个历史阶段。了解学科发展历史,权衡各阶段、各教学流派的得失,无疑对学科理论研究和教学实践都会大有裨益。

3. 学科应用理论

本学科应用理论是在本学科的基础理论上建立起来的直接指导学科教学实践的理论。第二语言教学是研究如何实施语言教学的学科。它的一个重要的特点,就是比其他任何学科都更

---

① 参见赵金铭《对外汉语教学与研究的现状与前瞻》,《中国语文》1996 年第 6 期。

重视教学实践的研究。研究的具体内容包括:教学总体设计、教材设计编写、课堂教学的方法和语言测试等。对外汉语教学学科的应用理论是学科理论的核心部分,它包括以下五方面:

(1) 总体设计理论。第二语言教学的总体设计就是根据语言规律、语言学习规律和语言教学规律,在全面分析第二语言教学的各种主客观条件、综合考虑各种可能的教学措施的基础上选择最佳教学方案,对教学对象、教学目标、教学内容、教学途径、教学原则以及教师的分工和对教师的要求等作出明确的规定,以便指导教材编写(或选择)、课堂教学和成绩测试,使各个教学环节成为互相衔接、统一的整体,使全体教学人员根据不同的分工在教学上进行协调行动。①

(2) 教材编写理论。教材编写理论是关于教材编写的原则、类型、过程、方法的理论。它探讨教材编写如何在教学总体设计的指导下,根据教学对象、学习目的、学习者水平、适用课程等选择和规定教学内容(包括语言要素、言语技能、言语交际技能、语用规则和文化背景知识)和素材,如何根据语言学习规律选择和安排教学内容、教学项目(生词、语法、课文、练习等)及其顺序,以达到既定的教学目标。

(3) 课堂教学理论。在学校语言教育中,课堂教学是帮助学习者学习和掌握目的语的主要场所。课堂教学理论探讨对外汉语教学课堂教学的规律,包括课堂教学的性质、目标,它在语言学习和教学中的地位、教学内容的教授方法,课堂教学的原

---

① 参见吕必松《对外汉语教学概论(讲义)》,国家对外汉语教学领导小组办公室1996年编印,内部资料,第84页。

则、结构、程序、技巧等。

(4) 语言测试理论。语言测试是语言教学的一个重要组成部分。它不仅有评价学习效果的作用,还有诊断教学过程中的问题、激励学习者的学习积极性、调动教师和学生的教学和学习潜能等作用。语言测试理论涉及测试的功能和种类、测试标准的制定、考试设计、试题设计、考试实施、成绩统计,以及效度、等值等基本问题。

(5) 教学管理理论。根据教育规律、语言习得规律探讨适合语言教学的管理规律和体系。

五 学科教学体系

对外汉语教学学科是研究和实施对外国人的汉语教学的学科,它存在的依据是它的教学实践。因此,教学体系的建设也是学科的本体建设。这是本学科特点之一。

1. 教学体系的建设是学科建设的最基本内容。当前,本学科的教学体系存在于各高校以对外国人进行汉语言教育为目的的汉语言专业、现代汉语专业、汉语言文化专业和各种汉语短期教学、速成教学系统之中。需要说明的是,在上述专业中,以言语技能培养为主要目的的教学和课程,是本学科的研究对象。其他课程的教学和研究属于其他学科研究的对象,但是其他课程也是该专业建设中与言语技能培养课程同样需要建设的课程。

2. 学科的教学体系建设是在学科理论体系,特别是学科应用理论的直接指导下,依据教育规律和第二语言教学规律设计和建立的。本学科的教学体系可以从以下几个方面描述:

(1) 教学类型。指教学的层次和种类。一般包括:本科和硕士层次的学历教育中的汉语教学,为进入非汉语专业学习作语言准备的汉语预备教育,各不同语言水平的短期汉语教学和速成汉语教学,为不同职业需求设置的各种特别目的教学,汉语函授教学和广播电视教学等。

(2) 教学设计。指根据语言教学规律和教育规律,为不同类型学习者制定的各不同教学层次、种类和职业的教学实施方案。方案一般包括:教学计划(培养目标、教学内容、课程设置)、课程大纲、教学质量保证体系等。

(3) 教材建设。根据不同教学类型的需要编写的各类教材,例如汉语言专业本科汉语言系列教材、短期汉语系列教材、速成汉语系列教材、特别目的汉语教材(如经贸汉语、新闻汉语)等。

(4) 课堂教学。它是语言教学的基本教学形式,是语言教学最基本的实践。课堂教学建设包括:建立完善的课堂教学制度、方法,提供实现教学手段的设备、条件,使教师掌握良好的课堂教学方法和教学技巧,以达到良好的教学效果。

(5) 语言测试。语言测试的建设也是教学体系建设的一个重要方面。一般包括学能测试、成绩测试和水平测试三种。在教学体系建设中,注重于成绩测试,即应当建立各类成绩测试的原则、制度、题库、分析反馈手段等,保证各类教学具有有效的测量和评价手段。

汉语水平考试是一门专门的学问,这里不作说明。

(6) 教学管理。健全各种教学规章制度并严格执行,是语言教学得以顺利实施的保证之一。在语言教学中,教学管理(甚至相关的生活管理)对教学和学习效果来说是十分重要的。完善的教学体系应当包括完善的管理制度、高质量的管理人员和良好的管理效果。

六 学科人才体系

一门学科发展和完善的最重要的保证是本学科高质量的人才队伍。学科人才体系可以从人才的知识结构、人才结构和人才培养体系三方面来说明。

1. 人才的知识结构

对外汉语教学学科的人才,除要有较高的政治思想素质外,必须具有自己特定的知识结构。从总体上说,本学科人才需要具备的基本的知识结构包括:

(1) 较好的语言理论基础、汉语言知识和技能。如普通话发音准确,能正确使用汉语拼音,较好的汉字书写水平,较好的辨别、分析学生语言错误的能力等。

(2) 第二语言教学法和语言习得规律。具备一定的教育学、心理学知识,并能自如地将其运用到教学的各个环节中。

(3) 外语能力。其作用是:第一,获得习得外语的经验;第二,通过汉外对比启发教学;第三,具有在国外任教的生活和工作能力。

(4) 中外文化知识。包括现当代文学、古代汉语、古典文学、中国传统文化,以及自然科学和社会科学常识等。

(5) 第二语言教学的研究方法。即由语言研究、心理研究和教育研究综合而成的研究方法。具有一定的研究能力和解决教学中出现的问题的能力。

具备这种知识结构,是本学科人才培养的目标。这不是现有其他任何学科人才培养体系所能代替的。

2. 学科的人才结构

对外汉语教学学科的人才可以分为三类,即教学型人才、研究型人才、管理型人才。当然也可以有兼具两种或三种才能的人才。

(1) 教学型人才。作为教学学科,最基本的人才是教学型人才。但是我们所提倡的不是只能教书的人才,而是在教学某方面(如语音教学、词汇教学、口语教学或听力教学)的专家。他们不仅是这类教学的杰出实践者,同时又是这方面的理论权威。

(2) 研究型人才。跟其他学科一样,对外汉语教学学科也需要有一些专门从事或偏重于理论研究的人才。如教材编写理论研究、语言测试理论研究、语言习得研究等,以保证学科的高水平发展。

(3) 管理型人才。教学管理在语言教学中有着特别重要的作用。管理型人才是具有本学科基本知识结构的教学设计、教学管理方面的专家。

3. 学科人才培养体系

学科的人才需要培养。这需要相应的教育培养体系作保证。学科人才培养体系是学科发展的关键和成熟度的标志。学科人才培养有三条途径:

(1) 专门为培养本学科人才设立的专业。其目标是培养具有本学科特定知识结构的各类人才。目前设有培养对外汉语教师和研究人员的"对外汉语教学"本科专业、"学科教学论(对外汉语教学)"①硕士专业和"现代汉语"专业(对外汉语教学方向)

---

① "学科教学论"专业,现在调整为"课程与教学论"专业。笔者 2005 年 4 月注。

的硕士课程。今后应当进一步理顺学历教育体系,并设立本学科的博士专业。

(2) 教师培训。对在职教师进行定期培训,以不断提高其教学、研究和理论水平,保证教学质量和学科可持续发展。

(3) 新教师岗前培训。鉴于目前教师大多来自其他专业的毕业生,应当坚持对新教师进行岗前培训和一定时间的指导。

七 学科的现状

我国对外汉语教学事业始于20世纪50年代初。经过40多年的发展,已经形成相当的规模。我国学者正式提出把对外汉语教学作为一个学科来建设,始于1978年。到今天,可以说"学科框架已初步形成"①,这表现在:

1. 有了较好的学科发展条件。

一个学科存在的前提是有自己专门的研究对象;学科快速发展的前提是社会发展对它有强烈的需求。对外汉语教学学科具备了这两个前提,所以在近20年中得到了迅速的发展。

学科的发展首先得益于良好的发展环境,包括:类别齐全、数量充足、有水平稳定的学生的实验基地(如每年在北京语言文化大学学习汉语和中国文化的外国留学生为4 000多人);丰富的本学科图书、资料及其计算机系统(如北京语言文化大学有全国藏书量最大的本专业图书馆,有先进的对外汉语教学文献资料检索系统,处于国内外领先地位的中介语语料库和汉语研究

---

① 参见许嘉璐《中国语言学现状与展望》,外语教学与研究出版社1996年版,第240页。

语料库);自己的专业出版社(北京语言文化大学出版社、华语教学出版社等);自己的专业杂志(北京语言文化大学主办的《语言教学与研究》、《世界汉语教学》都属国家中文核心刊物);自己的专业学会(中国对外汉语教学学会,建立于1983年;世界汉语教学学会,建立于1987年,现已有38个国家的782名会员①,并已经成功地举办了五届大规模的国际汉语教学讨论会)。另外,国内很多从事对外汉语教学的单位都具有比较充足的教学科研经费支持本学科的发展。

2. 建立了基本的学科理论框架。

特别是理论框架的核心部分——学科应用理论,形成了具有对外汉语教学特色的应用理论体系。

(1) 本学科的基础理论研究有了丰硕的成果。在汉语作为第二语言教学理论方面的主要专著有:吕必松的《对外汉语教学概论》、《对外汉语教学发展概要》、王还的《对外汉语教学语法体系》、盛炎的《语言教学原理》、吕文华的《对外汉语教学语法探索》、李杨的《中高级对外汉语教学论》、赵永新的《中外文化对比和对外汉语教学》等,更发表了数百篇这方面的论文。

(2) 建立了比较完善的本学科应用理论体系。吕必松在20世纪80年代初提出对外汉语教学的四大环节(总体设计、教材编写、课堂教学、语言测试),理论化地概括了对外汉语教学的基本过程和学科理论建设的主要目标。十几年来,本学科专家以此为纲,不断地探索、完善对这四个领域的理论和实践研究,在

---

① 参见韦钰《在第五届国际汉语教学讨论会开幕式上的致词》,《世界汉语教学》1996年第3期。

学科总体设计研究、教材编写实践和研究、教学实施、课程建设、课堂教学方法、教学管理及语言测试等方面，形成了具有对外汉语教学特色的比较完整的理论体系，并出版了多部专著，发表了大量对外汉语教学方面的文章。除以上提到的各种著作外，还有杨惠元的《听力81法》《对外汉语听力口语训练》，刘英林等编著的《汉语水平考试大纲》《汉语水平考试研究》，陈贤纯的《第二语言阅读教学与心理学》，崔永华、杨寄洲的《对外汉语课堂教学技巧》等。这些著作、文集，以及诸多论文都为本学科应用理论作出了贡献。

（3）在汉语本体研究方面更是硕果累累。从事对外汉语教学工作的专家从对外汉语教学的角度对汉语语音、词汇、语法、汉字、语义、语用以及汉外语言对比诸方面的研究，成果甚丰。正如赵金铭所说："对外汉语教学研究已经取得了丰硕的成果。汉语本体研究成绩尤为突出……对外汉语教学从一个新的角度开拓了汉语研究点，……对外汉语教师，掌握外国人学习汉语的特点与难点，从中国人习焉不察的问题中，小处入手，大处着眼，发掘带有理论价值的研究课题，体现了学科特色，为汉语研究作出了特殊的贡献。"①

（4）专家学者们也越来越注重科学的学科方法论建设。从对课堂教学和学习者的汉语习得过程所进行的调查研究以及近几年发表的论著中，可以看到，大家都在尝试综合借鉴心理学、认知心理学和教育统计学的方法解决教学和研究中的各种问

---

① 参见赵金铭《对外汉语教学与研究的现状与前瞻》，《中国语文》1996年第6期。

题。

3. 建立了日趋完备的教学体系。

(1) 教学层次逐步齐全。近10年来,对外汉语教学领域中一个深刻的变化是,在过去汉语预备教育和短期语言培训的基础上,逐步增加了正规学历教育的比重。1975年原北京语言学院(今北京语言文化大学)创设了外国留学生汉语本科专业。接着南开大学、南京大学和复旦大学等校也相继开设此类专业。尽管专业名称不尽一致,有的叫"汉语言"专业,有的叫"现代汉语"或"语言文化"专业,但其基本性质都属于"汉语作为第二语言教学"则是肯定的。目前的学生人数也在稳步增长。例如北京语言文化大学的汉语言本科专业1995年毕业生为89人,1996年为110人,1997年则达到170人。另外,各校学习汉语的外国硕士生数量也在逐年增加。

(2) 教学设计日趋完善。随着本学科教学层次的完善,多所院校建立了对外国人的汉语本科专业、硕士专业,短期汉语教学、速成汉语教学更为普及。经过多年的实践、调整、打磨,在对外汉语教学历史稍长一些的院校中,为各种教学类型、层次设计的教学计划、课程设置、课程大纲、教学管理体系已经比较完善。历史较短的院校也在积极向兄弟院校学习,试图尽快规范地建立自己的教学体系。

(3) 教材建设成绩显著。自1978年以来,我国各对外汉语教学单位编写的教材达300种以上,形成了比较完善的本科教学系列教材和短期、速成系列教材。近几年来,随着计算机技术的发展,多媒体对外汉语教材也呈巨大的增长趋势。我国编写的对外汉语教材,特别是北京语言文化大学编著的汉语教材,在世界各国被广泛采用。

(4) 汉语水平考试获得成功。北京语言文化大学受国家教委委托研制的汉语水平考试(HSK)是为测试母语为非汉语的人(包括外国人、华侨和国内少数民族)的汉语水平而设立的标准化考试。1990年通过专家鉴定,1993年被国家确定为国家级标准化考试。此考试在世界上享有很高的声誉,目前已在16个国家设立了考点。参加考试的人数呈迅速增加趋势,1995年共有12 490人参加考试,比1994年增长了70%,1996年仅上半年就有17 406人参加考试。

4. 形成了本学科专家队伍。

(1) 经过40多年的教学研究实践,本学科已经形成了一支经验丰富、在理论和实践上卓有建树的专家、教授队伍。一批中青年专家也在成长。据1994年统计,对外汉语教师中有教授70多人,副教授500多人,讲师800多人。截至1996年8月,已有1 200多名教师获得国家教委汉语师资审查委员会颁发的对外汉语教师资格证书。

(2) 学科人才培养的教育体系也日趋完善。1983年起,北京语言学院、北京外国语学院、上海外语学院、华东师范大学等院校先后设立了培养教师研究人员的对外汉语教学本科专业;1986年起,北京语言学院、北京大学、南开大学等几所院校先后在现代汉语专业下设立了对外汉语教学方向的硕士点。这些院校已经培养出一批本学科的专业人才。1996年,北京语言文化大学获准招收"学科教学论(对外汉语教学)专业"的硕士研究生。最近,有关机构和专家经过认真的研讨论证,提出应当设立对外汉语教学学科的博士点。

八 结语

毋庸讳言,与一些历史悠久的学科相比,第二语言教学学科还是一门年轻的学科;与英语、法语、德语等作为第二语言教学学科相比,对外汉语教学学科,无论在学科理论研究和高层次学科人才方面都有一定的差距;对外汉语教学的教学体系,不尽如人意之处还不少。因此,尽管经过近二十年的辛勤耕耘,初步形成了一个学科框架,但学科理论、人才、教学体系的建设仍然任重道远。

作为汉语的故乡,中国理应成为汉语作为第二语言教学的研究中心和高层次学科人才培养的基地。为了此项事业的发展和满足国际人才市场的需求,我们必须加倍努力。笔者以为,今后的学科建设尤需以下几方面的努力:

第一,进一步总结梳理自己的教学和研究成果,吸取国外的新理论、新方法,在实践中建设自己的理论,追赶世界第二语言教学学科的先进水平。

第二,进一步转变过去注重"教"的研究,忽视"学"的研究的倾向。运用科学的方法,加强语言习得规律的研究,探索外国人习得汉语的规律,探索改进传统教学模式的途径,提高教学效果、效率。

第三,加快学科人才培养速度,理顺和健全学科人才培养的教育体系,尽快在完善对外汉语教学本科和硕士教育的基础上,建立博士点,建立本学科的人才培养基地,促进学科理论的发展和完善。

学科的发展取决于时代的需要。国家需要对外汉语教学事业的发展,事业的发展需要以学科的发展为依据。另一方面,国家的发展也给对此项事业带来了前所未有的发展机遇。我们应当抓住机遇,推进学科建设,提高教学水平,让对外汉语教学事业为国家作出更大的贡献。

第二节　对外汉语教学学科理论研究的范围[①]

新中国的对外汉语教学已经度过了四十大寿,进入了第四十一个年头。从学科发展的角度看,这一段历史可以分为两个阶段,即经验型阶段和从经验型向科学型转变的阶段。所谓经验型,就是缺少系统的理论指导,课程设置、教学大纲的制订、教材编写、课堂教学、测试等各项教学实践活动凭经验办事的成分较多。20世纪70年代末以前,我们基本上处于经验型阶段。所谓科学型,就是以系统的科学理论指导教学实践,努力使各项教学活动都在科学的轨道上运行。70年代末以来,广大对外汉语教学工作者一直在为之奋斗的目标之一,就是使对外汉语教学尽快走上科学的轨道。1978年,我们正式提出要把对外汉语教学作为一门专门的学科来建设。[②] 学科的核心是一个"学"字,这里的"学"就是科学,就是理论。提出把对外汉语教学作为一门专门学科来建设,就是要自觉地以科学理论指导对外汉语

---

① 本文摘自吕必松《对外汉语教学的理论研究问题刍议》,《语言文字应用》1992年第1期。

② 参见孟琮《北京地区语言学科规划座谈会简况》,《中国语文》1978年第1期。

教学,这标志着我国对外汉语教学开始从经验型向科学型转变。从1978年到现在,又度过了十几个年头,这一时期我们在学科建设方面做了大量的工作,取得了明显的成绩。但是现在还不能说我们已经完成了从经验型向科学型的转变。要尽快完成这一转变,就必须进一步加强学科建设,特别是加强学科的理论建设。

一 加强理论研究是对外汉语教学学科建设的关键

1983年对外汉语教学研究会(即现在的中国对外汉语教学学会)成立的时候,我们提出了学科建设的三项任务,即:改革和完善教学体系;加强理论研究,认真总结经验;加强教师队伍建设。[①] 后来又把这三项任务概括为:改革和完善教学法体系以提高教学质量,加强理论研究以提高学术水平,加强教师队伍建设以提高教师素质。现在看来,这三项任务仍然是对外汉语教学学科建设的基本任务。

以上三项任务并不是互不相干的,我们认为,它们之间的关系是一种递进和互相促进的关系。要改革和完善教学法体系以提高教学质量,就必须加强理论研究以提高学术水平;要改革和完善教学法体系以提高教学质量,要加强理论研究以提高学术水平,就必须加强教师队伍建设以提高教师素质。这就是一种递进的关系。提高教师素质也包括提高教师的学术水平,学术水平提高了,又可以更好地开展理论研究,所以加强教师队伍建

---

① 参见吕必松《为加快对外汉语教学这个年轻学科的发展而奋斗——中国教育学会对外汉语教学研究会成立大会开幕词》,《语言教学与研究》1983年第3期。

设对理论研究是一个促进；教师素质提高了，学术水平提高了，就能更好地发现和解决教学法体系中存在的问题，所以加强教师队伍建设和加强理论研究对改革和完善教学法体系是一个促进。这就是一种互相促进的关系。这种递进和互相促进的关系告诉我们，在这三项任务中，提高教学质量是中心，提高学术水平是关键，提高教师素质是根本。

我们说加强理论研究以提高学术水平是学科建设的关键，至少有以下几点理由：

1. 只有理论上有所突破，教学上才会有根本性的突破，这是整个语言教学的历史所证明了的。例如，没有结构主义语言学和行为主义心理学，就不会有听说法的理论、原则和方法的产生；没有社会语言学和心理语言学，就不会有功能法的理论、原则和方法的产生。可以说理论是教学发展的火车头和推进器。

2. 只有这个学科的理论水平提高了，整个教师队伍的水平才能提高，这跟水涨船高的道理是一致的。

3. 只有建立起自己的学科理论，才能使对外汉语教学成为一门真正的学科。理论是学科的灵魂，是学科存在的标志，没有学科理论的学科实际上是不存在的。过去对外汉语教学之所以没有能够形成一门专门的学科，首先是因为没有形成自己的学科理论。我们常常埋怨别人不承认对外汉语教学是一门学科，其实埋怨是没有道理的，也不能解决问题。如果没有自己的学科理论，人家就有理由不承认它；如果有了成熟的学科理论，别人想否认也否认不了。现在之所以有越来越多的人承认对外汉语教学是一门学科，就是因为我们已经初步建立了自己的学科理论；但是也应当看到，我们的学科理论还不太成熟，所以还没有赢得更多的人的承认。

4. 我们加强理论研究不但是为了发展我国的对外汉语教学，而且也是为了在世界汉语教学界以及整个语言教学界进行学术交流。如果没有一定的学术水平，在世界汉语教学界和世界语言教学界就没有我们的地位和发言权，我们就没有资格跟人家交往。直到现在，我们在理论和方法方面主要是向其他语言教学的理论和方法学习，自己的创造不太多。难道我们就不应当多创造一点东西让人家学习？特别是在汉语作为外语和第二语言教学方面，身处汉语故乡，难道就不应该在理论上作出更大贡献？

二．对外汉语教学的理论研究的范围

要加强理论研究，首先要明确理论研究的范围。这里所说的研究范围，是指应当在哪些领域开展研究，每一个领域又包括哪些具体内容和主要命题，不同的领域、内容和命题之间有什么样的内在联系。现在提出研究范围问题，是不是无的放矢？我们的理论研究虽然起步较晚，但是文章已经发表了不少，书也出版了一些，难道连研究范围还不知道吗？不可否认，最近十多年来，我们在理论研究方面确实有了很大的进步。但是不能因此就认为，对外汉语教学的理论研究的范围问题已经完全解决了。实际上，许多情况表明，这方面还有不少问题我们并不十分清楚。例如，有一些应当研究的内容至今还没有涉及，或者只是顺便提到，并没有提出明确的命题进行专门的研究。特别是在语言学习理论方面，我们的研究几乎还没有展开。无论是幼儿习得母语，还是成年人习得第二语言，对词汇和语法的习得都是有一定的阶段性的，研究这种阶段性，对语言教学具有特别重要的意义,但是我们至今还没有看到对这种阶段性所进行的任何研究。这说明我们对研究范围的认识还是很不全面的。又如,有不少著述,包括某些已经发表的论文甚至专著,还存在着概念不清、内容含混的现象,往往给人以似是而非、不知所云的感觉。这不但说明我们的基本概念范畴还很不统一,而且也说明我们有时实际上并不太明确自己所研究的问题的性质。再如,我们几乎每天都在谈论教学法问题,但是教学法包括哪些内容,教学法的研究算不算理论研究,也还有不同的看法。以上情况说明,对外汉语教学的理论研究的范围问题还是一个有待于深入研究的问题,首先要对研究的领域、各个领域的基本内容及主要命题等进一步作出明确的界定。

我们认为,对外汉语教学的理论研究的范围包括三大领域,即基础理论、教学理论和教学法。下面分别讨论这三个领域的基本内容、它们之间的相互关系以及一部分主要命题。

(一) 基础理论

语言教学跟其他事物一样,也有它自己的规律,只有按照语言教学的规律进行语言教学,才能取得应有的教学效果。实践证明,语言教学规律是由语言规律、文化规律、语言学习规律和一般教育规律所共同决定的,是这几种规律的综合体现。因此,我们研究语言教学问题,必须把研究这些规律的理论,即语言理论、有关的文化理论、语言学习理论和一般教育理论作为自己的理论依据。也就是说,上述四种理论都是对外汉语教学的基础理论。

1. 语言理论

对外汉语教学教的是汉语,目的是培养学生的汉语能力和用汉语进行交际的能力。为此必须有计划地进行汉语的语音、语法（包括句型）、词汇等语言内容的教学，必须有计划地进行听、说、读、写等言语技能和相应的言语交际技能的训练。要有计划地进行语言内容的教学和言语技能、言语交际技能的训练，就必须应用语言理论。这里所说的语言理论，既包括普通语言学理论，特别是其中关于语言的本质和特点的论述，也包括个别语言学理论，即汉语语言学理论和其他有关语种的语言学理论等，特别是其中关于汉语和其他有关语种的特点的论述以及对汉语和其他有关语种的语言事实的描写。对语言事实的描写是具体揭示语言规律的，实际上是对语言规律的描写，所以我们也把它归入理论范畴。作为语言教学的基础理论之一的语言理论还包括语言学的其他分支学科，例如社会语言学、对比语言学、比较语言学、语用学、方言学、语言发展史，等等，因为语言学的这些分支学科都从不同的侧面揭示语言的特点和规律。语言理论总是从宏观和微观两个方面对语言教学发挥指导作用。关于语言的本质和特点的论述，是语言教学理论和语言教学法研究所不可缺少的理论依据，任何一种语言教学理论和语言教学法流派都要以一定的语言理论作为自己的理论背景。前面说过，没有结构主义语言学和行为主义心理学，就不会有听说法的理论、原则和方法的产生；没有社会语言学和心理语言学，就不会有功能法的理论、原则和方法的产生。这就是语言理论对语言教学的宏观指导作用。对语言事实的描写，包括语音、词汇、语法、修辞、语用规律和规则的描写以及关于话语和篇章规律和规则的描写，以及有关的定性、定量分析等，对语言教学的总体设计、教材编写、课堂教学和测试等具体教学活动有直接的指导作用,是这些具体教学活动所不可缺少的理论依据。任何一部语言教材都包含着编者对所教语言的语言规律和规则的认识以及或详或略、或明或暗的描写。可以说,没有对语言的规律和规则的描写,语言教学就寸步难行。这就是语言理论对语言教学的微观指导作用。

2. 有关的文化理论

语言是文化的载体,不同民族之间的文化差异有许多就表现在语言和交际中。因此人们在学习外语和第二语言的过程中,必然会遇到大量不熟悉或难以理解的文化因素,这些文化因素常常成为理解和使用目的语的障碍。因此在外语和第二语言教学中必须同时进行跟语言理解和语言使用有关的文化因素的教学。要有计划地进行文化因素的教学以消除外语及第二语言学习和使用中的文化障碍,就必须应用有关的文化理论。影响语言理解和语言使用的文化因素多半是隐含在语言的词汇系统、语法系统和语用系统中的反映一个民族的心理状态、价值观念、生活方式和思维方式、道德标准和是非标准以及风俗习惯和审美情趣等等的一种特殊的文化因素。这类文化因素对语言和交际有规约作用,但是本族人往往不容易觉察,只有通过对不同民族的语言和交际的对比研究才能揭示出来。因为这类文化因素跟语言和交际(包括语言交际和非语言交际)密切相关,所以可以叫做"交际文化"[①],研究这种"交际文化"的理论可以叫做"交际文化理论",因为这类文化因素只有通过语言和交际的对比研究才能揭示出来,所以研究这种文化的理论也可以叫做"比

---

① 参见张占一《试议交际文化和知识文化》,《语言教学与研究》1990年第3期。

较文化理论"。这类文化理论也总是从宏观和微观两个方面指导语言教学。作为一种理论系统及其所包含的理论观点,是语言教学的教学理论和教学法研究的不可缺少的理论依据,这是宏观方面的指导作用;对文化差异事实的具体描写是总体设计、教材编写、课堂教学和测试等教学活动所不可缺少的理论依据,这是微观方面的指导作用。

3. 语言学习理论

语言学习和获得有特殊的心理过程。学习和获得语言的心理过程跟学习和获得其他科学文化知识的心理过程不完全一样,学习和获得第二语言和外语的心理过程跟学习和获得第一语言的心理过程也不完全一样。语言学习理论主要是研究语言学习和获得的心理过程、揭示语言学习和获得的客观规律的,目前属于心理学和心理语言学研究的范围。语言学习理论的研究对语言教学至关重要,因为如果不掌握语言学习和获得的规律,语言教学就会陷入盲目性,语言教学理论也会因为缺少可靠的理论依据而如同建立在沙滩之上。研究语言教学至少要着眼于三个方面的问题,即:学和教的内容;学习者怎样学;执教者怎样教。只有对这三个方面的问题以及它们之间的相互关系全面展开研究,才有可能全面揭示语言教学的客观规律。这三个方面的问题以及它们之间的相互关系可以用图 3—1 表示:

执教者
(怎样教)
↗
学/教什么→学习者
(教学内容) (怎样学)

图 3—1

到目前为止,我们研究的重点只是集中在学和教的内容和怎样教这两个方面,对怎样学的研究重视不够,所以关于语言学习理论的研究还是一个薄弱的环节,也可以说是我们的理论研究中最薄弱的一个环节。在没有关于外国人汉语学习规律的研究成果的情况下,我们的对外汉语教学理论的说服力和可信度是非常有限的。因此,关于语言学习规律的研究必须引起高度的重视。

语言学习理论的一个重要组成部分是中介语(interlanguage)理论。所谓中介语,指的是第二语言学习者在学习过程中所形成的一种特定的语言系统,这种语言系统在语音、词汇、语法、语用等方面既不同于学生的母语,也不同于目的语,而是一种随着学习的发展向目的语的正确形式逐渐靠拢的动态的语言系统。由于这是一种介乎母语和目的语之间的语言系统,所以人们把它叫做"中介语"或"中间语"。国外中介语研究的部分结果认为,学生习得第二语言的语法结构有特定的阶段性,这种特定的阶段性与儿童习得母语的阶段性相似;这种阶段性并不因学生母语的不同而不同,但是操不同母语的人通过某一特定阶段所需时间的长短不一。① 这一结论是否符合外国人习得汉语的事实,还需要通过我们自己的研究去证实。如果能够对外语或第二语言学习者的汉语中介语作出全面、客观的描写,对外汉语教学的教学理论和教学实践就可以建立在更加科学的基础之上。这里专门提出开展中介语研究的问题,是因为我们认为,

---

① 参见鲁健骥《中介语理论与外国人学习汉语的语音偏误分析》,《语言教学与研究》1984年第3期。

中介语研究可以作为语言学习理论研究的一个突破口，同时可以通过开展这方面的研究去带动错误分析和对比分析的研究。把错误分析、对比分析和中介语分析结合起来进行研究，不但对心理语言学研究和语言教学研究是必要的，而且对语言学的研究也具有重要意义。

4．一般教育理论

语言教学也是一种教育活动，所有的教育活动，都要应用一般教育理论，这方面的道理不需多说。

（二）**教学理论**

对外汉语教学的教学理论的研究对象是对外汉语教学本身，研究的内容十分广泛，涉及整个教学过程和全部教学活动以及跟教学有关的各种内部和外部因素在教学中的作用。例如：对外汉语教学的性质和特点，教学结构及其各构件之间的相互关系，关于总体设计、教材编写、课堂教学、测试和评估等各个教学环节的理论，有关课程的特点和规律，语言内容教学的特点和规律，言语技能和言语交际技能训练的特点和规律，与教学有关的各种因素在教学中的作用，等等。

对外汉语教学的教学理论研究的目的是揭示对外汉语教学的客观规律。前面提到，语言教学规律是由语言规律、文化规律、语言学习规律和一般教育规律所共同决定的，是这几种规律的综合体现，因此研究语言教学理论必须综合应用研究上述规律的理论——语言理论、有关的文化理论、语言学习理论和一般教育理论。我们强调"综合应用"，是因为上述各种理论都有自己特定的研究对象和理论系统，它们当中任何一种理论所揭示的规律都不能完全代替语言教学规律，因此它们当中的任何一种理论都不能单独全面指导语言教学。要揭示对外汉语教学的客观规律,要使对外汉语教学成为一门真正的科学,就必须从对外汉语教学的实际出发,通过专门的研究从语言理论、有关的文化理论、语言学习理论和一般教育理论中吸取有用的成分,加以综合、梳理,使这些有用的成分统一起来,形成能够全面指导对外汉语教学的理论系统。这样的理论系统就是对外汉语教学的教学理论。这一情况说明,对外汉语教学的教学理论具有综合性和跨学科性。这也是对外汉语教学本身的重要特点。如果仅仅以某种基础理论,例如仅仅以语言理论或仅仅以一般教育理论指导对外汉语教学,就容易产生片面性。对外汉语教学的教学理论的综合性和跨学科性也决定了它是唯一能够全面指导对外汉语教学的理论,是对外汉语教学的学科理论的核心,是对外汉语教学学科存在的主要标志,它的成熟程度就代表这个学科的成熟程度。我们说对外汉语教学的学科理论还不太成熟,主要是指教学理论还不太成熟,因为我们的教学理论还没有形成完整的系统。

研究对外汉语教学的教学理论不但要综合应用有关的基础理论,而且在应用这些基础理论时还必须从对外汉语教学的实际需要出发,紧紧结合对外汉语教学的实践经验,包括有计划的调查研究和教学试验。这主要是因为,有关的基础理论的内容非常广泛,而且学派林立,其中许多理论都还处于发展的过程中,有的还处于发展的初期,还很不成熟。如果不从教学的实际需要出发,就不知道众多的基础理论中哪些是有用的成分,就会把大量跟对外汉语教学无关的理论当成有关的理论,或者把次要的当成主要的,眉毛胡子一把抓,从而影响教学理论自身的简明性;如果不结合教学实践经验,就会把基础理论中所有的理论观点都当成正确的理论,就会对各种理论观点不加分析地兼收并蓄,从而影响教学理论自身的科学性。这一情况说明,对外汉语教学的教学理论研究不完全是对语言理论、有关的文化理论、语言学习理论和一般教育理论的被动的应用,它本身也是一种主动创造的过程。其创造性主要表现为:根据教学实际的需要从有关的基础理论中吸取有用的成分,加以综合、梳理而达到融会贯通;对不同的理论观点则根据教学经验,特别是有目的、有计划的教学试验,去辨明是非而加以取舍;对教学实践充分证明为不全面、不正确的理论观点加以补充、修正;对尚未被发现或尚未被多数人认识的理论,通过自己的研究去加以发现或进行阐述。对外汉语教学的教学理论研究的任务之一就是以自己的研究成果去补充、修正有关的基础理论,阐明尚未被多数人认识的理论。

(三) 教学法

语言教学中常常遇到的两个最基本的问题是教什么和怎么教。要解决怎么教的问题,就必须开展教学法的研究。对外汉语教学的教学法贯穿在总体设计、教材编写、课堂教学、测试和评估等整个教学过程和全部教学活动中,内容也十分广泛。例如,怎样选择教学内容,怎样处理语言和文化的关系,怎样处理理论讲解和言语操练的关系,怎样处理学生已经掌握的语言和目的语的关系,怎样处理听说训练和读写训练以及听和说、读和写的训练的关系等,都是教学法问题;又如,怎样进行语言内容和相应的文化因素的教学,怎样进行言语技能和言语交际技能的训练等,也都是教学法问题;再如,怎样安排课堂教学环节,在课堂上怎样掌握教学节奏和调节课堂气氛,怎样发挥学生的主动性和调动全班所有学生的积极性,甚至怎样板书,怎样提问,等等,同样也都是教学法问题。

从上面所举的例子可以看出,所谓教学法,不但内容十分广泛,而且这些内容还不都处于同一个层面上。由于这些内容不处于同一个层面上,所以在讨论具体问题时,如果不首先弄清所讨论的问题属于哪一个层面,就不容易把问题讲清楚,写出的文章读者也不一定能真正理解。此外,许多人对教学法的内涵还不太了解,单说教学法,就以为只是一些具体方法问题,无足轻重。但是教学法这个术语已被人们所熟知,使用这个术语也已成了习惯,也就是说这个术语已经约定俗成,废弃不用、改变内涵或更换一种说法恐怕都不能解决问题。在仍然使用教学法这个术语的情况下,我们认为当前可行的办法是讲清这个术语的内涵,同时对不同层面上的内容加以严格区分。为了便于区分不同层面上的教学法内容,笔者曾提出分别用教学原则、教学方法和教学技巧这几个不同的术语来表达。下面分别介绍这几个不同术语的内涵。

1. 教学原则

是指从宏观上指导整个教学过程和全部教学活动的总原则,具体内容包括怎样处理教学中的各种关系。例如:教与学的关系,教学内容与教学方法的关系,教学内容中语言与文化的关系,语言内容诸要素之间的关系,语言内容中形式结构与语义结构的关系以及结构与功能的关系,语言内容教学与言语技能和言语交际技能训练之间的关系,各项言语技能训练之间的关系,言语技能训练与言语交际技能训练之间的关系,理论讲解与言语操练的关系,目的语与学生已经掌握的语言之间的关系,等等。这些关系的处理贯穿在总体设计、教材编写、课堂教学、测试和评估等整个教学过程和全部教学活动中,处理这些关系的原则就是从宏观上指导整个教学过程和全部教学活动的总原则,所以属于教学原则范畴。怎样认识和处理以上各种关系,是各国语言教学界所共同关心的问题,不同的语言教学法流派,就其理论的具体内容来说,主要表现为对这些关系的认识和处理方法不同。

2. 教学方法

教学方法是指在教学原则的指导下,在教材编写和课堂教学中处理语言内容和文化因素、训练言语技能和言语交际技能的具体方法,包括编排教学内容顺序的方法,讲解语言点的方法(例如采用演绎法还是采用归纳法),训练听、说、读、写等言语技能的方法(例如使用什么样的练习方式),训练言语交际技能的方法,等等。教学方法与教学原则的主要区别是:

(1) 教学原则直接受教学理论的指导,往往反映语言教学的客观规律,这些客观规律只能通过理论研究去加以揭示,而不能由任何个人加以创造。也就是说,教学原则的制订必须以语言教学的客观规律为依据。教学方法是在一定的教学原则的指导下进行教学的具体方法,具有一定的可创造性。教学经验丰富的教师能够在不违背教学原则的前提下,根据教学对象和教学内容的特点创造出多种多样的教学方法。

(2) 教学原则对同一类教学对象和同一种教学类型具有普遍的适用性,而教学方法则具有较大的选择性。就是说,在同样的教学原则的指导下,可以采用不同的教学方法。例如,假设

"精讲多练"是一条教学原则,但是在讲解某个语言点时采用演绎法还是采用归纳法,却可以根据具体情况灵活选择。又如,假设"结构与功能相结合"是一条教学原则,但是结合的方式可以多种多样,既可以采用结构—功能型,也可以采用功能—结构型,还可以在不同的教学阶段分别采用结构—功能型和功能—结构型。采用什么样的教学方法,往往取决于有关教师对教学原则的理解、教学对象和教学内容的特点以及有关教师个人的教学经验。

(3) 教学原则贯穿于总体设计、教材编写、课堂教学、测试和评估等整个教学过程和全部教学活动中,教学方法主要体现在教材和课堂教学中。

3. 教学技巧

教学技巧是指任课教师在课堂上进行教学的技巧,也可以叫做课堂教学技巧。课堂教学技巧只能由任课教师个人掌握,虽然要受教学原则和教学方法的制约,但是比教学原则和教学方法具有更大的灵活性,能够充分体现教师个人的教学艺术和教学风格。教学技巧贯穿在整个课堂教学组织中,例如:怎样引进一个新的语言点,怎样板书和利用直观教具,怎样运用表情动作帮助学生加深印象和吸引学生的注意力,怎样启发学生思考问题,怎样调动学生学习的主动性和发挥全班每一个学生的积极性,怎样掌握语速和教学节奏,怎样调节课堂气氛,等等,都是教学技巧要研究的问题。课堂教学是整个教学过程的中心环节,是帮助学生掌握语言的主要场所,熟练而得当地运用行之有效的教学技巧对提高课堂教学质量有决定性的作用。教学原则和教学方法固然很重要,但是一定的教学原则和教学方法必须通过一定的教学技巧才能得到有效的贯彻,否则教学原则和教学方法就会成为死板的教条。

三 余论：交叉性和出发点

本文讨论的重点是对外汉语教学的理论研究的范围,认为它包括基础理论、教学理论和教学法这三大领域,同时举例说明了每一个研究领域所包含的基本内容和一部分主要命题。从本文有关的论述所举的例子可以看出,我们在研究具体问题时必然要面临这样一种情况,就是研究的内容普遍存在着交叉性。例如：

1. 语言理论、有关的文化理论、语言学习理论和一般教育理论这四种基础理论之间存在着交叉性。比如,在讨论语言学习理论问题时,不可能不涉及语言理论、有关的文化理论和一般教育理论方面的问题；在讨论有关的文化理论和一般教育理论时,如果结合语言教学,也不可能不涉及语言理论和语言学习理论。结合语言教学讨论任何一个领域的问题都离不开语言理论,所以语言理论是四种基础理论的交叉点,其独立性也最大。

2. 基础理论和教学理论之间存在着交叉性。由于基础理论是教学理论的理论依据,教学理论是对基础理论的综合应用,所以在讨论教学理论问题时,不可能不涉及各项基础理论,在讨论有关的基础理论问题时,只要结合语言教学,就必然要涉及教学理论方面的问题。

3. 教学理论和教学法之间存在着交叉性。由于教学理论是教学法的理论依据,教学法必须受教学理论的指导,所以在讨论教学法问题时,不可能不涉及教学理论；研究教学理论的目的是揭示教学的客观规律,指导教学原则的制订以及教学方法和教学技巧的选择和创造,所以在讨论教学理论问题时也必然要涉及教学法问题。

4. 各个领域内部的各项内容和命题之间存在着交叉性。比如,在教学法内部,教学原则、教学方法和教学技巧有交叉。在讨论教学技巧问题时,不可能不涉及教学原则和教学方法,在讨论教学方法问题时,也不可能不涉及教学原则方面的问题。又如,教学方法内部各项内容和命题之间也有交叉。在讨论言语技能和言语交际技能训练方法问题时,不可能不涉及语言内容的教学和有关课程的教学,言语技能和言语交际技能的训练是语言教学最基本的手段,在讨论语言内容和教学的有关课程的教学问题时,如果不涉及言语技能和言语交际技能的训练,就有可能离开问题的实质。

不同的研究内容之间存在着交叉性,这是综合学科和边缘学科的理论研究中普遍存在的现象,语言、语言学习和语言教学的复杂性决定了语言教学的理论研究中的交叉现象更为突出。因为存在着这样的交叉现象,所以我们在从事研究工作和进行写作时,就更需要首先确定研究的出发点。以课程研究和技能训练研究为例:课程研究的任务之一是研究某一门课的教学,探讨或揭示这门课的特点和规律,提出这门课的教学内容、教学原则和教学方法以及教材编写和其他有关的问题;技能训练研究的任务之一是探讨某一项言语技能的训练方法,包括体现在教材中的方法和课堂教学方法以及提供什么样的语言环境等。这两类研究都要涉及教材和课堂教学以及体现在教材和课堂教学中的教学方法问题,这就是交叉性。但是这两类研究的出发点和目标都不相同,我们在开展研究和进行写作时,首先要分清研究的出发点和要达到的目标,否则就抓不住研究的中心,写出文章也会使读者感到不得要领。再以教学内容和教学方法问题的研究为例:现在讨论教学内容和教学方法问题的文章不少,但是有些文章在论述教学内容问题时,往往不区分讲的是教学的全部内容,还是某一门或某几门课的教学内容。比如讲文化内容的教学,往往不区分讲的是文化因素教学在对外汉语教学中的地位,还是专门开设的文化课中的文化内容的教学,或者是语言课中文化因素的教学,而这几个方面的问题属于不同的命题,虽然都是文化内容,其性质和范围却有很大的区别,如果不加以区分和界定,读者就会感到似是而非;有些文章在论述教学方法问题时,往往不区分讲的是教材中的教学方法,还是课堂教学方法,还是传授语言内容或训练某一项言语技能的方法,而这几个不同方面的教学方法所包括的范围是不一样的,如果不严格界定,读者就会感到不知所云。确定研究项目的出发点和目标,是对研究工作最起码的要求,也只有这样,才能使研究工作走上科学的轨道。

第三节 对外汉语教学的学科体系构成[①]

任何一门专门的学科都有自己的学科体系。学科体系是一

---

① 本节摘自刘珣《也论对外汉语教学的学科体系及其科学定位》,《语言教学与研究》1999年第1期。

门学科的结构框架,它显示构成该学科的内部和相关的外部因素、这些因素的作用及相互之间的关系,其核心部分是学科的理论体系。学科体系的作用在于:首先,这一结构框架能明确地体现出这门学科的内容、研究对象及学科的性质和特征;第二,对本学科所遇到的理论和实际问题有指导作用,如语言教育学科体系就应该有利于对现有的教和学的理论和观点进行分析、解释和评估,有利于对所遇到的教和学的实际问题提出相应的措施;第三,应该能为学科理论研究和整个学科的建设指出方向。因此,学科体系可以看作是学科作为一个系统的"运行图",也是学科建设和学科发展的蓝图。与学科体系相联系的一个问题是学科的定位问题,也就是如何科学地确定某一学科在众多的学科中所处的位置,特别是它在学科分类中的范畴归属问题。科学的学科定位,同样对学科建设和学科的发展起着重大的作用。

随着科学的发展,学科体系本身也必然有相应的变化与发展,对学科体系和学科定位的认识,特别是对一些新兴的学科,总有一个不断深化的过程。对外汉语教学是一门非常年轻的学科,在学科体系和学科定位问题上,很多学者已做了大量的研究工作,本文想在此基础上也来议论一下,提出一些想法与同行们探讨。

一 国内外学者提出的各种语言教育体系模式及其启示

国外的语言教育专家们对学科体系的研究非常重视。加拿大语言教育理论专家斯特恩(H. H. Stern),就曾在其著作中列举出西方学者于20世纪70年代到80年代初提出的七种第二语言教育的理论模式(H. H. Stern, 1987)。这里仅举两例:一个是美国学者斯波尔斯基（B. Spolsky）于1980年提出的"教育语言学理论模式"，另一个是斯特恩本人于1983年提出的"第二语言教学理论的一般模式"。

在斯波尔斯基的模式中，语言描写、语言学习理论和语言运用理论成为第二语言教学理论的主要来源，而其中的语言学习理论又源出于语言理论和学习理论，语言描写也由一定的语言理论所决定。上述诸因素又分别由普通语言学、心理学、心理语言学和社会语言学等学科作为理论基础，从而构成了斯波尔斯基称之为"教育语言学"的学科。斯波尔斯基的模式不仅较早地明确提出语言教学理论的各个组成部分，同时更明确指出单单语言学不足以构成语言教育的理论基础，他具体地列出作为该学科理论基础的各相邻学科及它们与该学科有关部分的联系。斯波尔斯基模式的缺点是"教育语言学"系统内部的层次不够清楚，另外，像教学原则、教学方法这样一些语言教学理论的实质内容未能表示出来。

斯特恩在汲取前人成果的基础上，提出了一个比较全面的、有代表性的"第二语言教学理论一般模式"。这一模式的基本思路与斯波尔斯基的模式是一致的，但他把它分成三级，模式的内部各层次的关系显然比斯波尔斯基的模式更为清晰，更体现了系统性。他所提出的三级模式的核心是在第二级，即由语言、学习、教学和语境四个方面所组成的学科体系，相当于斯波尔斯基所说的教育语言学。位于模式中层的第二级理论部分成为沟通第一级理论基础与第三级教学实践之间的桥梁。斯特恩模式的另一个特点是把"实践"部分（即第三级）纳入学科体系中来。他在论述学科的基础（第一级）时，所列出的相邻学科也更为详细、全面。所有这些特点,使斯特恩模式成为 80 年代初最完整的模式。这个模式的不足之处主要是在第三级实践部分,即其中的教学目标、内容、过程、教材、效果评估等,不仅仅是单纯的实践,本身有其理论性,是学科理论的一部分,应属于中层"教学"部分的具体内容。此外,这一模式在层次划分上也并非完美无缺。

西方学者们对外语教育理论模式所作的研究,可作为我们的参考。我国学者们针对对外汉语教学的实际,特别是在对外汉语教学作为一门学科提出以来的近 20 年间,也一直探讨对外汉语教学的学科体系,其中影响最大的是吕必松先生有关第二语言学科理论和第二语言教学结构的论述。吕必松在论及学科理论时说:"对外汉语教学的学科理论具有跨学科的性质,由基础理论和应用理论两部分内容组成。基础理论主要包括语言理论、语言学习理论、'交际文化'理论(或'跨文化交际理论')以及一般的教育理论等;应用理论是指教学理论和教学法。"[①]关于第二语言教学结构,吕必松提出了四大部件和三类变因之说。四大部件指底层结构(跟第二语言教学有关的客观条件)、基础结构(即上述基础理论和应用理论)、主体结构(指总体设计、教材编写或选择、课堂教学和测试四大环节)、上层结构(指教学原则)。三类变因包括直接变因、根本变因和条件变因。[②] 吕必松的论述,第一次在对外汉语教学领域明确提出了学科体系模式。其中,有关学科理论体系的两级分法(基础理论和应用理论),关

---

① 参见吕必松《在对外汉语教学定性、定位、定量问题座谈会上的发言》,《世界汉语教学》1995 年第 2 期。

② 参见吕必松《对外汉语教学概论》(讲义),国家对外汉语教学领导小组办公室 1996 年编印,内部资料。

于教学活动四大环节的概括,简明扼要,已被我国对外汉语教学界广泛引用。

理论探讨是没有止境的。近年来不少学者在对外汉语教学的学科体系问题上继续深入研究,从不同的角度提出新的看法。如崔永华先生从学科的理论体系、教学体系、人才体系三个方面论述学科体系。在论述学科理论体系时,把这一体系分为三个层次:最基础一层是由语言学、心理学、教育学等组成的学科支撑理论;由第二语言教学理论、语言习得理论、汉语语言学、学科方法论和学科发展史组成的中层学科基础理论;由总体设计理论、教材编写理论、课堂教学理论、语言测试理论和教学管理理论构成最上层即学科的应用理论。[①] 这一模式对学科结构的描述更为细致、合理。特别是"支撑理论"的提法说明语言学、心理学、教育学等不是本学科"自己的"理论,而是别的学科来支撑我们学科的基础理论。这在学科体系的概念及层次划分上就更清楚了。

纵观上述国内外学者提出的第二语言教育或对外汉语教学的学科体系,我们可以得到一些启示:

1. 所有的模式都认为本学科有自己的理论体系,尽管名称不同,但这一体系的主要组成部分大体一致。这一理论体系正是学科得以存在和发展的主要标志之一。

2. 所有的模式都强调本学科具有综合性,跨学科性,受到多种学科的影响。各种模式所列举的主要相邻学科也大体相同。

由于各种模式提出的角度不同,侧重点不同,因而也存在着差异:

---

① 参见崔永华《对外汉语教学概论》,《中国文化研究》1997年春之卷。

1. 西方学者们着重研究学科理论体系,提出的是学科理论模式;我国学者除了研究学科理论体系外,还注意到教学体系(或称教学结构),有的还提出人才体系,分别加以论述。

2. 正因为考虑的角度不完全相同,对是否把教学实践纳入到体系之中的看法也不完全相同。本学科的理论研究离不开教学实践,把教学实践纳入到学科体系之中,能更好地体现本学科理论紧密联系实际的应用性学科的特点。

综合各家之长,这里我们也提出了对外汉语教学的学科体系的一种模式。

二 对外汉语教学的学科体系

在讨论学科体系之前还需要说明一下"教学"与"教育"的关系。众所周知,教学主要指传授和学习有关的知识和技能,而教育的概念则宽得多,指培养德智体美全面发展的人才。教学是教育的重要组成部分,学校教育的目的也主要是通过教学来实现的,但是教学不能脱离教育。学校作为教育机构所担负的不仅有教学任务,还有教育任务,教师作为教育工作者所从事的不仅是教书还要育人。而我们这个学科所教育和教学的对象,主要是外国学习者,也有中国学习者(未来的教师和研究者)。即使对外国学习者的培养目标,正如崔永华曾著文指出的,根据国际教育的共性,也同样应是德育、智育、体育、美育全面发展的综合素质教育[①],不只是一个智育的问题。因此本学科所要研究

---

① 参见崔永华《关于汉语言(对外)专业的培养目标》,《语言教学与研究》1997年第4期。

的内容,也就不仅仅限于教学一个方面,而是涉及学习者健全人格的养成,涉及教育理论和教育规律的探讨,甚至包括国家的教育政策和所能提供的教育方面的设备条件,等等。教学论是本学科研究的核心课题,但并不是它的全部。本学科实际上是一门学科教育学,"学科教育学是教育学科领域内正在兴起和形成中的一门分支学科。"① 限于篇幅,本文仍主要从教学方面论述我们的学科。

我们探讨对外汉语教学的学科体系的角度是既侧重理论体系,但又不限于理论体系;着眼于整个学科体系,但又不过细地描述学科的所有方面。我们希望能简略地勾画出整个对外汉语教学的学科体系的框架(见图3—2)。

这一框架包括三大部分:理论基础、学科理论和教学实践。现分述如下。

1. 理论基础部分提出与本学科的发展关系最为密切的七类基础学科,即语言学、心理学、教育学、文化学、社会学、横断学科及哲学。这七类学科中又包括一些分支学科或边缘学科,这里不再详细讨论每门学科对本学科所发挥的作用。需要特别指出的是,这七类学科本身都是独立的学科,不能算作本学科的理论,但它们都从不同方面对本学科产生影响,提供理论养料甚至理论依据(当然,本学科的理论研究成果也对这些学科理论的发展起到积极作用)。这一部分可以看作本学科的理论基础,或者叫做支撑理论。

2. 属于本学科范围内的学科理论体系,则包括学科基础理

---

① 参见袁运开《外语教育学·序》,浙江教育出版社1991年版。

第三节 对外汉语教学的学科体系构成

教学实践：

- 设备条件 / 师资力量 / 学生素质 → 培养汉语作为第二语言学习者的教学实践 ← 培养对外汉语教师的教学实践 ← 经济实力 / 国家政策 / 社会需要

⇕ 语言环境 ⇕

应用研究（学科）：

总体设计研究 | 教材编写研究 | 课堂教学研究 | 测试评估研究 | 教学管理研究 | 师资培养研究

↓

目标 | 原则 | 过程 | 课程 | 方法 | 手段 | 评估

基础理论：

对外汉语语言学 → 对外汉语教学理论 ← 汉语习得理论

↑ 学科研究方法学 ↑

⇕

理论基础：

社会学	文化学	语言学	心理学	教育学	横断学科	哲学
人类社会语言学	跨文化交际学 / 文化语言学	计算语言学 / 对比语言学 / 汉语语言学 / 理论语言学	心理语言学 / 心理测量学 / 认知心理学	教育统计学 / 教育心理学	控制论 / 系统论 / 信息论 / 逻辑学 / 数学	哲学

图 3—2

论和应用研究两部分。

作为一门独立的学科或者说专门的学科,应当有体现本学科性质、内容和特点的研究对象以及研究方法,对本学科具有直接的指导作用、真正属于自己的基础理论。本学科的基础理论包括四个方面:对外汉语语言学、对外汉语教学理论、汉语习得理论和学科研究方法学。

(1) 对外汉语语言学是作为第二语言教学和研究的汉语语言学,包括语音、词汇、语法、汉字、语义、语用、话语、功能和文化因素等方面。对对外汉语语言学的研究是对对外汉语教学内容的研究;从教育学角度来分析,也是对对外汉语教学的客体的研究。汉语研究在我国已有2 000多年的历史,对现代汉语的研究,国内外的语言学界也都积累了丰硕的成果,这些研究成果已成为本学科取之不尽的资源。也正是从这个意义上,朱德熙先生曾明确指出:"应该强调汉语研究是对外汉语教学的基础,是后备力量,离开汉语研究,对外汉语教学就没法前进。"[①]朱先生非常精确地把汉语研究看作是对外汉语教学的"基础""后备力量",这也说明语言学和汉语语言学是对外汉语教学的理论基础,但它不能代替本学科对汉语的研究。本学科需要从第二语言学习和教学这一新的角度来描写汉语、研究汉语。这种研究有不少区别于作为第一语言研究的汉语语言学的特征,比如它更侧重于语言的应用和交际功能的研究,着眼于语言交际能力培养的研究。不但要研究如何

---

① 参见朱德熙《在纪念〈语言教学与研究〉创刊十周年座谈会上的发言》,《语言教学与研究》1989年第3期。

描写和解释汉语规律,更要研究如何掌握和运用汉语的规律;不仅要研究汉语的一般规律,更要通过与学习者母语的语言对比,着重研究汉语的特殊规律。除了研究汉语本身以外,还要从跨文化交际的角度和文化语言学的角度,对蕴藏在汉语中的文化因素进行研究;还要从心理学的角度,联系学习者的个体因素进行研究。这方面的研究不仅直接服务于对外汉语教学,同时也为汉语语言学的研究拓展了新的领域,发现了过去把汉语当作母语研究中从未注意到的问题。对外汉语教师和研究者在这方面的研究中处于极其有利的地位:他们不但能从教学第一线得到源源不断的研究课题,而且教学第一线也给他们从事科学调查和实验提供了最理想的环境和基地。几十年来特别是近20年来,在关心本学科的语言学界学者们的支持和合作下,我们已初步建立了对外汉语语音、语法、词汇、汉字等的教学体系,当然,这些体系还很不完善,还有待于进一步提高。

(2) 汉语习得理论是对对外汉语教育主体之一——学习者的研究,即侧重从心理学的角度研究教学对象的学习过程和学习规律。过去人们不重视对语言学习的研究,只是把它看作教学理论的一部分,处于很次要的地位。随着认知心理学和教育心理学的发展和语言习得研究本身的进展,人们逐渐认识到"教"的成功与否决定性的因素还在"学"的方面;对"学"的研究是对"教"的研究的基础和前提。近几十年来对语言习得的研究已成为第二语言教学界研究的热点,在西方几乎有取代教学法研究的趋向。在我国对外汉语教学界也出现了汉语习得研究的新势头:从对留学生病句分析发展到以中介语理论为指导进行偏误分析,现在又进一步发展到对汉语习得过程和习得顺序的实证性的研究。当然,对语言习得的研究不能看作是对外汉语教学研究者的专利品,很多心理学家对此也十分重视。但在汉语作为第二语言的习得方面,我们对外汉语教学工作者和研究者是责无旁贷的。特别是目前这方面的研究无论在国内还是在国外都还处于初始阶段,这是我们学科建设的一个重点。

(3) 对外汉语教学理论是把上述两个方面——对教学内容和教学对象的研究结合起来,即研究如何通过教学活动使教学内容为学习者迅速、有效地掌握的规律和原理。教学理论有时也称为教学论或教学原理(甚至称为教学法),这是本学科研究的传统领域,但随着相关学科如语言学、心理学、教育学、文化学的不断发展,新的边缘学科的不断涌现,特别是语言习得理论研究新成果的出现,给教学理论的研究不断注入新的活力。我们认为,对语言习得理论的研究只会加强而绝不应当削弱甚至取代对教学理论的研究,特别是我们的对外汉语教学法体系至今还未很好地建立,这方面的研究任务还很艰巨。我们亟需把教学论的教学目标、教学原则、教学过程、课程设置、教学方法、教学手段和教学评估等一般理论与对外汉语教学的规律紧密结合起来,形成具有自己特色的对外汉语教学理论。

(4) 学科研究方法学也是本学科理论体系的一个重要组成部分。研究方法在很大程度上决定研究的成果,甚至影响到研究的成功与失败。我们这里所说的学科研究方法学,是指受哲学方法论的普遍规律的指导,用来探讨对本学科最具针对性的方法论原则,着重研究适用于本学科的一般方法,特别是本学科特有的研究方法。

以上所谈学科基础理论的四个方面中,对外汉语语言学的研究、汉语习得理论的研究和方法学的研究,都是为语言教学服务的,它们根据教学的需要确定研究方向,其研究成果又用于教学。教学理论的研究居于学科理论研究的核心地位。

本学科的应用研究指运用相关学科和本学科的基础理论,对总体设计、教材编写、课堂教学、测试评估、教学管理和师资培养等方面进行专题的研究。用学科的基础理论来指导教学实践,需要经过学科应用研究的中介环节;应用研究与教学实践最为接近,可以直接用来指导相关的教学实践活动。

3. 学科体系的第三层是教学实践,它是学科理论服务的对象,也是学科理论产生的土壤。把教学实践纳入学科体系之中,这是语言教育学科的一大特点,也是语言教育学科发展的需要。这样做能更好地体现本学科理论与实践的紧密关系:理论来源于实践,直接用于指导实践并在实践中得到检验。教学实践既包括对汉语作为第二语言的学习者的教学也包括对未来的对外汉语师资的教学。二者的教学目标、内容、方法都不同,但二者又是紧密相关的,都受本学科理论的指导。对教学实践产生影响的还有社会的需要、国家的有关政策和经济实力以及学生素质、师资力量和可能提供的各种设备条件,对语言学习者的教学,还特别需要研究语言环境及其如何利用的问题。

第四节 对外汉语教学的学科理论体系研究[①]

一 对外汉语教学的学科理论体系研究概述

第二语言教学的学科理论体系问题,是第二语言教学理论研究的重要内容。20世纪90年代以来,汉语作为第二语言教学的理论研究中,对学科理论体系本身的研究更加自觉。其中代表性的观点主要有如下三种:

1. 吕必松在《对外汉语教学发展概要》[②]中把对外汉语教学的学科理论概括为教学理论和基础理论两个方面。教学理论是学科理论的核心,是学科存在的主要标志。它通过对教学的性质和特点、教学过程和教学活动以及与教学有关的各种因素的描写与概括,揭示教学的客观规律,提出教学法原则,以推动各项教学活动沿着科学化、规范化和标准化的方向前进。对外汉语教学的基础理论包括语言理论、语言学习理论和比较文化理论。教学理论的发展是随着基础理论的发展而发展的,但教学理论的发展对基础理论的研究也有促进作用。而后,在《再论对外汉语教学的性质和特点》[③]、《对外汉语教学的理论研究问

---

① 本节摘自李泉《对外汉语教学的学科理论体系》,《海外华文教育》2002年第2期。
② 参见吕必松《对外汉语教学发展概要》,北京语言学院出版社1990年版。
③ 参见吕必松《再论对外汉语教学的性质和特点》,《语言教学与研究》1991年第2期。

题刍议》①和《对外汉语教学概论(讲义)》②等论著中,又进一步把教学法纳入学科理论体系中,从而把对外汉语教学的学科理论概括为基础理论、教学理论和教学法三个方面,指出这三个方面的内容也就是对外汉语教学的学科理论研究的范围。其中《对外汉语教学概论(讲义)》把对外汉语教学的基础理论重新概括为:语言理论、语言学习理论和一般教育理论。从而在基础理论中增加了"一般教育理论",而把原先基础理论中的"比较文化理论"纳进了"语言理论"中,指出"语言理论也包括近年来发展起来的文化语言学理论"。(第73页)该书还对教学法作了明确的限定,指出第二语言教学的教学法贯穿在总体设计、教材编写、课堂教学和测试等整个教学过程和全部教学活动中。教学法是总称,它包括教学原则、教学方法和教学技巧等不同层次上的内容。至此,吕必松对对外汉语教学的理论体系的概括大致是:

基础理论——语言理论、语言学习理论和一般教育理论;

教学理论——研究教学本身,揭示第二语言教学规律,是一种综合性应用理论;

教学法——教学原则、教学方法和教学技巧。

2. 崔永华《对外汉语教学学科概说》一文,把对外汉语教学学科理论体系概括为三个层次:学科支撑理论,包括语言学、心理学、教育学和其他;学科基础理论,包括第二语言教学理论、语

---

① 参见吕必松《对外汉语教学的理论研究问题刍议》,《语言文字应用》1992年第1期。

② 参见吕必松《对外汉语教学概论(讲义)》,国家对外汉语教学领导小组办公室1996年编印,内容资料。

言学习理论、语言习得理论、汉语语言学、学科方法论、学科发展史;学科应用理论,包括总体设计理论、教材编写理论、课堂教学理论、语言测试理论、教学管理理论。其中,学科支撑理论是第二语言教学理论(对外汉语教学学科理论)赖以生长的相关、相邻学科的理论;学科基础理论是指导本学科教学和研究实践的基本指导思想和方法论;学科应用理论是在本学科的基础理论上建立起来的直接指导学科教学实践的理论。①

3. 刘珣《对外汉语教育学引论》一书中,把对外汉语教学的学科体系分成三个部分:理论基础,包括语言学、心理学、教育学、文化学、社会学、横断科学及哲学;学科理论,包括基础理论和应用研究两部分,前者包括对外汉语语言学、对外汉语教学理论、汉语习得理论和学科研究方法学,后者指运用相关学科和本学科的基础理论,对总体设计、教材编写、课堂教学、测试评估、教学管理和师资培养等方面进行专门研究;教育实践,既包括对汉语作为第二语言的学习者的教育,也包括对未来的对外汉语师资的教育,它是学科理论服务的对象,也是学科理论产生的土壤。②

可以看到,以上三家所展示的对外汉语教学学科体系既有共同之处,也有各自的特色。首先,吕、崔、刘都把学科体系划分为三个层次;都有基础理论和应用理论的内容(尽管说法不尽同);都强调学科的综合性、跨学科性和应用性;并且在主要的、实质的内容方面看法大致相同。不同的部分主要在于:吕的体

---

① 参见崔永华《对外汉语教学学科概说》,《中国文化研究》1997年春之卷。
② 参见刘珣《对外汉语教育学引论》,北京语言文化大学出版社2000年版,第13—18页。

系中有"教学法"的内容；崔的体系中有"学科发展史"等内容；刘的体系中有"教育实践"等内容。比较起来,崔和刘的体系更为接近,几近无大区别的程度。这主要表现在崔和刘的体系框架基本相同；并且跟吕的体系比,两家体系中都有汉语语言学、学科方法论、教学管理理论,以及总体设计、教材编写、课堂教学、测试评估等方面的内容。在以上三家体系模式中,吕的体系提出得最早,并得到修正和完善,在对外汉语教学界影响较大；后两家提出较晚,但考虑细密,且有所创新。

为进一步了解有关情况,下面介绍几家国外第二语言教学界和国内外语教学界的同行对第二语言教学学科理论体系的构建或教学理论模式的描写,以便我们更好地概括对外汉语教学的学科体系。例如：

4. Ingram(1980)对外语教学模式的描写是：基础学科,如语言学、心理语言学、社会语言学、心理学和社会学等学科是理论科学家的研究领域,他们的研究成果为应用语言学家的研究提供了理论依据和启发,应用语言学家在此基础上制定语言教学的原则,并应用于教学大纲、教学目标的制定和教学方法的选择,这些内容通过外语教师的课堂教学实践的检验而成为应用语言学理论的一部分。外语教师根据应用语言学家的理论进行课堂实践并在实践中获得某些技巧和方法。①

5. Stern(1983)提出了外语教学三个层次的理论模式：第一层次是理论基础,包括语言教学史、语言学、社会学、社会人类

---

① 参见束定芳、庄智象《现代外语教学——理论、实践与方法》,上海外语教育出版社1996年版,第13—16页。

学、人类学、心理学、心理语言学、教育学等研究成果；第二层次为中间层次，主要是应用型理论，包括学习理论、语言理论和教学理论；第三层次为实践层次，包括方法和组织机构。①

6. 束定芳、庄智象《现代外语教学——理论、实践与方法》把外语教学理论的研究划分为本体、实践和方法三个层次：本体论层次，研究的目标是语言和语言使用的本质及外语学习过程的本质，可以吸收普通语言学、社会语言学、语用学、心理学、心理语言学等的研究成果；实践论层次，研究目标是外语教学的具体实施，包括教学的组织机构、教师培训、大纲的制定、教材编写、测试评估等等；方法论层次，研究教学实践中贯彻教学原则的手段和方法。②

7. 应云天《外语教学法（新本）》把外语教学法体系分为教学思想和课程设计两大部分，前者是后者的指导思想和原则，后者是前者的体现。其中教学思想是指对语言特性、社会功能及掌握外语的过程等的认识；课程设计包括如何确定教学目的、教学内容、教学流程和教学方法。③

不难发现，4—7四位学者的观察角度跟我国对外汉语教学界学者的观察角度不尽相同：比较来说，后四位主要着眼于第二语言教学的整个过程来谈学科的理论的研究内容，理论色彩较淡而工作流程色彩更浓，前三位主要着眼于第二语言教学的学

---

① 参见束定芳、庄智象《现代外语教学——理论、实践与方法》，上海外语教育出版社1996年版，第13—16页。
② 参见束定芳、庄智象《现代外语教学——理论、实践与方法》，上海外语教育出版社1996年版，第19—28页。
③ 参见应云天《外语教学法（新本）》，高等教育出版社1997年版，第67—68页。

科理论体系本身来谈学科的理论研究内容,理论色彩更浓而工作流程色彩较淡。尽管如此,后四位学者无论是从外语教学模式的角度,还是从外语教学法体系构成的角度,对外语教学理论体系所进行的描写和概括,对对外汉语教学学科理论体系的研究都是很有启发和借鉴意义的。其中最重要的一点就是,理论研究和理论体系的构建,应着眼于教学实际,紧密结合并服务于教学实践的需求,解决教学过程中的理论问题。事实上,后四位学者和前三位学者的基本观点非但不矛盾,而且大有不谋而合之处。比如,除7以外前六位都把教学理论研究的内容划分为三个层次或三个部分,这是很有意思的现象。而且在具体层次上也有诸多相同之处,例如,2的"学科支撑理论"、3的"理论基础",跟4的"基础学科"、5的"第一层次"、6的"本体论层次"在内容、定位和预想功用等方面基本一致。其他两个层次或部分也大体相类似。不过,国外第二语言教学界和国内外语教学界的同行似乎更强调不同层次上的理论的"转化",特别是强调理论家、应用语言学家和外语教师的"分工",如4。强调转化是不谓错的,因为第二语言或外语教学是应用性较强的交叉学科,但是过于强调分工则与第二语言教学和外语教学的实际不大相符,实际上也是过于低估了语言教师应有的地位和作用。

二 对外汉语教学的学科建设体系

(一) 问题的提出及对策

从以上概述可以看出,第二语言和外语教学界对学科理论体系的看法在观察的角度、体系构成的格局及具体内容方面还存在一定分歧,尽管也有不少相同、相近之处。一个较普遍的现象是,多数学者都把所谓的学科理论基础看成是学科理论体系的一部分,这恐怕是有问题的。此外,把诸如教材编写、大纲编制、学科发展史、学科方法论、教学管理、师资培养、教育实践等属于学科应用研究、学科发展建设乃至于学科教学活动、工作安排方面的内容也看成是学科理论体系的内容,同样也是有问题的。这就涉及到什么是学科理论体系,体系的形成和概括应依据什么标准? 上面所提到的教学管理、师资培养、教育实践,乃至教材编写及其研究能否都看成是学科理论体系的组成部分? 如果不能,那么该把它们概括到什么范畴中去? 它们与学科的基本理论或者说学科的基本理论体系是什么样的关系? 对诸如此类的问题,都缺乏应有的研究。为此,这里打算在前人研究的基础上对有关问题作进一步的探讨和概括。提出"对外汉语教学学科建设体系"和"学科发展建设"这样两个概念,并重新确立学科基础理论、学科基本理论、学科应用理论的内涵和地位。

(二) 对外汉语教学学科建设体系

所谓学科建设体系,包括有关学科理论的各个方面和教学实践的各个环节,以及学科发展和建设所涉及的各项内容,它由学科理论基础、学科基本理论、学科应用理论和学科发展建设四个部分组成。学科建设体系概念的提出,主要是基于第二语言教学(对外汉语教学)是一门在多种学科理论支持下形成的交叉学科、是一门实践性极强的应用学科的特点,同时也是基于对外汉语教学在我国还缺乏应有的学术传统,因而有待进一步发展和探索这一客观现实。对外汉语教学学科建设体系的基本内容包括:

1. 学科理论基础——是对外汉语教学学科的基本理论赖以形成的基础,这是由对外汉语教学的跨学科性决定的。主要包括哲学、语言学、教育学、心理学和文化学。学科理论基础是对外汉语教学学科发展和建设所应关注的重要内容，也是对外汉语教学理论研究的主要内容之一。不关注学科基础理论的研究现状、发展趋势和重大进展，对外汉语教学就失去了可持续发展的基本条件。所以，对对外汉语教学学科理论基础的研究应该是对外汉语教学理论研究的一部分，这一点是无须动摇的。但是，对外汉语教学的学科理论基础本身并不就是对外汉语教学的学科基本理论，对学科理论基础的研究及有关成果可以看作是对外汉语教学学科建设（体系）的成果，但不应看作是对外汉语教学学科基本理论（体系）的成果，这也是无须怀疑的。因为学科基础理论及其有关学科都属于各自独立的学科，有各自的研究对象、研究目的、研究方法、研究手段和理论体系。同时，这样的研究成果（比如汉语语言学）绝大多数情况下都不能直接应用到对外汉语教学实践中去；而教学中遇到的难点（包括急需解决的一般性问题），或者不是学科理论基础研究（如汉语语言学研究）所关注的重点问题，或者研究目的和角度等与教学的实际需要大不相同。

2. 学科基本理论——这是对外汉语教学学科的核心理论，是学科存在的标志，它能够全面指导对外汉语教学实践，全面指导对外汉语教学学科应用理论的研究。它虽具有跨学科的性质，但它是在学科理论基础的指导下，结合教学实际需要而形成的服务于教学的教学理论，体现着学科的性质和特点。它是对外汉语教学最基本、最直接、最有应用价值的学科理论本身。学科基本理论的形成及其体系的建立，应该符合以下三个条件：第一，在学科理论基础（体系）中可以找到确定的支撑理论；第二，是对外汉语教学实践的两个根本问题"教什么"和"怎么教"（包括"学什么"和"怎么学")的理论体现;第三,能够作为学科应用理论研究的理论基础,也即能够全面指导有关教学的应用研究。符合这三个条件,便有可能做到有内在联系、有来源有应用,能指导教学实践、能解决实际问题,前后连贯、逻辑一致,简明周到、科学实用。据此来看,对外汉语教学的学科基本理论应包括学科语言理论、语言学习理论、语言教学理论、跨文化教学理论。它们的支撑理论分别是语言学、心理学、教育学和文化学,也分别包括具有广泛支撑性的哲学。其中,学科语言理论和跨文化教学理论主要帮助第二语言教学解决"教什么"(包括"学什么")的问题,语言学习理论和语言教学理论主要解决第二语言教学"怎么教"(包括"怎么学")的问题;这些理论及其各自所包含的具体内容是能够指导诸如教学目标的确立、教学大纲的制定、教材的编写及评估测试等有关学科的各项应用理论研究。学科基本理论(体系)中的每一种理论都包含若干个理论研究的具体范围和方向。(参见下文)应该指出的是,学科的理论基础是学科基本理论形成的依托,但是学科基本理论的研究反过来也能够促进学科理论基础的研究。例如,学科语言理论研究中包括对所教授语言(特定语言学)的面向教学需要的语言本体研究,而这样的研究往往能够发现一些面向语言理论研究需要的语言本体研究所发现不了的重要语言现象,从而拓宽语言本体研究的范围,促进语言本体研究的深入,丰富理论语言学研究的成果。

3. 学科应用理论——是对外汉语教学学科基本理论的应用和体现,也即综合运用对外汉语教学的基本理论来研究教学中的某一实际问题,如教材编写的理论研究、测试理论研究、课程设计研究等。这类研究所形成的有关理论适用面最窄,应用性最强。如教材编写原则,是综合运用学科语言理论、语言教学理论、语言学习理论和跨文化交际理论的有关内容,结合教材编写中的实际问题,得出的指导教材编写的基本理论原则。学科应用理论研究的范围主要包括:教学目标研究、教学大纲研制、学科课程设计、学科课程建设、测试理论研究、评估理论研究、教材编写理论研究、课堂教学研究、教学技巧研究,等等。同样应说明的是,对外汉语教学应用理论赖以形成的依托是对外汉语教学的学科基本理论,但是学科的应用研究反过来也能够为学科基本理论的研究提供启发和借鉴。例如,课堂教学技巧的研究往往能够促进语言教学理论中教学原则理论的研究。

4. 学科发展建设——这是对外汉语教学作为一门学科,尤其是作为一项事业,可持续发展所必不可少的方方面面,主要包括:师资队伍建设、教师进修培训、教学管理研究、学科发展规划、教学实践研究、教学技术的开发、教学资源管理、学科历史研究,等等。有关学科可持续发展和建设的调查和研究主要依托于学科应用理论的研究成果和学科应用研究所反映出的问题。例如,课堂教学的调查研究所反映出的问题,可以进一步促使教学管理研究、师资队伍建设、教师进修培训等的研究。反过来,学科发展建设方面的进步也能够促进学科应用理论的研究,例如,教学实践的深入、教学新技术的开发,往往能够丰富课程设计的理论和实践、促进课程体系建设。

根据以上的论述可以发现,对外汉语教学学科建设体系组成部分之间的关系是:

学科理论基础→学科基本理论→学科应用理论→学科发展建设,依次构成前者对后者理论上的指导关系、启发关系;

学科发展建设→学科应用理论→学科基本理论→学科理论基础，依次构成前者对后者理论上的依托关系、促进关系；

上面这种动态的相互关系构成了对外汉语教学学科建设体系的内在联系和对外汉语教学可持续发展的基础。对外汉语教学的学科理论体系由基本理论（体系）和应用理论（体系）构成，它们是对外汉语教学学科建设体系中的一部分，无疑也是最重要的一部分。其中前者更为根本，最能体现学科的属性，具有学科唯一性（也即只有某一学科所具有），因而是第二语言教学学科存在的标志；后者只是前者的应用研究（没有前者后者就无法进行），不具有学科唯一性，不能成为第二语言教学学科存在的主要标志。因为，任何学科都有教学大纲的研制、教材编写研究、测试理论研究、课堂教学研究之类的应用性研究，但是除了第二语言教学和外语教学，似乎没有哪一个学科一并进行语言理论、语言学习理论、语言教学理论和跨文化教学理论的研究，因此它们是——也只有它们是对外汉语教学学科的"基本"理论。

至此，我们可以把对外汉语教学学科建设体系简述如图3—3：

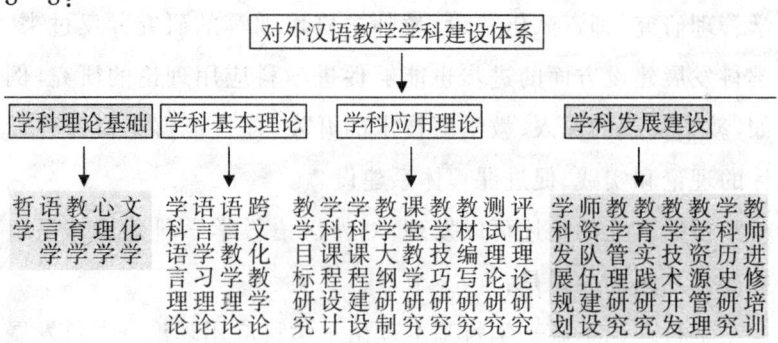

```
              对外汉语教学学科建设体系
    ┌─────────────┬─────────────┬─────────────┬─────────────┐
    ↓             ↓             ↓             ↓
 学科理论基础   学科基本理论   学科应用理论   学科发展建设

 哲 语 教 心 文  学 语 语 跨   教 教 学 教 课 教 教 测 评   学 师 教 教 教 教 学 教
 学 言 育 理 化  科 言 言 文   学 学 科 学 堂 材 学 试 估   科 资 育 育 学 学 科 师
   学 学 学 学  学 学 习 化   目 科 大 教 教 编 技 理 研   发 队 实 管 实 资 历 进
               言 理 理 教   标 程 纲 学 学 写 巧 论 究   展 管 践 理 术 源 史 修
               理 论 论 学   研 设 研 研 研 研 研 研     规 理 研 研 开 管 研 培
               论       理   究 计 制 究 究 究 究 究     划 研 究 究 发 理 究 训
                       论                                   究
```

图 3—3

第四章
对外汉语教学学科基本问题研究

第一节 对外汉语教学学科的方法论[①]

"科学方法是科学的灵魂。"[②]在科学发展史上,一门学科理论和实践的进步,总是包含着方法论上的创新和突破。可见学科方法论,对学科的建设和发展极为重要。

目前,对外汉语教学事业正在蓬勃发展。人们逐渐认识到,学科方法论的建设,已经成为对外汉语教学学科的教学实践和理论建设的一个关键问题。过去讨论方法问题,一般集中在教学理论、方法、技巧和汉语语音、语法分析、文化因素等问题上。通常是在强调对外汉语教学的复杂性时,指出它"涉及"心理学、教育学、文化学等学科,常常是点到为止。对于与各学科的实质关系以及如何运用相关学科的理论、方法解决本学科的问题,还缺少深入的研究与论述。

可喜的是,近年来,这种状况已经开始转变,有的学者已经开始学科方法论方面的研究,在教学和研究实践中,也开始有人探索综合运用教育学、心理学、语言学的方法,解决本学科的一

---

① 本节摘自崔永华《关于对外汉语教学学科的方法论问题》,《语言教学与研究》1998年第2期。

② 参见高兴华等《科学认识论教程》,四川大学出版社1991年版。

些问题。这使对外汉语教学这门交叉学科,开始实实在在地"交叉"起来,大大丰富了本学科的理论和实践,打开了本学科方法论建设的新局面。

本文试图在此基础上,说明自己对本学科方法论问题的一点粗略的看法。

一 关于学科方法论①

方法论是一个哲学概念,是关于认识世界、改造世界的一般方法的学说。

对于学科方法论,人们的理解不尽相同。本文把学科方法论理解为关于学科方法的理论和方法体系。笔者认为,对外汉语教学学科的方法论包括四个层次。

1. 哲学层次。哲学层次的方法论解决语言教学的价值观问题,包括对语言教学的基本看法,对教学、教学研究的基本态度和方法论原则等问题。

2. 一般科学方法层次。这包括所谓次哲学范畴的系统方法(系统论、信息论、控制论、突变论、耗散论、协同论等)和数学、逻辑方法,是帮助我们认识和解决语言教学问题的基础方法的一部分。

---

① 参见两部辞书对"方法"和"方法论"的解释:《现代汉语词典》:方法:关于解决思想、说话、行动等问题的门路、程序等。方法论:(1)关于认识世界、改造世界的根本方法的学说。(2)某一门具体学科上所采用的研究方式、方法等的综合。

《辞海》:方法论:关于认识世界和改造世界的根本方法。方法论和世界观是统一的。用世界观去指导认识世界和改造世界,就是方法论。一般来说,对世界的基本观点怎样,观察、研究、改造世界的根本方法也就怎样。……各门具体学科还有自身的方法论。

3. 通用方法层次。即普遍适用于自然科学或社会科学研究的方法。例如,实验法、观察法、社会调查法、历史法、文献法等。

4. 学科方法层次。即本学科所运用的理论、方法和技术。本学科可分为两部分。一部分是借助于其他学科(如教育学、心理学、语言学等)的理论和方法;另一部分是本学科特有的理论和方法。比如语言教学中的直接法、功能法、沉默法,研究中的中介语、偏误分析、语言习得、语言能力研究的理论和方法。

本文讨论对外汉语教学学科方法论在上述四个层次上所涉及的学科领域和相关问题。不讨论具体方法。

二 哲学层次

哲学是最高层次的、最根本的方法,是理论化、系统化了的世界观。"世界观就是方法论。当人们用它去说明世界的时候,就是世界观,当人们用它去指导认识和改造世界的活动的时候,就成为方法论。"[①]唯物辩证法是对外汉语教学实践和研究的根本指导思想,它所揭示的对立统一规律、质量互变规律、否定之否定规律、物质和意识的关系、实践和认识的关系,以及关于因与果、必然与偶然、内容与形式、现象与本质诸种关系的观点,都是教学、研究和学科建设应当遵循的基本原则。具体来说,在对外汉语教学中,哲学的指导作用至少体现在以下几方面。

---

① 参见吴元樑《科学方法论基础》,中国社会科学出版社1991年版。

形成科学的学科的价值观。即以辩证唯物主义的态度对待语言,对待教育,对待学习者,对待语言教学,正确认识学科的性质,形成科学的语言观、学生观、学习观、教学观。

学科的价值观,从根本上决定着学科方法论的原则。因为"研究对象对研究方法影响极大,它的特点规定和制约了研究方法的性质和特点,有什么样的研究对象,就会形成相应于它的研究方式和方法。"[①]对外汉语教学的研究对象是对外汉语教学的过程。内容包括学生、教师、语言、教材、教学计划、课堂教学等因素及其相关关系。显然,研究这个过程涉及多门学科,需要多学科的方法。因此,我们把它称为"交叉学科"。交叉是指所涉及的领域和方法论的交叉。交叉学科,要以交叉学科的方法对待,不仅要能说出是哪些学科的交叉,而且要学习、研究、搞懂相关学科的理论和方法,并用来指导教学实践与研究。

树立科学的态度。科学态度,首先表现在正确处理理论和实践的关系上。

一方面,要坚持实践第一的观点。对外汉语教学的研究和实践,是学科发展的根基。对外汉语教学是一门实践性很强的科学,它的学科建设离不开教学实际,它的理论、结论都来源于教学实践和科学实验,理论研究者要作实际的调查、研究、分析,而不应单凭良好的愿望或主观臆想。

另一方面,要认识理论对实践的指导作用。没有科学的理论,就没有科学的实践。当前的学科建设需要在真正认识学科

[①] 参见吴元樑《科学方法论基础》,中国社会科学出版社1991年版。

交叉性的基础上,切实学习、了解相关学科的理论和方法,用科学的理论和方法探索、描述科学规律并进行研究,避免单纯经验主义的摸索。经验是宝贵的,是学科建设的基础,但更重要的是把经验升华为理论,这才是经验最好的归宿,才能更有力地推动学科的发展。

指导科学的认识和实践。哲学揭示认识客观事物的一般原则。多年来,我们在教学实践中,都是在自觉不自觉地或遵循或违反着唯物辩证法的一些基本规律,如对立统一规律、事物间存在普遍联系的规律等。当我们遵循这些规律时,事情就做得好一些。相反,就可能遇到挫折。

唯物辩证法认为,对立统一规律是事物存在和发展的根本规律。语言教学中常常遇到种种关系,例如教和学、讲和练、教师和学生、知识和技能、此技能和彼技能、新知识和旧知识、课内和课外等等的关系。关系就是矛盾。但是,我们对它们还很少自觉地从对立统一规律的角度去分析。在教学实践和研究中,我们需要提高运用科学的世界观和方法论指导学科建设的自觉性。

无疑,哲学作为认识论和方法论,对于任何学科都是非常重要的。有重大理论创造的科学家,包括教育学家、心理学家、语言学家、语言教学流派的创始人,很多人都同时是哲学家或对哲学问题有深刻的见解者。当然,"哲学对语言教学法的影响有直接的,有间接的。哲学观点先影响语言学、心理学、教育学,转而影响语言教学法。"①

---

① 参见王武军《日语教学法》,高等教育出版社 1987 年版。

三 一般方法层次

这里说的一般方法指被某些学者统称为系统科学的系统论、信息论、控制论、突变论、耗散论、协同论和逻辑学、数学、信息科学(包括中文信息处理),也有人将它们统称为横断科学。尽管关于一般方法的范围和学科地位各家说法有异①,但是有一点是肯定的,即它们已经成为各学科方法论的重要组成部分。这里以系统论和数学方法在对外汉语教学领域中的运用为例,稍加说明。

系统科学为科学研究和实践提供一种普遍适用的思想方法和认识工具。对外汉语教学的理论和实践跟其他领域一样,都可以看作是一个系统。那么我们应当如何运用系统科学的方法来对待和认识对外汉语教学呢?

比如说,大家都认为语言是一个系统。那么,这个系统在语言教学中是怎样运作的?在教学中,语音、词汇、语法、汉字之间的关系如何?如何用系统科学的观点和方法对这些关系加以描述?

对外汉语教学的教学过程也是一个非常复杂的系统。这个系统包括诸多的因素,如从管理上说,有招生、编班、教师、教材、教学计划、教学大纲、课堂教学、课堂管理、教学管理、考勤、考绩、考试、课外活动、教书育人等;从办学条件上说,有科研成果、经济实力、学校在社会上的地位、宣传和公共关系、实验室、图书馆、出版社、宿舍、伙食、电教设备、交通、气候、语言环境、校园环

---

① 有人认为系统科学属于"次哲学"范畴,有人认为属于一般方法论范畴。

境、跟家长的联系等；从组织系统来说，有国家、教育部、学校，学校有教务处、科研处、外事处、各教学单位、后勤单位等。我们应当运用系统科学的思想、理论和方法，分析、描写、改进这个复杂的系统，使它能够尽可能合理地、有效地运转。

事实上，语言教学的程序教学法就是根据控制论的理论建立起来的。用系统论、信息论、控制论的理论和方法研究教学过程，对编排最优化的教学程序，选择最适合的教学内容和最佳的教学方法，都有重大意义。①

再说数学方法。"数学是关于量及其关系的科学，是从量的角度来研究、反映客观世界及其规律的工具。近现代科学的发展，就是同数学方法的应用和发展紧密相联的。科学数学化成了现代科学发展的一个重要特点。……马克思认为一种科学只有在成功地运用了数学之后，才算达到了完善的地步。"②语言教学领域在近些年的发展中，已经大量地使用了数学方法。例如信息处理手段在教学和研究过程中的运用，数学模型在语言习得规律的研究和描写中的运用，教育统计学和教育测量学在汉语考试和有关研究中的运用，等等。事实上，数学方法已经成为对外汉语教学学科中不可缺少的科学语言和工具。

这里举一个笔者亲历的例子。为研制汉字教学的部件系统，笔者用计算机对"汉语水平考试词汇大纲"中使用的每个汉字的部件进行了统计、分析。统计涉及 500 个部件、2 866 个汉字、8 822 个词。如果靠人工来作比较和统计，则一回需要作上

---

① 参见王武军《日语教学法》，高等教育出版社 1987 年版。
② 参见吴元樑《科学方法论基础》，中国社会科学出版社 1991 年版。

百亿次比较：

500×2866×8822 = 12 641 926 000

（一百二十六亿四千一百九十二万六千）

若按一秒钟比较一次计算,则需要 400 年时间：

12 641 926 000/60 秒/60 分/24 小时/365 天/ = 400 年

这还只是比较一回。实际上,要制定一个系统,要进行多次比较、统计,那么就需要若干个 400 年。当然,人做事可能不像计算机那么机械,但是人也不可能每天工作 24 小时,更不可能像计算机那样准确无误。而使用计算机和中文信息处理技术,在已有语料库的基础上,通过程序,只要几十分钟便可以进行一回统计。[①]

四 普遍方法层次

普遍方法是指自然科学、社会科学、思维科学都普遍使用的方法,如观察法、调查法、实验法、测量法、统计法、文献法、历史法等等。这些方法在对外汉语教学研究中都经常使用。（本节论述从略）

五 学科方法层次

对外汉语教学是一门交叉学科。对此说法是不存在争议的。尽管人们对所涉及学科的范围看法不一,但认为它涉及语言学、教育学和心理学是一致的看法。所以我们只讨论这三个学科理论和方法与本学科的关系。

---

① 参见崔永华《汉字部件和对外汉字教学》,《语言文字应用》1997 年第 3 期。

多年来,人们一直把对外汉语教学看作是语言学的一个分支——应用语言学。对此,已有人提出不同看法。一个学科的性质是根据其研究对象决定的。很明显,对外汉语教学学科跟汉语语言学的研究对象不是一回事。尽管汉语教师要有汉语知识,应当对汉语有所研究,甚至是汉语专家,但是研究汉语教学,不是研究汉语。对外汉语教学的研究对象是汉语教学的过程和过程所涉及的各种因素。汉语作为教学内容,是教学中的一个因素。汉语也正是在这个意义上作为对外汉语教学学科的研究对象。

交叉学科本身是一门新的学科,它不应是所涉及学科中的一个。粗略地说,在对外汉语教学学科中,语言学规定教学内容,教育学规定教学的基本原则,心理学参与规定教学顺序和方法。无论人们自觉与否,任何汉语教学,都是这三个因素在起主要作用。其中教育学、心理学的比重有时还可能占得更多一些。所谓的教学经验,本质上是对教育学和心理学规律的自觉或不自觉的探索。这是为什么一个语言学基础未必很厚的语言教师,可以取得很好的教学效果,而一位功底深厚的语言学家,却未必能成为优秀的语言教师的原因。

对外汉语教学与语言学的关系。从事和研究语言教学不能不懂语言学,特别是不能不懂所教的语言。语言学跟语言教学的关系至少表现在三个方面。

作为教学内容。教师、研究者应当了解其基本规律,以合理地选择和安排教学内容。语言教学研究者、教材编写者和优秀的教师,还应当关注语言学领域的新成果。近三十年来,语言理论、汉语研究都取得很多新成果,但是从总体上看,汉语教学的各方面吸收新成果甚少,在教学内容、教学理论和方法上,对于转换生成语法、系统语法、话语分析等领域取得的卓越成果,很少反映。

作为教师的知识背景。优秀的教师应当是汉语专家,至少应当具备正确使用汉语的能力和必备的语言学知识。

作为分析语言教学过程的方法。分析语言教学,常常需要懂得语言学的方法,比如语言教材的编写、教学中所需的汉外语言对比、偏误分析、中介语描写、语言能力分析,都离不开语言学的方法。但是,这已不是纯粹的语言学方法,不是用来追求语言学上的突破。

对外汉语教学与教育学的关系。教育学是关于教育一般规律的科学。对外汉语教学作为学校教育的一部分,可以叫做"汉语教育学"。因此它必须遵循教育学的一般规律。教育学为学校教育规定的道德养成、智力发展和能力培养三个方面的目的,教学的一般原则(如思想性、科学性、直观性、量力性、自觉性、巩固性、系统性诸原则),一般教学方法(如启发式、归纳法、演绎法),以及课程设计、课堂教学的一般原理等,都对对外汉语教学有指导意义。教育学的各分支大都跟本学科相关,这里试举几例说明。

1. 教育哲学。教育哲学讨论教育的价值观和教育目的问题。作为大学教育的语言教学,应当遵循人的全面发展的原则[①],在教学设计、教材编写、课堂教学过程中,要坚持利于学生

---

① 参见崔永华《关于汉语言专业(对外)的培养目标》,《语言教学与研究》1997年第2期。

道德、智力、能力综合素质的全面健康发展,而不能顾此失彼,舍此求彼。笔者看到某国的一种教材,可能是为了增加情趣,其中有的课文污秽得令人不忍卒读,显然违背了教育的基本原则。

2. 教学论。也称为"课程学"①,被认为是教育学的核心。目前国内流行的对外汉语教学理论,实质上应当是教学论一般原则在对外汉语教学中的具体应用。教学论讨论学校教育的教学过程、教学目的、教学原则、教学主体、课程编制和设计、教学方法、教学组织形式、教学媒体、教学环境、教学管理、教学评价等的一般原则。我们应当在这个基本框架下,进行本学科的教学实践和教学理论建设。另一方面,近十年来,国内外教学论(包括分科教学论)的研究成果和专著、译著大量出现。在对外汉语教学事业和学科建设迅速发展的今天,我们应当结合教学本身的发展,积极从教学论科学中吸取营养,改进和完善对本学科的教学理论,指导教学和研究的实践。

3. 教育管理学。在语言教学中,管理占有十分重要的地位。这里的管理包括教学管理,也包括生活和其他管理。对外汉语教学的教育管理是一个系统工程。以汉语速成教学为例,要保证教学质量,必须把握住招生、编班、授课、预习、作业、考勤、测试、升级、语言实践、论文写作等各个环节,甚至宿舍、食堂都构成影响学生学习效果的因素。国内外的办学经验都证明,只有一流的管理,才能获得一流的教学质量。

外语教学的教学和研究方法。对外汉语教学与外语教学隶属同一上位学科。我国的英语和其他语种的教学与研究,成果

---

① 有人将二者视为一,有人认为不同。

甚丰。其教学和教学研究的方法和成果,无疑是我们应当借鉴的。

4. 教育心理学。这是心理学和教育学交叉而成的一门学科(将在下文中说明)。

对外汉语教学与心理学的关系。语言学习是一种心理过程,它一方面同心理活动的感觉、知觉、表象、记忆、思维、想象、联想等密不可分,另一方面又时时受到动机、信心、兴趣、情感、意志、注意等心理现象的制约,同时学习者的个性和认知方式对学习也有重要的影响。① 可见,语言学习是一种完整的心理过程。

语言教学发展史说明,语言教学跟心理学关系极为密切。20世纪40年代风行的听说法,以行为主义心理学的刺激、反应学说为其支柱。认知法也与认知心理学有很密切的联系。心理学家直接参与外语教学法的理论研究和教学实践活动,已经成为当代外语教学法的重要特点之一。认知法、自觉实践法、暗示法的首创人都是心理学家。

跟外语教学相关的心理学分支有普通心理学、教育心理学、语言心理学/心理语言学、认知心理学、外语教育心理学等等。这些分支在不同的层次上为外语教学提供心理学的依据,是语言教学原理的心理学来源,对语言教学有重要的指导作用。其中语言心理学、认知心理学和外语教育心理学跟语言教学的关系更为密切。语言心理学是以研究和认识这些语言机制的功能、作用及其发展为对象的。"研究语言的获得就是语言发展心

---

① 参见胡春洞《英语学习论》,广西教育出版社1996年版。

理学,它是心理语言学的一个分支。"①认知心理学是研究大脑思维、记忆、问题处理的科学。根据彭聃龄的说明,汉语认知研究的主要任务是:第一,揭示汉语信息加工的过程及其影响因素;第二,研究汉语、汉字在头脑中储存的特点;第三,研究汉语句子和课文的理解;第四,研究儿童学习和使用汉语、汉字的规律;第五,研究汉语识别的脑机制;第六,进行汉语识别的计算机模拟;第七,进行跨语言文字的比较研究。② 外语教育心理学则更直接"研究外语教学的心理基础,为建立外语教学的基本原则和教学方法体系并正确组织外语教学工作提供心理学论据。"③运用这些心理学的理论和方法,可以揭示语言学习的过程、规律,为语言教学的设计、教材编写、课堂教学、教学管理、语言测试提供重要的依据。

朱纯说,"近来直接对第二语言学习进行心理学研究的必要性已为更多的人所承认。""这意味着人们将继续多年前已开始的工作,涉足心理学和心理语言学领域,了解与语言教学有关的理论、概念和研究发现,由此推断并计划运用于语言教学理论。另一种情况是,近十年来发展了一种更专门的第二语言学习心理学,直接对第二语言学习、教学和使用进行实验研究。"④

当前,随着教育学、教学论、心理学、认知心理学、汉语认知研究和对外汉语教学学科的发展,已经有越来越多的研究者在用心理学和认知科学的方法探索外国人学习汉语的规律。

---

① 参见靳洪刚《语言获得理论研究》,中国社会科学出版社1997年版。
② 参见彭聃龄等《汉语认知研究》,山东教育出版社1997年版。
③ 参见朱纯《外语教学心理学》,上海外语教育出版社1994年版。
④ 参见朱纯《外语教学心理学》,上海外语教育出版社1994年版。

六　学科方法层次

一般把汉语语言学、汉语教学理论、汉语习得理论作为本学科的基础理论。这三种理论和所提出的教学与研究方法，构成本学科的方法论体系。这里仅对这三者在本学科方法论中的地位作简单的说明。

关于汉语语言学。前面已经说过，在对外汉语教学方法论体系中的语言学理论和方法，是服务于汉语教学和学习的理论和方法。它不以语言本身研究的突破为主要目标，而主要是把汉语研究的成果，运用到汉语教学中去，从教学的角度，即从如何利于学习者学习的角度研究汉语。当然，学习者学习汉语的过程，会给发现汉语的规律很多有益的启发，反过来丰富汉语语言学的理论和研究成果。

关于汉语教学理论。汉语教学理论，大致相当于我们常说的对外汉语教学法，是教育学分支——教学论（或课程论）在对外汉语教学中的运用。其基本框架、基本原理来源于教学论。应当承认，这在我们现行的著述中还没有得到充分的体现。汉语教学理论结合汉语教育的特点，规定对外汉语教学的性质、价值、原则和方法论体系。

关于汉语习得理论。全称可为"汉语作为第二语言的习得理论"，以区别于母语的习得研究。第二语言习得研究与语言学、心理学、认知学、社会学、文化学有着比较密切的联系。它虽然只有三四十年的历史，但其理论基础已经相对比较雄厚。第二语言的研究，从两个角度对语言习得进行研究。一是对语言学习者的研究，二是对语言学习过程本身的研究。心理测试和统计学的方法,在语言习得研究中得到广泛的应用。① 当前,对外汉语教学领域中的第二语言习得研究主要集中在四个方面:偏误分析、中介语研究、习得过程研究、语言能力研究。②

本学科的上述三个基本理论,不是各自孤立的,而是有机地结合在一起的。其基本联系可以表述为:

教学逻辑＝语言本体逻辑＋语言习得逻辑③

其中教学逻辑指语言教学原则、顺序、方法等;语言本体逻辑指语言项目(语音、词汇、汉字、语法、功能等)本身结构的复杂性(学习的难易度)和运用的轻重缓急等;语言习得逻辑指学习者习得语言项目的自然顺序和方法。

从哲学的角度来看,可以把汉语教学(教学逻辑)理解为由语言本体逻辑和语言习得规律构成的对立统一体。其对立表现在二者的矛盾上,有时结构简单的语句,并不易学;交际上急需的项目,由于其表达方式难度较大,教学中可能要较晚安排。其统一表现为两方面,一是二者在难易、缓急上有不少一致之处。二是二者缺一不可地共同决定着汉语教学的逻辑。

七 小结

学科方法论的建设关乎学科发展的根本,对外汉语教学学

---

① 参见袁博平《第二语言习得研究的回顾与展望》,《世界汉语教学》1995年第4期。

② 参见王建勤《汉语作为第二语言的习得研究》,北京语言文化大学出版社1997年版。

③ 这一表述受到廖哲勋论述教材顺序的启发。其原文为:"教材顺序是由分科教材的逻辑顺序与学生心理发展的顺序结合而成的各科教材内容外在的组织形式。"(参见廖哲勋《课程学》,华中师范大学出版社1991年版,第217页。)

科,应当尽快建立自己科学的方法论。

学科的基本性质,决定着学科的研究对象与方法体系的理论和内容。

学科的综合性决定着学科方法的综合性,要提高综合运用各层次的科学方法的自觉性,全面地掌握学科的教学和研究方法,而不应囿于单纯的语言学方法。

第二节 对外汉语教学的学科理论基础[①]

一 对外汉语教学的学科理论基础研究概述

第二语言教学的学科理论基础研究,一直是第二语言教学理论研究的重点。汉语作为第二语言教学的理论研究同样十分重视对学科理论基础的研究。首先回顾一下20世纪80年代初以来,对外汉语教学界有关这一问题的一些基本认识:

1. 吕必松《关于语言教学法问题》指出:"语言教学法实际上是语言规律、语言学习规律和语言教授规律的总和",探索和阐明这些规律"必须依靠语言学、心理学(心理语言学)和哲学的理论指导","所以语言学、心理学(心理语言学)和哲学是语言教学法的理论基础。"[②]黎天睦在《现代外语教学法——理论与实践》中着重介绍和分析了现代外语教学法的心理学基础和语言

[①] 本节摘自赵金铭主编《对外汉语教学概论》,商务印书馆2004年版。
[②] 参见吕必松《对外汉语教学探索》,华语教学出版社1987年版。

学基础,以及外语教学中的社会与文化因素。①

2. 盛炎《对汉语教学理论研究中几个热门问题的思考》认为,汉语教学理论体系的理论基础"应该是多学科性的,其中哲学、语言学、心理学和教育学是必不可少的"。② 在《语言教学原理》中又进一步指出,哲学是语言教学理论体系最深厚的理论基础,现代语言学是汉语教学理论体系的最直接的理论基础,心理学也是语言教学理论体系的重要理论基础,教育学跟语言教学的关系最为直接、最为密切。③

3. 张亚军《对外汉语教法学》认为,语言学理论基础和教育学理论基础是中国对外汉语教学体系的理论基础。也就是说,对外汉语教学的理论基础"是以现代语言学理论和传统语法为语言学理论基础,以中国传统的教育学理论中的合理因素作为教育学基础,同时它也借鉴了其他外语教学发理论的研究成果"。④

4. 刘珣《对外汉语教育学引论》一书中指出:"作为一门交叉学科,对外汉语教学受到多种学科的启示和影响。其中,语言学、教育学、心理学和文化学已成为对外汉语教学最直接、最重要的理论基础。"⑤

综上可以看出,人们对对外汉语教学的学科理论基础的认

---

① 参见[美]黎天睦(Timothy Light)《现代外语教学法——理论与实践》,北京语言学院出版社 1987 年版。
② 参见盛炎《对汉语教学理论研究中几个热门问题的思考》,《中国对外汉语教学学会第三次学术讨论会论文选》,北京语言学院出版社 1990 年版。
③ 参见盛炎《语言教学原理》,重庆出版社 1990 年版。
④ 参见张亚军《对外汉语教法学》,现代出版社 1990 年版。
⑤ 参见刘珣《对外汉语教育学引论》,北京语言文化大学出版社 2000 年版。

识基本是一致的,并且跟教学性质相同的我国外语教学界的看法也大致相同。例如,章兼中在《国外外语教学法主要流派》中说,"外语教学法是一门综合性的科学。它与哲学、教育学、语言学、心理学、社会学等邻近学科有着紧密的联系。"[1]应云天在《外语教学法(新本)》第二章"外语教学法和相邻学科"中,同样谈到了外语教学法的理论基础是哲学、教育学、心理学和语言学。[2] 实际上国外同行也持类似看法,例如:Campbell(1980)认为,语言学、心理学、社会学和人类学理论是外语教学理论的源泉。Stern(1983)认为外语教学的理论基础包括语言教学史、语言学、社会学、社会语言学、人类学、心理学、心理语言学、教育学等研究成果。[3]

应该指出的是,上面引文中所说的"语言教学法"或"外语教学法"都是广义的,指的是教授语言和学习语言的科学,即揭示和探讨第二语言教学规律、教学原理的科学。因此,所谓语言教学法或外语教学法的理论基础(或称相关学科、临近学科等),就是这里说的第二语言教学或外语教学的学科理论基础。

总起来看,人们提到的第二语言教学或外语教学的学科理论基础,主要的不外乎哲学、语言学、教育学、心理学、文化学这五个主要学科,所提到的其他学科或理论有不少可以看作是这几门学科的分支学科或可以归到这几门学科中。比

---

[1] 参见章兼中《国外外语教学法主要流派》,华东师范大学出版社1983年版。
[2] 参见应云天《外语教学法(新本)》,高等教育出版社1997年版。
[3] 参见束定芳、庄智象《现代外语教学——理论、实践与方法》,上海外语教育出版社1996年版,第12—16页。

如,跟第二语言教学相关的社会学,主要是指社会语言学,而社会语言学是语言学的一个分支。同样,跟第二语言教学相关的人类学,主要指的是文化人类学,这部分内容实际上包括在所谓的文化学里。这五个学科中,哲学无疑将是第二语言教学的学科理论基础,因为哲学为任何一门具体学科提供认识论和方法论的指导。其次,语言学、教育学和心理学几乎是国内外第二语言教学界公认的第二语言或外语教学的学科理论基础。第二语言和外语教学实际上是一种跨文化的语言教学(这正是它区别于母语教学的一个重要特征),这种教学无法不涉及与目的语相关的文化现象和文化因素,因此文化学中的跨文化交际理论以及文化对比研究的成果,也就自然应该成为第二语言教学的理论基础之一。这样大致可以说,哲学、语言学、教育学、心理学和文化学是对外汉语教学最重要的理论基础。

二 对外汉语教学学科理论基础的地位和范围

(一) 对外汉语教学学科理论基础的性质和地位

如果说第二语言或外语教学的学科理论基础到底由哪几门学科构成,其性质和作用等还可以进一步讨论的话,那么无须讨论的是:第二语言和外语教学的学科理论具有跨学科性,其学科理论基础是由多学科构成的,这一点已为国内外语言教学界所普遍承认。对外汉语教学作为一门综合运用多种学科理论的交叉学科,同样是在多种学科及其研究成果的支撑下形成和发展起来的。在教学实践和科学研究过程中,对外汉语教学不断从各相关学科中吸取有用的知识、理论和方法,并在不断总结自身教学实践经验的同时,逐渐形成自己的学科理论及其理论体系,进而指导教学实践。一般来说,能够支撑对外汉语教学学科、直接或间接影响对外汉语教学实践的有关学科及其理论,就是对外汉语教学的学科理论基础,如语言学、教育学、心理学等等。学科理论基础对一门学科的形成、发展和完善是非常重要的,对一门交叉性学科来讲就更是不可或缺的。学科理论基础是一门学科赖以形成的基石,是学科发展的原动力,是学科理论体系的有利支撑。因此,要开展和加强对对外汉语教学学科理论基础的研究,不断吸收其有用的成果,从而更有效地提高对外汉语教学的学科理论含量,增强对教学实践的指导作用。

但是,对外汉语教学的学科理论基础并不就是对外汉语教学的学科的基本理论(或者称基础理论)。所说的"学科理论基础"都是各自独立的学科(或分支学科),它们有着各自的研究对象、研究范围、研究目的、研究方法及理论体系。因此,它们中的任何一门学科、任何一种理论都不能单独全面指导对外汉语教学;它们中的任何一门学科、任何一种理论都不能单独全面支撑起对外汉语教学学科理论体系。也就是说,某一交叉学科的理论基础(及其有关理论)不等于这一交叉学科的理论本身,进一步来说,对外汉语教学的理论基础——相关学科及其相关理论,并不就是对外汉语教学学科理论的组成部分。比如说,长江的源头是由许多小的河流构成的,这些小的河流对长江的形成至关重要,没有它们就不可能有长江。但是,我们并不能因此而把这些小的河流叫做长江,也不能把它们看成是长江的一部分。总之,我们必须关注和研究对外汉语教学的学科理论基础，否则对外汉语教学就可能成为无源之水。但是，这些理论基础只是对外汉语教学理论研究的一部分内容，而不能成为对外汉语教学的教学理论本身的一部分。

（二）对外汉语教学学科理论基础的范围和基本理据

第二语言教学的学科理论基础究竟包括哪些学科或其分支理论，目前国内外的看法并不完全一致，但基本上可以说是大同小异。主要包括哲学、语言学、教育学、心理学和文化学。这些学科到底在哪些方面、在多大程度上、又是怎样对对外汉语教学的理论研究和教学实践产生影响，是很值得进一步认真讨论的问题。下面将在前人研究的基础上进一步加以阐述和概括。

1. 哲学是对外汉语教学最深厚的理论基础。哲学主要在认识论和方法论上为对外汉语教学提供指导。首先，哲学为人们认识语言的本质和语言使用的本质、为认识第二语言习得过程和教学过程的本质提供认识论基础。比如，语言本质上是一种工具，还是一种能力？语言是后天习得的，还是人脑中先天就有的一种机制？如何认识这样的问题，就反映出不同的哲学观。而对语言的不同认识就会带来对语言学习和语言教学的不同认识。其次，解决教学过程中的各种矛盾离不开哲学的帮助，比如，处理教和学的关系、主体和客体的关系、内因和外因的关系等都需要哲学提供指导。第三，哲学为语言教学研究、调查研究和教学实验等提供方法论指导。第四，实际上哲学还是语言学、心理学和教育学等学科的理论基础，也就是说，哲学同样也为语言教学的其他的理论基础提供指导，从而间接地指导对外汉语教学。①

    2. 语言学是对外汉语教学核心性的理论基础。语言学是研究语言的本质、结构和功能等语言现象本身的科学,第二语言教学是研究教授和学习语言规律的科学。前者以语言为研究对象,后者以语言为教学内容;前者研究语言是什么,后者研究语言怎么教和怎么学,显然这两者之间有着天然的联系。因此语言学对第二语言教学的指导和影响是多方面的、深刻的,也是根本性的。② 首先,揭示语言普遍规律的普通语言学和揭示特定语言规律的特定的语言学(如汉语语言学),在关于语言普遍的规律和原理及所教授语言的具体特点和规律等方面,给予第二语言教学理论和实践以重要的指导和影响。其次,语言学中的结构语言学、功能语言学、篇章语言学、语义学、语用学及其他各分支学科,如社会语言学、心理语言学等等,从不同层面、不同角度、不同程度给予第二语言教学以启发和指导。例如,社会语言学理论对全面培养学习者的语言交际能力具有重要的指导作用,结构语言学对认识语言的结构规律和组合规律,从而更有效地教授语言具有重要的应用价值。第三,所教授的特定语言学(如汉语语言学)的研究成果可以为第二语言教学所吸收和利用。事实上,这类大量的语言本体研究的成果(包括语音、词汇、语法和篇章等)有许多是可以直接或间接应用到第二语言教学中去的。例如,戴浩一基于认知语言学的理论,在对汉语动词与处所词之间关系的研究中发现,动词前的处所词跟动词后的处

---

    ① 参见吕必松《对外汉语教学探索》,华语教学出版社 1987 年版,第 31 页。
    ② 实际上,第二语言教学实践也给语言学的发展以积极的影响和启示,它为语言学理论的检验提供机会,为语言学理论的形成提供素材。

所词作用不同,比如:A.小孩在床上跳;B.小孩跳在床上。据戴分析:A中的"在床上"表示动作发生的地点,B中的"在床上"表示动作所涉及的目标。① 显然,这一发现对汉语教学是很有帮助的。而陆俭明对汉语同类词连用规则的研究中,所发现的一系列同类词连用的组合规律②,则可以直接应用到对外汉语教材编写和课堂教学中去。第四,第二语言教学可以吸收和借鉴语言学或其分支学科的理论和方法,开展直接服务于语言教学需要的语言本体研究,这是其他学科所不能与之相比的。比如陆俭明《配价语法理论和对外汉语教学》③,等等。这种以直接满足第二语言教学需要为目的的汉语本体研究及其有关成果,实际上已成为对外汉语教学学科理论研究及其成果的一部分。第五,语言学及其分支学科是外语教学法流派最直接的理论基础。尽管不是所有的语言教学法流派都是从语言学派生出来的,甚至某些流派的倡导者并不承认有什么语言学基础,但是认真分析一下,每一种教学法流派都和某种语言学理论有联系。④一些重要的教学法流派则是直接以语言学为基础的,例如:听说法以结构主义语言学为基础,交际法(功能法)以社会语言学为基础。事实上,新的语言学理论的出现往往引起外语教学法的更新,例如:随着60年代初转换生成语言学(认为语言是一个生

---

① 参见戴浩一《时间顺序和汉语的语序》中译文,《国外语言学》1988年第1期。
② 参见陆俭明《同类词连用规则刍议》,《中国语文》1994年第5期。
③ 参见陆俭明《配价语法理论和对外汉语教学》,《世界汉语教学》1997年第1期。
④ 参见[美]黎天睦(Timothy Light)《现代外语教学法——理论与实践》,北京语言学院出版社1987年版,第49—50页。

成的系统；人脑有学习语言的机制；学习是内在的，而不是外在的）的出现，外语教学中出现了以培养语言能力（即内化了的语言知识体系）为主要目标，以对语言规则的理解和创造性的运用为重点的"认知法"。第六，语言学及其分支学科（包括所要教授的特定语言的语言学理论——如汉语语言学），对第二语言教学目标的确定、教学大纲的制定、教材编写、评估测试等提供理论依据和指导。

综上不难看出，语言学（包括所要教授的特定语言的语言学）从宏观到微观、从理论到实践，多层面、多角度地为第二语言教学提供帮助和指导，因此它是第二语言教学核心性的基础学科。也许正是在这个意义上，不少人曾经把语言学看成是第二语言教学唯一的理论基础，把第二语言教学看成是狭义的应用语言学——语言理论的应用。当然这种看法是有偏颇的，因为语言学不能代替教育学、心理学等学科在第二语言教学中的作用，不能全面支撑起第二语言教学的全过程和整个理论体系。语言学到底不能代替第二语言教学，它只是语言教学的一种资源和背景——一种丰富的资源和广阔的背景。但是，人们曾经有过的认识上的偏颇，从另外一个角度来看，的确也反映出人们对语言学在第二语言教学中不可替代的重要作用的认识。

3. 教育学是对外汉语教学不可或缺的理论基础。首先，对外汉语教学是一种教学活动，教学活动必须遵循教育学，特别是教学论的一般原则和一般规律。如教学内容的科学性、系统性、连贯性，教学方法的直观性、趣味性、灵活性，以及教学原则方面的循序渐进原则、讲练结合原则、复习巩固原则，等等。这些教育和教学的一般原理和规律，对各类学校教育、对学校的各门课程都具有重要的指导作用,汉语作为第二语言或外语的教学自然也不例外。其次,教育和教学的一般原理和原则对教学(包括对外汉语教学)大纲的制定、课程设计、教材编写、教学方法的使用等教学活动的全过程和各个环节都有指导作用。脱离教育和教学一般原理和原则的指导,教育教学活动就将陷入无章可循的局面,教育教学的效果将无法得到根本的保障。第三,教育学和教学论是外语教学法流派产生的基础。实际上语言教学法流派往往或明或暗、或多或少地体现出教育和教学的基本原理和要求。有的甚至首先是在教育学理论和观念的基础之上形成的,例如:自觉对比法,在 20 世纪 30 至 40 年代的苏联教育学中非常重视德育教育,进而重视知识的传授;认为外语课不仅是工具课更是知识课,传授外语知识不仅是手段更是目的;知识是教学的出发点,技能是在知识的基础上获得的,熟巧则是技能的完善阶段,已获得的技能和熟巧又构成进一步取得新知识的基础。正是在这种教育学原理的直接影响下形成了自觉对比法的基本主张。① 自觉对比法的形成过程同时也表明,新的教育理念对教学法流派产生的重要影响。不仅如此,新的教育技术和手段等对语言教学观念和方法等都有深刻的影响。

4. 心理学是对外汉语教学的重要理论基础。对外汉语教学包括"教"和"学"两个方面的内容。在对外汉语教学学科理论中,不仅要研究把哪些语言知识和什么样的技能通过何种方式和方法传授给学习者,而且要研究学习者学习语言知识和掌握

---

① 参见章兼中《国外外语教学法主要流派》,华东师范大学出版社 1983 年版,第 73—76 页。

语言技能的过程和规律,这就需要心理学的支持。首先,心理学是研究人们获得知识、掌握技能和发展智能的心理规律和心理机制的科学。第二语言或外语教学依据心理学的一般原理,可以更科学更富有成效地培养语言学习者获得语言知识、语言技能和语言交际技能。其次,要研究语言学习者的学习过程,就要分析第一语言习得和第二语言习得的不同过程,研究儿童习得母语和成人学习和习得第二语言的不同特点,而这样的研究离不开心理学的理论支持。第三,心理学跟语言学、教育学一样,也是外语教学法流派产生的重要基础。例如,听说法以行为主义心理学的刺激——反应学说为心理学基础,而认知法则是建立在心理学理论——主要是认知学习理论基础之上,并以此成为认知法对外语教学法的最大贡献,而且有意思的是,提出认知法、倡导认知法、从理论上阐述认知法的几乎都是心理学家。①

5. 文化学也是对外汉语教学重要的理论基础。对外汉语教学是一种语言教学,教学内容是语言,这一点是非常明确的。但是,由于语言是文化的载体,语言中包含文化因素,因此语言和文化关系密切;更由于第二语言教学或外语教学是一种跨文化的教学,不仅教学过程本身是跨文化的教学过程,而且语言学习者日后以目的语为工具从事的交际活动也是跨文化的交际活动。这样,与语言交际有关的文化知识和文化因素也就必然地成为第二语言或外语教学的内容之一。进一步来说,研究不同文化背景下人们的交际中的各种问题及其对策、揭示语言中的

---

① 参见章兼中《国外外语教学法主要流派》,华东师范大学出版社1983年版,第203页。

文化现象和文化因素、研究培养跨文化交际能力的跨文化交际理论,也就自然成为第二语言或外语教学的学科理论基础。此外,从第二语言和外语教学实践来看,由于语言教学中的文化问题越来越受到重视,所以在课程设置、教材编写以及测试等教学实践中文化因素的体现越来越明显。

第三节 对外汉语教学学科的基本问题和基本方法[①]

对外汉语教学的实践已经有了50多年的历史,如果从学者们提出"要把对外国人的汉语教学作为一个专门的学科研究"算起,对外汉语教学这个学科的历史也有20年了。近20年来,我们这个学科取得了了不起的进展,产生出一大批科研成果。在这些进展和成果的基础上,借鉴国外第二语言教学的经验,我们有可能对这个学科作进一步的思考。

一个学科,要有特定的研究对象,要有学科的基本问题,要有基本的研究方法,这样,它才能成其为一个科学学科。这里需要稍加解释的是学科的"基本问题"。

什么是学科的基本问题?"基本问题就是贯穿于一个学科的全部历史并且推动着学科发展的那些问题。"[②]比如说,辩证唯物主义认为,存在和意识的关系是哲学的基本问题,资本问题

---

① 本节摘自张凯《对外汉语教学学科的基本问题和基本方法》,《世界汉语教学》2000年第3期。

② 参见汪丁丁《学术"中心"何处寻?》,《读书》1997年第7期。

是经济学的基本问题。那么,对外汉语教学的基本问题是什么?

一 对外汉语教学学科的基本问题

(一)语言能力问题是学科的基本问题

1. 国内外外语教学发展阶段的回顾

孙德坤认为,国外外语教学经历了三个阶段:一是上世纪末、本世纪初的"改革运动阶段",二是二次大战期间的"应用语言学阶段",三是70年代以来的"第二语言习得研究阶段",其发展趋势是从单一向多元发展,研究的焦点是从语言、从教学法向揭示学习者语言习得过程转移。① 吕必松把我国对外汉语教学的历史分成四个阶段:初创阶段、巩固和发展阶段、恢复阶段、蓬勃发展的阶段。② 在这四个阶段中,以第四个阶段的成果最为丰富。③ 目前,我们已经明确,对外汉语教学的目标是培养学生的语言交际能力④,我们已经建立起,并将继续完善由理论体系、教学体系和人才体系为组成成分的学科体系。⑤

2. 语言习得过程和语言能力

可以看出,无论是国外的外语教学,还是我国的对外汉语教学,目前都注重学习者的语言交际能力,都注重学习者的习得过

---

① 参见孙德坤《国外外语教学学科的发展过程》,《对外汉语教学是一门新型的学科》,北京语言学院出版社1994年版。
② 参见吕必松《对外汉语教学发展概要》,北京语言学院出版社1990年版。
③ 参见施光亨、赵永新《我国对外汉语教学学科建设的巨大进展》,《对外汉语教学是一门新型的学科》,北京语言学院出版社1994年版。
④ 参见刘珣《以语言交际能力为目标、技能训练为核心的基础汉语教学》,刘珣《对外汉语教学概论》,北京语言文化大学出版社1997年版。
⑤ 参见崔永华《对外汉语教学学科概说》,《中国文化研究》1997年春之卷。

程。Ellis 说:"第二语言习得研究的主要目标是刻画学习者关于第二语言的潜在知识,也就是描写和解释它们的能力。学习者的内在知识是不可直接观察的,只能通过对行为的观察进行推断"。① 于是,我们可以说,外语教学或对外汉语教学的研究对象是学习者的语言习得过程,而这个学科要解决的基本问题是语言能力问题。所谓解决问题,至少包括认识语言能力和解释语言能力两个方面。

研究对象和基本问题是不是一回事?不是。以物理学为例,物理学的研究对象是物体,大到天体,小到基本粒子,它要解决的基本问题是物体的运动规律,因为是这些规律决定了物体的运动。对外汉语教学也一样,语言习得过程在某种程度上是外显的,它可以表现为某种状态,而决定语言习得是这样一个过程而不是那样一个过程的是语言能力,因此,我们这个学科要研究的正是语言习得过程,所以,这是研究对象。我们通过对这个过程的研究,来认识和解释语言能力,也就是解释语言习得为什么是这样一个过程。再举一个例子,人从婴儿长到成人,这是一个过程,在这个过程中,婴儿的身高、体重、力量以及智力有变化,我们不能用身高的增长解释身高的增长,所以生长过程只是研究对象,而要解释的是增长的原因。

"语言能力究竟是单一的能力还是由若干种能力构成的,一直是语言测验研究者感兴趣的问题,同时这也是一个对语言习

---

① 参见 Ellis, R. (1994) *The Study of Second Language Acquisition*, Oxford University Press.

得和语言教学有启发的问题"①,因此,我们把语言能力问题当作学科的基本问题。

3. 培养能力和认识能力的关系

对外汉语教学的目标是培养学习者的语言交际能力,对外汉语教学学科的基本问题是语言能力问题,这二者的关系很清楚:只有在正确认识了语言能力以后,才能有效地培养语言能力。在这个学科发展的初期,我们谈不上对语言能力有多深的认识,所以教学就有些盲目,采用的教学方法就不那么奏效。

4. 语言能力与交际能力的关系

语言能力概念是乔姆斯基提出的②,交际能力的概念是海姆斯提出的③,这两个概念在语言教学学科里是非常重要的概念。在语言教学界,国内外学者对这两种能力已有很多论述。Ellis 指出,多数交际能力模型都包括语言能力和语用能力两部分。④ Bachman 的交际能力模型可能是 90 年代影响最大的。⑤在国内,盛炎把交际能力归纳为语言学能力、社会语言学能力、话语能力和交际策略四个因素。⑥ 吕必松认为,语言要素、语用规则、文化知识、言语技能、言语交际技能五个因素构成语言交

---

① 参见 Bachman, L. F. (1990) *Fundamental Considerations in Language Testing*, Oxford University Press。

② 参见乔姆斯基(1965) *Aspects of Theory of Syntax*, The M. I. T. Press。

③ 参见海姆斯(1972)《论交际能力》,祝畹瑾《社会语言学译文集》,北京大学出版社 1985 年版。

④ 参见 Ellis, R. (1994) *The Study of Second Language Acquisition*, Oxford University Press。

⑤ 参见 Bachman, L. F. (1990) *Fundamental Considerations in Language Testing*, Oxford University Press。

⑥ 参见盛炎《语言教学原理》,重庆出版社 1990 年版。

际能力。① 范开泰则认为汉语交际能力包括三方面内容:汉语语言系统能力、汉语得体表达能力和汉语文化适应能力。② 这些学者所持观点不尽相同,无论彼此有多大差别,但在一个问题上他们是一致的,即所有的人都认为交际能力大于语言能力,语言能力是交际能力的一个组成部分。陈贤纯进一步指出,语言能力在第一个层次,交际能力在第二个层次。③ 基于这种共识,我们可以说,对语言教学学科来说,语言能力问题是更为基本的问题。或者我们可以这样看,与其把一个复杂的大问题当作基本问题,不如把一个因素相对较少的问题当作基本问题。

5. 习得理论各分支的研究

在语言习得理论的研究中,有三个方面取得了很大的进展,它们是对比分析、偏误分析、习得顺序。对比分析是用来预测习得过程中可能出现的困难,偏误分析观察习得过程中的错误,这是一个硬币的两面④,习得顺序研究的首要目的是发现一个自然的习得过程。这三方面的研究至少都可以部分地为解释语言能力提供证据,所以说,这三方面的研究围绕的是一个中心,即语言能力。我们甚至可以说,语言教学学科所做的一切研究,最终目的都是要解决语言能力问题。

6. 教学大纲、教材、教学法

---

① 参见吕必松《对外汉语教学的理论问题刍议》,《语言文字应用》1992 年第 1 期。

② 参见范开泰《论汉语交际能力的培养》,《世界汉语教学》1992 年第 1 期。

③ 参见陈贤纯《语言是不是知识》,《第四届国际汉语教学讨论会论文选》,北京语言学院出版社 1995 年版。

④ 参见 Phinney, M. (1987) *The Pop-drop Parameter in Second Language Acquisition*, Roeper, T. & Williams E. (Eds.), *Parameter Setting*, D. Reidel Publishing Company, Dordrecht.

教学大纲、教材、教学法,是操作层面的东西,上面提到的各种研究要体现在这三个方面,教师通过这三种手段把理论研究的成果应用于实际,使学习者获得语言能力。因此,大纲和教材的编制、教学法的采用,也是以语言能力这个基本问题为核心的。

(二) 语言能力问题在相关学科中的地位

语言能力概念不是我们这个学科提出来的,为什么我们要把它当作自己的基本问题? 这个问题的另一个提法是:在解决语言能力问题方面,我们能否被其他学科替代?

1. 语言学

(1) 结构主义语言学

结构主义语言学的研究对象是书面的和口头的语言和言语(索绪尔不研究言语),它要解释的问题是语言的结构。无论是语言还是言语,也无论是书面还是口头,都是人生产出来的产品,结构主义几乎完全不追究语言的生产过程,也几乎不研究语言发生的原因,所以,乔姆斯基说,结构主义研究的东西不是客观实在,而是外化了的语言。这也就是说,结构主义根本不研究语言能力。①

当然,结构主义语言研究的成果,对研究语言能力是有用的,尤其是在语言教学中。只是,要研究习得过程,要解释语言

---

① 参见乔姆斯基序,《乔姆斯基语言理论介绍》,黑龙江大学《外语学刊》编辑部 1982 年。

乔姆斯基(1982b)《语言研究的前景展望》,《乔姆斯基语言哲学文选》,商务印书馆 1992 年版。

乔姆斯基(1986) *Knowledge of Language:Its Nature,Origin,and Use*, Praeger Publishers。

能力,我们除了要研究产品(语言),还要研究产品的制造者(学习者),而对学习者的研究,被结构主义者放弃了,如霍凯特说,"研究语言个体发生的一条路子是以孩子为中心,它关心孩子怎样获得交际过程",但从这个角度"直接入手极为困难"①。所以,结构主义语言学不能取代语言教学研究。

(2) 社会语言学

社会语言学是发展迅速、成果颇丰的一门学科。社会语言学既用社会现象解释语言现象,也用语言现象解释社会现象,而且,至少在一些社会语言学家看来,"语言"这个词"主要是一个政治概念"②。许国璋评论说,这些年社会语言学研究的主要贡献在于社会学方面。③ 由此可以看出,社会语言学的范围比语言教学大得多,但它又并未深入到人的语言能力层面(无论是个体的还是群体的)。

当然,社会语言学的研究成果,对研究语言能力也是有用的,因为人不能脱离社会环境习得语言,但如果只靠社会语言学,那是不够的。所以,社会语言学也不能取代语言教学研究。

(3) 普遍语法

乔姆斯基的普遍语法理论对语言学和语言教学影响极大,"自 1965 年以来,语言学的一切发展都是乔姆斯基关于语言学

---

① 参见霍凯特,C. F. (1958)《现代语言学教程》,索振羽、叶蜚声译,北京大学出版社,1986 年版。

② 参见孟索尔,G. (1987)《社会语言学对多语现象研究的贡献》,罗慎仪译,《第欧根尼》中文版,1988 年总第 7 期,社会科学文献出版社 1988 年版。

③ 参见许国璋(1985)《关于社会语言学的两条补注》,许国璋《许国璋论语言》,外语教学与研究出版社 1991 年版。

理论的目标的思想促成的"①。普遍语法或转换生成语言学要解决什么问题呢？请看乔姆斯基的表述："(懂得一种语言所应具备的)知识系统是怎样的？这个知识系统是怎样出现在心理/大脑里的？在讲话时，这种知识是怎样付诸使用的？这个知识系统及知识的应用，究竟以什么样的生理机制为物质基础？"②可以看出，乔姆斯基的前三个问题大致是语言教学学科要解决的问题，而最后一个问题，才是乔姆斯基的最终目标，用乔姆斯基的话说就是，"普遍语法研究的是生物属性的一个方面"③。

另外，从乔姆斯基的研究对象看，他不研究具体的人，更不研究第二语言学习者。尽管乔姆斯基理论对语言教学研究的影响越来越大，但它毕竟不能代替语言教学的研究。

(4) 心理语言学

"心理语言学综合运用语言学和心理学的理论和实验方法来研究语言的习得、学习和使用语言的心理过程"④，在这个基础上，心理语言学进一步探究语言的辨知和发生，还要探究语言的生理基础。⑤ 显然，它并未以语言能力问题为其基本问题，而其涉及的范围与对外汉语教学并不完全重合。

2. 心理学

---

① 参见格林(1972)《乔姆斯基》，方立、张景智译，刘润清校，中国社会科学出版社1990年版。

② 参见乔姆斯基(1988) *Language and Problems of Knowledge*，The MIT Press。

③ 参见乔姆斯基《语言研究的前景展望》，《乔姆斯基语言哲学选》，商务印书馆1992年版。

④ 参见桂诗春《心理语言学》，上海外语教育出版社1985年版。

⑤ 参见桂诗春《心理语言学》，《中国大百科全书·语言文字》，中国大百科全书出版社1988年版。

心理学也研究语言能力问题,但它和乔姆斯基类似,它是把语言作为人类智力或思维的一个部分来研究的。心理学家一般认为,语言能力是智力的一个重要成分[1],语言能力不是它的最终问题。

二 研究方法和工具

(一) 传统方法的局限

"语言研究有一种其他任何科学学科所不具有的特点。这就是语言学,是一门以语言本身为研究对象,又以语言本身为研究工具并以语言本身为表达方式的科学。这就给语言研究带来了极大的主观性和随意性"[2]。这个说法对传统的语言学是很中肯的。

就逻辑方法而言,语言学不外是使用归纳和演绎两种方法。描写语言学,也即结构主义语言学,多使用归纳,而转换生成语言学则使用演绎。笼统地说,这两种方法是任何一门科学都要使用的,但如果不借助于实验和定量分析,研究的科学性和客观性似乎就不够。

(二) 实验、测验和数理统计

1. 通过实验观察习得过程

实验是一切精密科学都采用的办法,在教育学、心理学、心理语言学里,实验也被广泛使用。所以卡特尔说:"心理学除非建立在实验和测量的基础上,否则它就不能达到自然科学那样的明确

---

[1] 参见沃建中《智力研究的实验方法》,浙江人民出版社 1996 年版。
[2] 参见宁春岩《普遍语法与个别语法》,《乔姆斯基语言理论介绍》,黑龙江大学《外语学刊》编辑部 1982 年。

和精密。"①在语言教学的研究中,实验把语言和它的使用者联系起来,通过实验,我们可以窥见语言习得的过程,可以发现学习者的心理过程。所以,实验是研究语言习得过程的一个重要手段。以往我们也并非完全不做实验,只是实验做得太少。

2. 语言测验

这里说的语言测验是指现代语言测验,科举考试的八股文不算。

语言测验是一个工具,它可以用来研究语言习得。有人说,你用"托福"研究一个我看看。这话倒不是完全不对,只是有一点误解。说到语言测验,大家自然想起"托福"一类的商业化考试。这些商业化了的考试(定于一个不变的模式)对研究确实没有太大的作用(也不是完全无用)。用于研究的语言测验,要根据所研究的问题而专门设计内容和形式,这种测验往往需要语言教师和研究者自己编制。这就像物理学中,针对不同的对象,要制造不同的仪器一样,不能指望一架天平包打天下。

语言测验和上边说的实验是什么关系?我们说,所有的语言测验都是实验,但并不是所有的实验都是测验。和实验比,语言测验有一个优势,即它的规模可以大得多。规模大,结果就更可靠,也就更有客观性和普遍性。

用于研究的测验实际就是一种测量。在科学中,测量有 5 种重要的功能:第一,使概念更加清楚;第二,使被测性质得到客观的评价;第三,可以概括并简化我们的经验;第四,用来修正理

---

① 参见 Cattell, J. M. (1890) *Mental Tests and Measurements*, *Mind* Vol. 15.

论;第五,可以帮助科学家理解某个过程的机制。①

我们本学科的学者也认识到,"语言测验的作用是强迫我们对语言学和应用语言学的观念的意义加以重视,只要这些观念不被操作、描写和解释,它们就是模糊的……因此,测验是最精确的描写方式"②。

3. 数理统计

语言测验要大量应用数理统计。数理统计的核心是概率。概率论的基本思想是从随机事件中发现事物的普遍规律。个别事物孤立地看,似乎是偶然的,没有规律的,但对这些事物的大量连续观察会发现其规律。比如掷色子,一点朝上的概率是六分之一,掷一次两次看不出,但如果掷成千上万次,一点朝上的次数就会非常接近六分之一。用数理统计通过语言测验去分析语言习得过程也是这个道理,把成千上万人的数据集中起来,就会发现语言习得的一些规律。

在语言习得研究中使用数学是大势所趋。以往我们的语言研究,包括对语言习得的研究,大多使用分类描写等定性方式。但科学上的要求是,对特定对象,不光要有定性的描写,还要有定量的描写。正如怀特海所说:"分类是必须的,但除非你能从分类走向数学,否则你的推理便不会有多大进展。"③如果我们希望我们关于语言习得的理论是正确的,那就尽可能用数学来

---

① 参见特拉斯特德,J.(1979)《科学推理的逻辑》,刘钢等译,科学出版社1990年版。
② 参见 Davies, A.(1990) *Principles of Language Testing*, Basil Blackwell.
③ 参见怀特海,A. N.(1932)《科学与近代世界》,何钦译,商务印书馆1997年版。

证明它,因为数学"是逻辑上精确的构写方法的一个名称"①,是"揭示隐藏的规律的工具"和"使认识客观化的手段"②。吕叔湘先生也认为,"语言现象中一部分也可以表现为数字"③。

4. 定量分析和定性分析

定性和定量,都是现代科学研究中不可缺少的分析,但在定性和定量问题上也还存在着一些误解。

一个误解是说定性分析是经验的和直觉的,定量分析是理性的和逻辑的。

把经验和理性对立起来,是对经验作了经验主义的理解;把经验和逻辑对立起来,是说经验(至少有可能)不合逻辑;把直觉和理性对立起来,该算作是柏格森式的理解;而把直觉和逻辑对立起来,大致也是这种情况。上边那句话如果反过来说,定性分析是非理性和反逻辑的、定量分析是非经验的和反直觉的,恐怕就不会有人同意了。

其实,定性也好,定量也好,怎么分析总都要基于逻辑。定性分析可以是经验的,也可能是先验的,而定量分析,无一例外,都是经验的。至于直觉和理性,按照欧洲古典哲学的说法,差不多是同一回事,不过都是指人认识真理的能力或活动,所以,只要不是从非理性的角度出发,本不应该把这二者对立起来。

在使用定量分析时常见的问题是忽视定量对定性的限制,也就是弄不清定量和定性的关系。如果我们使用定量分析,那

---

① 参见石里克,M.(1949)《自然哲学》,陈维杭译,商务印书馆1984年版。
② 参见蔡仲《数学与认知》,《南京大学学报》(哲社版)1996年第2期。
③ 参见吕叔湘《扎扎实实做好语法研究》,《语法研究探索》第一辑,北京大学出版社1983年版。

么定性分析的结论就不能超越定量分析的结果,否则就会导致自相矛盾。

我们为什么要用定量分析来限制自己呢？这是因为人们知道,定性分析的主观随意性可以是很大的,定量分析恰恰可以对主观随意性有所限制,我们的结论于是就更客观一些。"科学讲究可重复性原则,可重复性是判别真伪科学的操作方式"①,定量分析正是保证可重复性的一种手段。

三 一个简单的实例

(一) 例子

在1997年的汉语水平考试的预测题中,我们在语法部分放了一个实验题,原题如下:她_____。

A 还没找到一份如意工作

B 一份如意工作还没找到

C 一份如意工作找到还没

D 一份如意工作还找到没

这是一个语序问题,要求学生在4个选项中选一个填在上面的空里,使句子完整。这是汉语水平考试(HSK[初中等])的9种题型之一。这个题的特殊之处是A、B两个选项都合语法,一般来说,选A构成一个动词谓语句,选B构成一个主谓谓语句。编这个题的目的,是想了解对这两种句子被试是否有不同的反应。我们的假设是:由于汉语的基本语序是SVO,日语和朝鲜语的基本语序是SOV,所以,日韩学生中水平高的应该选A,水

---

① 参见王德胜《探索科学的判据》,《光明日报》1996年12月22日。

平低的应该选 B。

实验结果是,共有 129 名日韩学生做了这个题,在标准组中(各国学生都有),这个题有很好的区分度,数据如表 4—1。

表 4—1

标准组区分度(正确答案为 A 时):N = 270*

	双列相关	点双列相关
答案 A	0.4710	0.3671
答案 B	0.2950	0.2241

* 129 名日韩生全部在内

统计学证明,题目的双列相关达到 0.30 以上、点双列相关达到 0.20 以上时,便可有效地区分学生的能力,也就是高水平的学生答对的概率大,而低水平的学生答错的概率大。

我们对 129 名日韩学生的数据进行了平均数差异的检验,看选 A 和选 B 的人在水平上是否存在差异,所以要先求出平均分,结果(以下数据均用 SSPS for WIN 计算)如表 4—2。

表 4—2

日韩学生的平均分: N = 129

	人数	平均分	标准差	标准误差
选 A 者	94	131.0000	22.196	2.289
选 B 者	35	117.5143	23.052	3.896

表中"平均分"是学生在考试(全卷 200 题,每题一分)的其他题目上的平均得分,由于我们把 A 算作正确答案,所以,选 A 的人每人减去一分。

表 4—3 是平均数差异的显著性检验结果。

表 4—3

平均数差异的显著性检验:			N = 129
平均数差异 = 13.4857			
方差齐性检验: F = 0.185	P = 0.668		(方差不齐)
	t-值	自由度	双侧显著性水平	差数的标准误
齐	3.04	127.00	0.003	4.441
不齐	2.98	58.96	0.004	4.519

$T > 2.66 \quad P < 0.01$

检验结果是,选 A 和选 B 的学生,其平均分有显著差异,也就是说,选 A 的人平均水平要高于选 B 的人。

(二) 讨论

1. 从习得顺序考虑

对日韩学生来说,SOV 形式先掌握,SVO 形式后掌握。低水平学生可以掌握的形式较易,高水平学生掌握的形式较难。如果我们认为习得语言项目有一个顺序的话,就这两个形式对日韩学生而言,SOV 似应在前,SVO 似应在后。如果事情真是这样,我们在编写为日韩学生用的教材时能否把这一点考虑进去?

2. 从普遍语法考虑

普遍语法认为,核心语法是所有语言里都有的一些原则,这些原则只有有限的参数(一般认为是两三个),学习一种语言的过程,就是给这些参数赋值的过程,学习第二语言,就要按第二语言的特点重新赋值。由于核心语法的值只有有限的选择,在学习第二语言时,便不会产生野语法,也就是说,学习者的错误会发生在一个有限的范围内。本例的结果似乎可以支持这种说法。选项 C 和选项 D 是野语法,所以根本没有人选。

3. 从汉语语法分析看

《汉语水平等级标准与语法等级大纲》把"她身体不太舒服"和"我衣服不想买了"都算作"主谓谓语句"[①]。李临定把前者归入"主谓谓句型",把后者归入"名$_{施}$+名$_{受}$+动"句型。[②] 我们实验中用的选项 B 正是这种句型。

（三）进一步的研究

上例的基本步骤是：先提出一个假设,并设计一个实验程序去检验这个假设；在测验程序中,我们编制一个测验题,用它刺激学生作出反应,再用统计方法对学生的反应进行分析,分析结果证明了当初的假设；最后,可以用我们的分析结论支持某一种理论,也可以根据这种分析作出一个理论上的推断。

这只是一个简单的实验,目的是说明如何用语言测验和定量方法进行研究。这个研究还可以进一步做下去。首先应该做的是重复性实验。我在上面得出的结果,可能是一个偶然现象,为检验它是否偶然,我们就应该用同样的材料和同样的方法再实验几次,这就是重复。如果实验结果是可重复的,就说明它不是偶然的。如果除我以外的其他人,在其他的时间和地点,也得到了相同的结果,那么,这结果就不是偶然的了,只有可重复的结果才是有意义的。如果实验不可重复,上面所作的推论就可以被证伪了。

进一步的研究就是把上面的研究扩展。我们可以向更多的语法项目扩展,比如分析一下选项 B 和李临定所说的"主谓谓句型"是什么关系。我们也可以扩大学习者的范围,比如看看英语背景的学生对这两个选项有什么反应。这样的调查研究积累

[①] 参见国家对外汉语教学领导小组办公室汉语水平考试部《汉语水平等级标准与语法等级大纲》,高等教育出版社 1996 年版。

[②] 参见李临定《现代汉语句型》,商务印书馆 1986 年版。

多了,就可能为描写语言习得过程和定义语言能力提供佐证。

四 结论

我们认为,语言能力问题是对外汉语教学学科的基本问题,定量方法是基本研究方法。所谓基本问题,就是这个学科的任何一个方面都要涉及的问题,所谓基本方法,就是必要的方法。

第四节 对外汉语教学目的的理论探索[①]

我国的对外汉语教学从 20 世纪 50 年代初开创到现在,已走过了近半个世纪的历程。在这个漫长的历程中,我们一直在追求一个正确的教学目的,并在理论和实践两个方面进行不懈的探索。从教学目的探索的角度看,大致可分为两大阶段:第一个阶段,从 50 年代初到 70 年代后期,基本上是以培养汉语的听、说、读、写语言技能为教学目的;第二个阶段,从 70 年代末到现在,提出并确立了培养汉语交际能力的教学目的。对这两个阶段我们分四个不同的时期加以介绍。

一 50 年代和60 年代:以培养听、说、读、写四种语言技能为教学目的

关于 50 年代的对外汉语教学目的,周祖谟先生在《教非汉

---

① 本节摘自程棠《关于对外汉语教学目的的理论探索》,《世界汉语教学》1999 年第 3 期。

族学生学习汉语的一些问题》一文中,有过详细的论述。周先生认为:"学习一种语言要达到能够应用的目的,也是要有一定的基础的。根据一般的要求来看,能做日常生活会话,能听政治报告,能读懂《中国青年报》、《人民日报》和浅近的读物,能写简短的叙事文和学习笔记,都是很必要的。这就是很具体的目标,也是一般学习汉语要达到的水平。这里面包括了听、说、读、写四个方面。四者之中,能听能说是基本的要求,能读能写是进一步的要求。上面所说的'要有一定的基础',就是指这四种的能力而言。要具有这种基础,首先要重视口语的训练。口语训练有了好的基础以后,再针对同学将来所要从事的工作来订训练阅读和写作的目标的实施计划,理论与实际相结合,才能胜利完成教学的任务。"①

我们把以上论述归纳为以下几点:1.学习一种语言要达到能够应用的程度,必须打好听、说、读、写能力的基础。2.口语是基础,四种能力的培养应该先听、说,后读、写。

这些主张跟直接法和听说法的教学原则是不谋而合的,对后来的教学产生很大的影响。在50年代的对外汉语教学中,这些主张得到了贯彻。后来,李培元先生在总结五六十年代的对外汉语教学的特点时就明确指出,50年代对外汉语的教学目的是培养汉语技能。他说:"50年代的汉语教学,教学对象是已经成年的外国留学生,教学目的是在一年或二年的时间内,培养他们掌握汉语技能,使他们能在中国的大学学习和生活,他们在中国学习汉语有最优越的语言环境。这就是说,从50年代起,我

---

① 参见周祖谟《教非汉族学生学习汉语的一些问题》,《中国语文》1953年第7期。

们的汉语教学就是在目的语的环境中,培养学生具有一定的言语能力。"①

50年代对外汉语教学的目的是明确的。教学活动的基本倾向是训练学生的听、说、读、写语言技能。在课堂教学中重视理论讲解,注重基本语法结构和基本词汇的教学。

60年代对外汉语教学的目的跟50年代基本相同,仍然是培养汉语的听、说、读、写能力。但具体做法上,做了一些调整。

1. 在学以致用的原则指导下,对不同的学生提出不同的教学要求,使教学更有针对性。当时对外汉语教学的主要任务是对来华外国留学生进行汉语预备教育。调查发现,来华外国留学生经过一年或两年的汉语预备教育之后到其他大学学习专业,汉语的障碍并未完全排除。主要表现为:汉语词汇量不够;专业词汇量不足;听课有困难;阅读教材有困难。其主要矛盾是听、读能力不能适应专业学习。根据这个情况,对不同的学生的教学做了部分调整,比如,对文史哲专业和专修汉语的学生,听、说、读、写全面要求;对理工医农专业的学生,侧重听、读;对准备作翻译的学生,听、说、读、写、译全面要求。

2. 阶段侧重。对不同的学生不仅在语言技能方面有不同的要求,而且在教学的不同阶段对语言技能的训练有不同的侧重。比如,对理工医农专业的学生,总体上是侧重听、读,但开始阶段仍然是侧重听、说;在听、说有了一定的基础之后才侧重听、读。具体的做法是增加专业阅读训练的时间,编写专业阅读教

---

① 参见李培元《五六十年代对外汉语教学的主要特点》,《第二届国际汉语教学讨论会论文选》,北京语言学院出版社1988年版。

材,通过各种办法加强听力训练。当时有一个指导思想:先侧重听、说,再侧重听、说、读,然后侧重听、说、读、写,最后到听、说、读、写、译全面要求。①

50年代和60年代,在教学目的方面,没有什么本质的不同。而在教学原则方面则有较大的变化。50年代强调语法知识的讲解。60年代则提出实践性原则,主张在课堂教学中要"精讲多练"。

二 70年代:教学的主要倾向是以培养语言技能为目的;在理论上提出了语言教学的目的是培养语言交际能力的主张,是一个承上启下的年代

所谓承上,是指在教学和教材编写方面,坚持以培养听、说、读、写语言技能为教学目的,并在课堂教学中强化了技能训练,把技能操练提高到一个新的水平。70年代前期引进了句型教学。按照句型教学的思路,北京语言学院编写了《汉语课本》。在教材的"说明"中,作者说:"本教科书注重培养学生实际运用语言的能力,对汉语语法不作全面系统的介绍。""语音部分的编写原则是通过语流练语音。在教学中要注意把练习说话和声、韵、调的单项练习结合起来。语法部分每课都有句式替换练习和两篇课文。替换练习的目的是让学生在理解句子意义的基础上熟练地掌握句子结构。课文则提供一定的语言环境,帮助学生更好地理解新的句式、词语的确切意义和用法,并培养学生综合运用语言的能力"。可以看出,比起五六十年代,语言技能训

---

① 参见钟梫《15年汉语教学总结》,《语言教学与研究》1979年试刊第4期。

练更加理论化、系统化了。

70年代末,北京语言学院编写出《基础汉语课本》。编者在教材"说明"中指出:"本书着重培养学生实际使用汉语的能力。编写中力求贯彻循序渐进、由浅入深的原则。教语音的前10课,尽量按汉语语音系统,把会话练习和声、韵、调的单项训练结合起来。从第11课起,以常用句型为重点,通过替换练习使学生掌握语法点,通过课文训练学生综合运用汉语的技能。"

《基础汉语课本》的指导思想是以培养语言技能为教学目的。跟《汉语课本》相比,在语音教学方面更多地保留了传统的做法,在语法教学方面吸收了句型教学的原则。吕必松先生认为它"是一部集历年教材之大成的著作"。"由于集中了各种对外汉语教材的大部分优点,它是到那时为止按结构法的路子编写的一部最成熟的教材"[1]。

我们认为,《基础汉语课本》所坚持的教学目的,代表了70年代对外汉语教学的主要倾向。在语言技能培养方面,它继承和发展了传统的做法。

所谓启下,是指在对外汉语教学理论研究方面有所突破,70年代后期在理论上提出了以培养交际能力为目的的教学主张。70年代,在坚持培养语言技能的同时,已经酝酿着教学思路的改变和理论上的突破。这个过程是从重新解释实践性原则开始的。1974年,美国语言学代表团来华访问,吕必松先生向代表团作了题为《汉语作为外语教学的实践性原则》的学术报告。在这个报告中他对实践性原则作了新的解释,他说:"现在我们对

---

[1] 参见吕必松《对外汉语教学发展概要》,北京语言学院出版社1990年版。

实践性原则有了进一步的认识,认为实践性原则不但包括课堂教学的方法,而且包括教学内容和教学组织形式;不但体现在课堂教学中,而且体现在教材中。也就是说,它贯穿在整个教学体系中,是汉语作为外语教学的基本原则之一。"接着,吕必松先生又指出:"人们学习语言的目的,是为了在社会中进行交际,所以课堂实践归根到底是为社会实践服务的。课堂实践不为社会实践服务,就是无的放矢;而课堂实践只有以社会实践为基础,与社会实践相结合,才能更好地为社会实践服务。"① 通过对实践性原则的重新解释,指出了语言学习的目的是为了进行社会交际,课堂教学为社会实践服务。理论上已有所突破,但还没有明确提出语言教学的目的是培养"交际能力"。1977年,在《谈谈基础汉语教学中的几个关系》一文中,吕必松先生明确指出:"所谓实践性原则,简单地说来,就是根据辩证唯物论的认识论的原理组织和引导学生通过大量的、自觉的语言实践来掌握汉语,以培养他们用汉语进行交际的能力。"②

通过对实践性原则的进一步解释,终于明确地提出语言教学的目的是"培养交际能力"。最初提出这个目的,理论上还带有一定的模糊性。交际能力与语言技能这两个概念还没有明确的界定,甚至还有混同的现象。但是,这个目的的提出,其意义是非常重大的。它预示着对外汉语教学思路的重大转变,预示着汉语教学将从语言技能训练转移到交际能力培养的轨道上来。这是对外汉语教学理论研究中的一次重大突破,它带动和促进了对外汉语教学的研究,对以后的教学实践产生了深刻的

---

① ②参见吕必松《对外汉语教学探索》,华语教学出版社1987年版。

影响,并为 80 年代确立以培养汉语交际能力为对外汉语教学的目的打下了基础。这在对外汉语教学的理论研究中,有着重要的历史意义。

此后,《基础汉语课本》的编写开始吸收功能法的一些主张。编者认为功能法注重结合交际活动培养交际能力是非常重要的。虽然编者尚未把交际能力的培养作为教学的主要目的,但是在教材编写中已给予相当的注意。①

三 80 年代:确立培养汉语交际能力的教学目的

70 年代后半期,在学者的学术研究中,提出了培养交际能力的教学目的,但尚未引起普遍的关注。经过将近 10 年的探索,在 80 年代末,终于确立了培养汉语交际能力这一对外汉语教学的总体目的。

1981 年,《实用汉语课本》问世。编者在"前言"中指出:"这套教材的主要目的是培养学生在实际生活中运用汉语进行交际的能力"。据我所知,在教材里明确提出以培养交际能力作为对外汉语教学的目的,这是第一次。无疑,这有着重大的意义。它表明这套教材的编者不仅在理论上认识到语言教学应以培养交际能力为教学目的,并且用以指导教材的实际编写,开始把理论用于实践。

80 年代初,北京语言学院来华留学生一系文科教学大纲编写组编写了《二年制文科班课程设置计划及有关问题》。这个教

---

① 参见李培元等《编写〈基础汉语课本〉的若干问题》,《语言教学与研究》1980 年第 4 期。

学文件指出:"二年制文科班的教学目的是:培养外国留学生在中国生活和在中国高等学校学习或进修有关文科专业所必须具备的最基本的汉语能力","而最基本的汉语能力"包括"留学生在中国生活必须具备的用普通话进行日常交际的能力"。(《汉语研究》第一集,南开大学出版社)据了解,当时北京语言学院来华留学生一系所制定的教学计划,其指导思想与这个文件是一致的。这说明以培养交际能力为目的的思想,已开始用来指导具体的对外汉语教学。

《语言教学与研究》1986年第4期发表了吕必松先生的《试论对外汉语教学的总体设计》。在这篇文章中,作者除再一次明确指出"语言教学的目的是培养学生运用所学语言进行交际的能力"之外,还提出了"交际性原则"。作者认为"因为语言教学的目的是为了培养学生运用所学语言进行交际的能力,所以在确定培养目标和教学要求、选择教学内容和教学途径以及规定教学法原则时,都要以有利于使学生在最短的时间内最大限度地形成所必需的语言交际能力为出发点。衡量总体设计优劣的唯一标准,就是看它能不能为最有效地培养学生所必需的语言交际能力作出科学的宏观安排"。这就是说,对外汉语教学的总体目的是培养学生的汉语交际能力,而对外汉语教学的总体设计要保证这个教学目的的实现。所有的教学手段和方法都是为达到培养交际能力的目的服务的。

在同一期《语言教学与研究》上,还发表了上海外国语学院对外汉语系撰写的《零起点一年制留学生基础汉语教学总体设计》。这篇文章确认"零起点一年制留学生的基础汉语教学,目的是培养学生使用汉语交际的能力"。"语法结构即语言的规则是交际能力的基础","但是,学会了语言规则不等于就具有语言交际的实际能力。要真正具备语言交际能力,除了学会语言规则外,还要学会语言的使用规则,即掌握语言的交际功能"。作者不是简单地提出了培养交际能力的教学目的,而是开始注意语法结构、交际能力和语言技能之间的关系,在理论研究上已深入了一步。

王德佩先生在《语言教学与研究》1987年第2期上,发表了《谈句型教学中交际性原则的运用》。她认为"交际性原则主要是强调在语言实践中为学生设计和提供尽可能真实的交际情景,让学生感到有交际的需要而进行内容接近真实的模拟性交际,学会'在什么时候、什么地点、用什么方式表达最为合适',也就是说交际性原则要求内容的交际化、课堂教学环节的交际化和操练形式的交际化"。这篇文章的意义在于指出了交际能力的培养手段和方法要有别于单纯的语言技能训练;交际能力的培养要贯彻交际性原则。这已涉及交际能力培养的具体方法。

1988年9月,《汉语水平等级标准和等级大纲》(以下简称《标准和大纲》)出版。《标准和大纲》正式提出对外汉语教学的目的是培养学生用汉语进行交际的能力。同时还提出了"结构—功能—文化相结合"的教学原则。这个文件是由中国对外汉语教学学会主持编订的,又经过国家对外汉语教学领导小组办公室的审订,所以具有相当高的权威性。制订《标准和大纲》是对外汉语教学走向科学化、标准化的重要步骤。而科学化和标准化的标志之一是全国对外汉语教学目的的统一。从这个意义上说,《标准和大纲》提出"对外汉语教学的目的是培养学生用汉语进行交际的能力",标志着"培养交际能力"作为对外汉语教学总体目的的真正确定。

不过,教学目的虽然已经明确,但理论上的研究还不够深入,还存在模糊性。表现在:

第一,提出了培养交际能力这个教学目的,而对交际能力这个概念的内涵还没有阐述清楚。由于"交际能力"这个概念没有阐述清楚,也就很难说明"交际能力"和"语言技能"之间的区别和联系。因此在上面提到的一些学术论文和教学文件中,这两个概念往往是混同的。比如在《标准和大纲》中,一方面明确指出"对外汉语教学的目的是培养学生用汉语进行交际的能力",另一方面又说"这种能力主要体现在听、说、读、写四个方面"。

第二,由于"交际能力"和"语言技能"这两个概念的模糊不清,在教学实践中就往往用技能训练来代替交际能力的培养。虽然有的学者已经提出要用交际性原则来培养交际能力,但从对外汉语教学的整体来看,课堂教学的主要倾向还是语言技能的训练,而交际能力培养的特殊性还没有引起足够的注意。

四 90 年代:理论研究深入发展

80 年代,我们确立了培养交际能力的教学目的。进入 90 年代,对外汉语教学的目的问题引起了更多学者和教师的关注。在教学目的方面的理论研究不断深入和发展,并取得了可喜的成果。

90 年代教学目的的研究已深入到以下几个方面:1. 交际能力这个概念内涵的阐述;2. 语言能力、语言技能和交际能力的区别和联系;3. 培养交际能力的理论依据;4. 培养交际能力的手段和方法等等。下面,我们基本上按时间顺序来介绍研究的进展情况。

1990年,《语言教学与研究》第 2 期,发表了吕必松先生的《关于教学内容与教学方法问题的思考》。这篇文章对交际能力和语言技能这两个概念进行了阐述,说明了二者之间的关系以及二者培养手段的不同。现详细摘录如下:

"在对外汉语教学中,从理论到实践真正重视语言技能训练的时间还不算太长。近年来随着培养交际能力的意识的增强,人们又开始认识到,仅仅重视语言技能的训练还是不够的。交际活动不但要求言语的正确性,而且要求言语的得体性。如果言语不得体,即使言语本身完全正确(即没有语音、语法、词语等方面的任何错误),也不能达到交际的目的,甚至会闹笑话、出乱子……言语是否正确是语言技能方面的问题,而言语是否得体是交际技能方面的问题。交际技能必须以语言技能为基础,不具备语言技能就谈不上交际技能。这就是交际技能跟语言技能的相关性和一致性。这种相关性和一致性也容易给人以假象,好像语言技能就是交际技能。中国对外汉语教学中仍然存在着忽视交际技能训练的现象,大概就是受这种假象影响的结果。实际上,交际技能不是通过语言技能的训练就能自动获得的。因为它不但跟言语因素有关,而且跟语言心理和文化背景知识有关。要使学生较快地形成一定的交际能力,除了传授语言内容和训练语言技能以外,必须通过一定的方式对交际技能进行专门的培养和训练。"

把上面的论述加以概括,我认为它说明了以下四个问题:1. 语言技能不等于交际技能;2. 语言技能追求的是正确性,交际技能追求的不仅是正确性,还有得体性;3. 语言技能是交际技能的基础;4. 交际技能的获得要通过专门的训练和培养。

1990 年 6 月,国家汉办和北京语言学院在北京联合召开了

"中高级阶段对外汉语教学研讨会"。经过热烈的讨论,会议取得了预期的成果。其中主要有两点:1. 在教学性质问题上统一了认识,认为对外汉语教学的初、中、高三个阶段的汉语教学,其性质都是语言教学;2. 在教学目的方面也统一了认识,认为中高级阶段对外汉语教学的目的是培养学生的交际能力。在这两个问题上统一认识,特别是确认培养交际能力是教学目的,对中高级阶段的对外汉语教学的健康发展是很有意义的。

这次会议把中高级阶段对外汉语教学的目的和任务归结为两句话:以培养学生的交际能力为目的;以语言技能训练为核心。1993年,吕必松先生撰文指出,以培养交际能力为目的,以语言技能训练为核心的说法是不全面的,也是与培养交际能力的目的相矛盾的。他认为"要通过言语交际技能的训练来培养学生的语言交际能力,除了要扩大语法教学的范围以外,还必须有计划地进行语用规则的教学。言语交际技能的训练和语用规则的教学,目前是中高级汉语教学中的薄弱环节"[①]。

1990年9月,邱质朴先生编著的《说什么和怎么说?》正式出版。作者在序言中说:"本书的目的是为了使外国学生透过中国的文化与习俗,在多种多样实际语言情境中练习和掌握得体的口语表达方式,提高语言交际能力。"作者在这篇序言中,运用社会语言学的理论,用通俗的语言,详细地说明了交际能力和言语得体性的关系,以及言语得体性所包含的内容。

1990年8月,在第三届国际汉语教学讨论会上,常敬宇先

---

① 参见吕必松《关于中高级汉语教学中的几个问题》,《语言教学与研究》1993年第1期。

生发表了《试论汉语交际的得体性》的学术论文。他运用语用学理论来阐述话语运用的得体性原则。他说"言语交际的得体性原则,又可称作语用原则或说话规则(与语法规则是对立的)。得体性原则又可分为选择原则、礼貌原则、合作原则、同一原则、顺序原则等"。这就使得体性原则的讨论更加深入和具体化,不只停留在要不要得体性的水平上。

在这次讨论会上,盛炎先生发表了《语言交际能力与功能教学》。他认为交际能力应包括:1. 语言学能力,主要是语言结构方面的能力;2. 社会语言学能力,主要是语言功能方面的能力,主要表现为语言运用的得体性;3. 话语能力,其特点是大于句子,有一定语境和话语结构;4. 交际策略,或者说交际技巧等。他综合运用理论语言学、社会语言学、语用学以及篇章语言学的理论,来解释交际能力的内涵和构成要素,把交际能力和语言技能区别开来,使关于交际能力的讨论又深入了一步。

1992年,崔希亮先生发表了《语言交际能力与话语的会话含义》一文,从语用学的角度讨论语言交际能力问题。在这篇文章中除了说明交际能力和语言技能的区别之外,还详细地论述了口头交际的四种形式,即讲、述、谈、说。这四种形式代表了口头交际的四个层次。他认为每个层次所用的词汇和句型不是完全相同的,有时是不能替换的。①

范开泰先生在《世界汉语教学》1992年第1期上发表了《论汉语交际能力的培养》。他首先肯定了"对外汉语教学的目的是全

---

① 参见崔希亮《语言交际能力与话语的会话含义》,《语言教学与研究》1992年第2期。

面培养外国学生的汉语交际能力,既包括汉语口头交际能力,也包括汉语书面语交际能力"。他认为汉语交际能力包括三方面的内容:1.汉语语言系统能力,即使用汉语时具有合语法性和可接受性;2.汉语得体表达能力,即使用汉语时具有得体性,能根据说话人和听话人的具体条件和说话时的具体语境选择最恰当的表达方式,以取得最理想的表达效果;3.汉语文化适应能力,即用汉语进行交际时能适应中国人的社会文化心理习惯。然后,作者又详细地论述了这三种能力的培养方法和培养的具体内容。

到了90年代中期,由于对外汉语教学事业的迅速发展,教学规模和教学内容都在扩大。来华学习的外国留学生的人数在激增,其学习目的和选择的专业都更加多样化。由于观察事物的角度不同,对外汉语教学界对汉语教学的性质和任务产生了不同的看法。为了加强交流和沟通,中国对外汉语教学学会、《世界汉语教学》编辑部、《语言教学与研究》编辑部,于1994年12月6日至8日,在北京联合召开了《对外汉语教学的定性、定位、定量问题座谈会》。这次座谈会的主要内容是讨论对外汉语教学的性质问题。因教学目的和教学性质密切相关,因此讨论教学性质必然涉及教学目的。在会后发表的座谈会纪要中,再次强调了"语言教学的目的是培养学生用这种语言进行交际的能力"。

1995年,吕必松先生发表了《关于语言教学的若干问题》[①],再次阐述了交际技能的概念。同年,他撰写了《对外汉语教学概论》(讲义)。在这部著作里,他系统地论述了语言教学的总体目的,分别阐述了语言能力和语言交际能力、语言能力的构成因

[①] 参见吕必松《关于语言教学的若干问题》,《语言教学与研究》1995年第4期。

素、语言交际能力的构成因素、语言能力和言语交际能力中的文化因素等等。他认为一个人的语言能力属于语言范畴,由语言知识(语言要素和语用规则)和有关的文化知识构成;一个人的语言交际能力属于言语范畴,由言语要素、语用规则、言语技能、言语交际技能以及有关的文化知识构成。从言语要素到言语技能,从言语技能到言语交际技能,都有一个转化的过程。① 这是到目前为止有关对外汉语教学目的的最系统的阐述,也是对教学目的问题讨论和研究的总结性论述。

第五节　对外汉语教学的教学内容和基本的教学方法②

有人认为,教什么和怎么教是语言教学中两个最基本的问题。教什么是指教学内容方面的问题,怎么教是指教学方法方面的问题。怎么教跟教什么是分不开的,只有首先明确了教什么,才能决定怎么教。教学方法必须跟教学内容相一致,脱离教学内容的教学方法实际上是不存在的。

所谓教什么,实际上包括两个方面的问题。一是范围,二是范围中的具体内容。例如:词汇是一个范围,哪些词就是词汇范围中的具体内容;语法也是一个范围,哪些语法点就是语法范围

---

　① 参见吕必松《对外汉语教学概论》(讲义),国家对外汉语教学领导小组办公室1996年编印,内部资料。
　② 本节摘自吕必松《关于教学内容与教学方法问题的思考》,《语言教学与研究》1990年第2期。

中的具体内容。确定教什么,必须首先明确教学内容的范围,然后才能规定各个范围中的具体内容。在教什么的问题上,本文主要讨论教学内容的范围。

一 教学内容与教学目的

确定教什么,必须从教学目的出发。教学内容是为教学目的服务的,离开了教学目的,教学内容就无从谈起。教学目的也有两个方面的问题,一是基本目的,一是具体目的。两者都要由学生的学习目的来决定。人们学习第二语言一般是为了运用目的语在一定范围内进行交际。因此,一切正规的第二语言教学的目的都应当是培养学生的目的语能力和运用目的语在一定范围内进行交际的能力,包括口头交际能力和书面交际能力。我们暂且把这样的教学目的叫做基本目的。但是不同的人学习第二语言的具体目的不同。例如,说其他语言的人学汉语,有的是为了当汉语教师或汉语翻译,有的是为了从事汉语或中国文化方面的研究工作,有的是为了用汉语学习其他专业,有的是为了从事外交、外贸工作或便于社交场合的应酬,等等。因此,作为第二语言的汉语教学还必须针对不同的学习目的。我们暂且把这种有针对性的教学目的叫做具体目的。规定具体教学内容只能从具体教学目的出发,而确定教学内容的范围必须从基本教学目的出发。

进行正规的第二语言教学,既要根据学生的基本学习目的确定基本教学目的,又要根据学生的具体学习目的规定具体教学目的;既要根据基本教学目的确定教学内容的范围,又要根据具体教学目的规定具体教学内容。

第五节　对外汉语教学的教学内容和基本的教学方法

中国对外汉语教学的基本教学目的和对各类学生的具体教学目的总的说来是明确的。自从20世纪50年代初对外汉语教学成为一项专门的事业以来，对外汉语教学工作者孜孜以求的就是更快更好地培养学生运用汉语的能力，并且一直在探索提高教学效率的有效途径。受到"功能法"的影响以后，更增强了培养语言交际能力的意识。但是许多人仍然把提高教学效率的希望仅仅寄托在教学方法的改进上，而很少从教学内容的角度思考问题。即使研究教学内容，也仅仅是在语音、语法（句型）、词汇、汉字等这些传统教学内容的框架之内打圈子。改进教学方法当然很重要，但是教学方法首先是由教学内容决定的，如果不冲破传统教学内容的旧框框，所谓改进教学方法，也仅仅是改进语音、语法（句型）、词汇和汉字的教学方法。到目前为止，有些对外汉语教材仍然只注重语音、语法（句型）、词汇、汉字等方面的内容的选择、编排和讲解，而对言语技能和言语交际技能的训练以及文化背景知识的教学很不重视。例如，有些教材所选择的言语材料对学生的交际需要考虑不够，有些教材很少或根本没有文化背景知识的介绍，有些教材不是没有足够数量的练习，就是练习的内容和方式仅仅是为了帮助学生掌握所学的语音、语法（句型）、词汇及汉字等方面的知识。这样的教材不利于训练言语技能和言语交际技能，显然跟基本教学目的不一致。但是人们一般并不认为这类教材在教学内容上有什么问题。出现这种现象不是偶然的，因为对外汉语教学中一直存在着这样的情况，就是一提到教学内容，人们想到的只是语音、语法（句型）、词汇和汉字，似乎这些就是教学内容的全部。以上情况说明，关于如何根据教学目的确定教学内容的问题，特别是如何根据基本教学目的确定教学内容的范围的问题,还是个值得讨论的问题。

二 教学内容的范围

如果确认第二语言教学的基本目的是培养学生目的语的语言能力和语言交际能力,那么,要确定教学内容的范围,必须首先了解语言能力和语言交际能力的构成因素和形成过程。我们认为,人们的语言能力和语言交际能力至少是由语言要素、语用规则、相关的文化背景知识、言语技能和言语交际技能这五个方面的因素构成的。这五个方面的因素有一定的相关性和一致性,但是不能互相包括或互相代替。

1. 关于言语要素和言语技能

索绪尔第一个把语言和言语区别开来,这不但在语言学上具有划时代的意义,在语言教学上也具有重要意义。弄清语言和言语的区别,至少可以使我们明白,语言是一种社会现象,它不因某个个人是否存在而受到任何影响;语言存在于言语之中,而言语活动有个人的一面,总是跟具体的人联系在一起的。

如果沿着索绪尔的思路考虑问题,还应当把语言要素同言语要素区别开来,把语言要素、言语要素同言语技能区别开来。

语言要素主要是指语言中的语音、词汇和语法,人们把它们叫做语言三要素。语言又包括口头语言和书面语言,书面语言离不开文字,我们不妨把文字也算作书面语言的要素之一。

因为语言存在于言语之中,所以语言要素也必然存在于言语之中,言语中的语言要素就是言语要素。就像语言和言语有严格的区别一样,语言要素和言语要素在概念的内涵上也有严格的区别。前者是指一种系统,属于语言知识;后者是指一个个具体的语音、词语和语法现象等。例如,在语音方面,就是一个个具体的音节的发音和声调,就是一个个具体的词语和句子的重音、语调等;在词语方面,就是一个个具体的词语怎样念,是什么意思,怎样用,等等;在语法方面,就是一个个具体的词组和句子包括哪些词,词与词结合的先后顺序是什么,这个词组或句子表示什么样的意思,句与句之间、段与段之间是怎样连接的,等等;在文字方面,就是一个个具体的字怎么念、怎么写,代表什么词或语素(即表示什么意思),等等。

人们的言语活动是一种技能,包括听、说、读、写四个方面(读、写也是一种言语活动),我们把这四种技能都叫做言语技能。言语技能离不开言语要素,所以言语技能和言语要素有一定的相关性和一致性。这种相关性和一致性容易给人一种假象,好像言语仅仅是由言语要素构成的。于是在语言教学中就出现了把言语要素作为全部教学内容的现象。实际上,正如索绪尔所说,"言语活动是多方面的、性质复杂的,同时跨着物理、生理和心理几个领域,它还属于个人的领域和社会的领域。"① 由此可见,言语技能的形成不但取决于对言语要素的掌握,而且取决于有关的物理、生理和心理因素。言语要素可以传授,而言语技能是不能传授的,要获得言语技能就必须进行专门的操练,而且对听、说、读、写四项不同的言语技能必须用不同的方法进行操练。由此可见,言语要素和言语技能虽然有一定的相关性和一致性,但是它们毕竟不处于同一个层面上,在语言教学中绝

---

① 参见索绪尔《普通语言学教程》,商务印书馆 1980 年版,第 30 页。

不能把两者混同起来。

2. 关于言语技能和言语交际技能

在对外汉语教学中,从理论到实践真正重视言语技能训练的时间还不算太长。近年来,随着培养交际能力的意识的增强,人们又开始认识到,仅仅重视言语技能的训练还是不够的。交际活动不但要求言语的正确性,而且要求言语的得体性。如果言语不得体,即使言语本身完全正确,也不能达到交际目的,甚至还会闹笑话、出乱子。这方面的例子人们已举过不少。

言语的正确性是指言语中的语音、词语和语法等不出现错误,这是言语技能方面的问题,由语言规则控制;言语的得体性是指所用的言语与交际场合、交际对象和交际目的等相符合,这是言语交际技能方面的问题,除了由语言规则控制以外,还要受语用规则的规约。

语用规则是指语言使用的规则。语言使用离不开交际场合、交际对象和交际目的——我们把这些统称为语境。语境不同,对谈话内容和言语的语音形式、词语、句式以及应对方式等的选择也往往不同。语用规则就是根据一定的语境对谈话内容、言语的语音形式、词语、句式以及应对方式等进行选择的规则。语用规则也是一种语言知识。

言语交际技能必须以言语技能为基础,不具备言语技能就谈不上言语交际技能。因此,言语交际技能跟言语技能也有一定的相关性和一致性。这种相关性和一致性也容易给人以假象,好像言语技能就是言语交际技能。中国对外汉语教学中仍然存在着忽视言语交际技能训练的现象,大概就是受这种假象影响的结果。实际上,言语交际技能不是通过言语技能的训练就能自动获得的,因为它不但跟语言知识(语言要素和语用规则)和言语要素有关,而且跟语言心理和文化背景知识有关。要使学生较快地形成一定的语言交际能力,除了传授语言知识、言语要素和训练言语技能以外,还必须结合语用规则的教学进行言语交际技能的训练。

3. 言语技能、言语交际技能和文化因素

在不同的社会制度、文化传统和生活环境的影响下,不同民族的价值观念、心理状态、思维方式、风俗习惯以及道德和是非标准等都会存在一定的差别,我们可以把这种差别叫做"文化差异"。语言和民族文化是紧密相关的,这种"文化差异"不但要反映到语言本身的特点上来,而且要反映到语言的使用上来。因此,人们在学习和使用第二语言时,不可避免地要遇到"文化差异"所造成的障碍。为了消除这种障碍,在第二语言教学中必须进行文化背景知识的教学。

文化背景知识的教学在语言教学中的重要性已经引起了各国语言教学工作者的普遍重视,近年来中国对外汉语教学界对这个问题也讨论得很多,在要不要加强文化背景知识教学的问题上,几乎看不出有什么分歧。因此可以说,关于加强文化背景知识教学的问题,至少在理论上或认识上已成了一个不成问题的问题。但是要在教学上真正解决好这个问题,恐怕还要走一段相当长的路程。这主要是因为有大量的研究工作要做。

所谓文化,实际上是一个内涵不太确定的概念。人们可以给它下出各种不同的定义,也可以从不同的角度把它分为不同的类别。问题是,哪些文化因素跟语言学习和语言教学有关?因为语言不但是交际和思维的工具,而且是文化的载体,所以也可以说所有的文化知识都跟语言和语言交际有关。例如,对一个从未学过高等数学的人谈论高等数学问题,就无异于对牛弹琴,这说明高等数学知识跟语言交际也有关系。是不是因此就可以认为,高等数学知识也应当成为语言教学必不可少的内容之一?如果回答是否定的,那么,语言教学的内容中到底应当包括什么样的文化知识?

近年来,中国对外汉语教学界一直在讨论"交际文化"问题。这一概念是张占一首先提出的。他提出:"语言教学(尤其初级阶段)中的文化内容应分为两种——知识文化(cultural knowledge information)和交际文化(cultural communication information)。所谓知识文化,指的是两种不同文化背景培养出来的人进行交际时,对某词、某句的理解和使用不产生直接影响的文化背景知识。双方或一方不会因为缺乏这种文化知识而产生误解。所谓交际文化,指的是两种不同文化背景熏陶下的人,在交际时,由于缺乏有关某词、某句的文化背景知识而产生误解。这种直接影响交际的文化知识就属于交际文化。学生不懂某些知识文化固然不好,但不会造成误解。如果不懂交际文化就会直接影响交际效果,引起误解,或出现问题。"①

虽然对"交际文化"这一概念本身还有不同的看法,但是这一概念的提出说明中国对外汉语教学界已开始高度重视语言教

---

① 参见张占一《汉语个别教学及其教材》,《语言教学与研究》1984年第3期。张占一后来对"交际文化"又作了进一步的论述,对"交际文化"的定义有所修正。参见《试议交际文化和知识文化》,《语言教学与研究》1990年第3期;《如何理解和揭示对外汉语教学中的文化因素》,《语言教学与研究》1991年第4期;《交际文化琐谈》,《语言教学与研究》1992年第4期。

学中的文化因素教学。不少文章对跟语言教学有关的文化知识教学的具体范围提出了有参考价值的见解。陈光磊认为与汉语教学相关的文化背景知识的大致范围是：贯穿在日常社会生活和交际中的风俗习惯所形成的"习俗文化"，如礼貌表示、称呼、问候等；由思维方式形成的，如中国人的思维方式有从大到小的特点等；民族心理所表现于文化的，如含蓄委婉的措辞、谦卑辞让的用语和对集体、个人、家庭的观念、性格气质的表现等；由文化的历史发展和遗产的积累所造成的，如"月老""红娘""媒人""介绍人"等词语有意义上的一致性，但各自的语义容量及修辞色彩并不相同，这种不同是由文化的遗存与发展所造成的；汉字文化，即造字和用字的心理。① 于丛杨从报刊语言教学的角度归结了"具有浓重文化色彩的词语"的范围，包括：成语典故、警句格言、新词语；习惯说法；非等值词和不完全等值词；简称、缩略语、命令句、套话。② 赵贤州把"交际文化"的内容概括为十二个方面：因社会文化背景不同而产生的无法对译的词语；因社会文化背景不同而产生的某些层面意义有差别的词语；因社会文化背景不同而产生的词语使用场合的特异性；因社会文化背景不同而产生的词语褒贬不同；因社会文化背景不同而产生的潜在观念差异；语言信息因文化背景不同而产生的差异；含有民族特殊文化传统信息的词语；成语典故、名言名句等；词语中反映的习俗文化信息；有特定文化背景意义的词语；不同文化背景造成的语言结构差异；其他因价值观念、心理因素、社会习俗等所

---

① 参见复旦大学留学生部汉语教研室《语言教学与文化背景知识的相关性》，《语言教学与研究》1987 年第 2 期。

② 参见于丛杨《文化与报刊语言教学》，《语言教学与研究》1987 年第 4 期。

造成的文化差异。① 毕继万对反映在语言中的中外思维方式的差异进行了对比,认为中国人和西方人在思维方式上的区别主要表现在:从大到小和从小到大;概括综合和具体分析;整体有序和个体独立;含蓄婉转和坦率直爽;垂直思维与水平思维;自我中心与群体依存。②

所谓"交际文化",我们也可以理解为隐含在语言的词汇系统、语法系统和语用系统中的反映一个民族的价值观念、是非标准、社会习俗、心理状态、思维方式、审美情趣等的文化因素。这种文化因素因为是隐含着的,所以本族人往往"习而不察",只有通过语言和文化的对比研究才能发现其特征并揭示出"文化差异"规律。

上面引述的论点是举例性的。这些例子一方面说明我们在"交际文化"的研究上已经取得了一定的进展,另一方面也说明这一领域的研究只不过是刚刚起步,在研究的范围和内容上还没有取得一致的意见。即使在一些一致的方面,在定量研究上也还要花很大的工夫。但是这类研究是完全必要的,因为只有取得了定性定量的系统的研究成果,才能更好地应用到教学中去。在此之前,对这类文化知识只能作些零星介绍。

把上面的意思归结起来,我们认为语言教学至少应包括语言要素、语用规则、有关的文化知识以及言语技能和言语交际技能五个方面的内容,这就是语言教学内容的范围。语言要素不

---

① 参见赵贤州《文化差异和文化导入论略》,《语言教学与研究》1989 年第 1 期。

② 参见毕继万《中外思维方式的对比在外国人汉语教学中的作用》,(美国)《中国语文教师学会学报》1989 年第 1 期。

是教学内容的全部,如果不包括语用规则、有关的文化知识以及言语技能和言语交际技能,就说明教学内容是不完整的。同样,语言教学的教学方法也不但要包括怎样传授语言要素,而且要包括怎样进行语用规则和有关的文化知识的教学,怎样进行言语技能和言语交际技能的训练,特别是怎样把这五个方面的内容有机地结合起来。如果缺少其中的任何一个方面,就说明教学方法也是不完整的。

三 关于教学方法

20世纪70年代末、80年代初以来,中国对外汉语教学发生了较大的变化,教学理论和教学方法的研究也取得了明显的进展。一条新的教学路子正处于形成和完善的过程中。这条新的教学路子的主要特点是:以培养语言交际能力为基本目的;根据学生的特点和学习目的确定教学内容;采用结构、情境和功能相结合的教学方式;用不同的方法训练不同的言语技能。这种新的教学路子并不代表一种统一的教学方法。采用什么样的教学方法,是由多种主客观因素决定的,其中最重要的主观因素是教学条件和对教学方法的认识,最重要的客观因素是学生的自然特点和学习目的。由于各种主客观条件的不同,各教学单位采用的教学方法也不完全相同。就是在同一个教学单位,也不一定采用同样的教学方法。

到底什么是语言教学的教学方法,人们的理解各不相同,对教学方法分类的角度也不完全相同。前面谈到,教学方法应包括怎样传授语言要素,怎样进行语用规则和有关的文化因素的教学,怎样进行言语技能和言语交际技能的训练以及怎样处理各项教学内容之间的关系。如果从怎样处理语言要素、言语技能和言语交际技能这三者之间的关系的角度分类,中国对外汉语教学目前使用的教学方法大体上可以分为三类:

1. 以语音、语法、词汇等语言要素为纲的教学方法

这种方法的主要特点是,首先选择和编排好言语要素以及包含这些言语要素的言语材料,然后根据这些言语要素和言语材料训练各项言语技能。采用这种方法一般是在基础阶段设一门综合课,使用一种综合教材,对听、说、读、写四项言语技能进行综合训练。这是传统的方法,至今仍然广泛使用。有经验的教师在使用这种方法时,会尽量创造交际环境,进行交际性训练。

2. 以言语交际技能为中心的教学方法

这种方法的主要特点是,用功能—结构方式或纯功能方式编写教材,课堂上除了讲解一定的语言知识以外,主要是进行交际性练习。这种方法目前主要应用于有一定汉语基础的学生。

3. 以言语技能和言语交际技能训练为出发点的方法

这种方法的主要特点是,全部或部分地开设专项言语技能课,按照专项言语技能和言语交际技能训练的要求选择和编排言语要素和言语材料,编写专项言语技能教材。课堂上除了根据需要讲解一定的语言知识以外,主要是进行专项言语技能和言语交际技能训练。当然也注意各项言语技能之间的连带关系,在着眼于某项言语技能的训练时,也兼顾其他言语技能的训练。

以上三种方法比较起来,使用第一种方法的经验比较丰富,

第二和第三种方法还处于试验之中。当前人们最关心的问题是怎样把结构、情境和功能结合起来。到目前为止,大体上有以下三种不同的结合方法:

1. 在一种教材中实行自始至终的结合

基本做法是:按照语言结构的难易程度编排教学内容的先后顺序;用会话体和叙述体编写课文;课文内容围绕功能项目编写,或在课文之前专设功能项目;保留"句型练习"等结构练习方式,增加了围绕一定的情境、话题和功能项目编写的交际性练习;从语法和语用等不同的角度解释言语现象。这类教材又可分为结构—功能型和功能—结构型两种。

2. 在一种教材中分阶段结合

即初期以结构为纲,中后期以功能为纲。

3. 互相配套的几种平行教材有所分工

即有的以结构为纲,有的以情境为纲,有的以功能为纲。

以上三种结合方式各有特点,目前还看不出有什么优劣之分。

中国对外汉语教学当前在教学方法上存在着两个突出的问题。一个问题是有关的基础理论研究跟不上教学方法发展的需要,另一个问题是有些公认的教学原则不能贯彻到所有的教学环节中去。例如,大家都已认识到文化背景知识教学的重要性,但是我们在文化背景知识方面还缺少定性、定量的系统研究;大家都赞成结构、情景和功能相结合的方法,但不是在所有的教学环节上都贯彻了三结合的原则。要解决这些问题,一方面要加强理论研究,包括有关的基础理论和教学理论研究,另一方面要加强基本建设,包括加强总体设计、教材建设和教师队伍建设。

第六节　语言能力及相关问题[①]

本文要通过语言与知识之间关系的讨论来探索第二语言教学的规律。我们应该弄清楚语言是什么,因为这关系到怎样教语言。

假如我们认为语言是知识,学生们明白了老师讲的道理就能够学会语言,那么我们就会用传授知识的方法来教学:对语言进行尽可能详细准确的分析讲解。在中高级阶段,很多老师一直是这样做的。要是我们认为语言不是知识,是一套说话的习惯,那么我们就不会对语言作分析讲解,而是用刺激—反应的办法来使学生养成这套习惯。听说法就是这样产生的。

不同的认识会使语言教学的方法与过程截然不同。但事实上对这个理论问题很多人的认识是模糊的。因此我们的教学过程也就充满了矛盾。比如,根据经验我们提出了语言教学的实践性原则,但这一原则并不能贯彻始终。在中高级阶段,老师总是对语言材料作大量的分析讲解,学生并没有多少实践的机会。理论上含糊不清,教学效率必然低下,因为很多做法不符合规律。

当然,语言系统非常复杂,由于人们的视角不同,因此对语

[①] 本节摘自陈贤纯《语言是不是知识》,《第四届国际汉语教学讨论会论文选》,北京语言学院出版社1995年版。编者按:原文发表时注释和参考文献即不完整。

言的定义也就千差万别。笔者认为,语言作为交际工具表现为各种能力,我们不妨从分析语言的各种能力入手,来研究语言与知识的关系,这也许是一个新的视角。

一 语言的各种能力

1. 语言能力(linguistic competence)。人类运用语言是创造性的,这一点有无可辩驳的证据,语言学家们早就取得了比较一致的看法。100多年前德国语言学家洪堡特就把语言看成是"有限手段的无限运用"。1957年乔姆斯基提出了转换生成语法,他认为人类头脑中有一种语言机制,即普遍语法,这种普遍语法是人类特有的,是先天遗传的。他把这种先天机制称为语言能力,以区别处于表层结构的用语音成分表现出来的语言行为。语言能力在人的大脑中是无意识的,人人都有并且与智力高低无关,即使是一个白痴,他的头脑里也存在这种机制。关于人类有先天的语言能力这一点,看法也比较一致。语言能力是人类能够学会语言的内因。

但是语言能力本身并不是语言,它只是一种潜在的能力,只有经过特定语言环境的反复影响才能产生语言。生成语法学派认为,语言环境的影响是给大脑中先天存在的普遍语法参数赋值的过程。普遍语法经过赋值以后产生具体语言的语法,这样形成的语法具有生成性和创造性。这就是说语言环境是学会语言不可缺少的条件,这是外因。在对儿童语言发展的研究中,这也得到了证明。

2. 交际能力(communicative competence)。要用语言进行交际,仅有语法能力是不够的,还需要其他方面的能力。海姆斯(Hymes 1972)提出了交际能力,他认为语法能力只是交际能力的一个组成部分,说一个人获得了交际能力,那就是说他不但获得了语言规则的知识,而且还获得了语言在社交中的使用规则。他指出,如果说一个人获得了交际能力,那么他就应该知道对什么人在什么场合和什么时间用什么方式讲些什么和不讲什么。① 海姆斯是社会语言学家,社会语言学家从语言社会功能的角度来考察语言,不仅看到交际需要语法能力,而且还看到交际需要语言的社会使用能力以及策略能力。

培养交际能力是第二语言教学的任务,这一点现在已经没有异议。海姆斯对交际能力的概括是从社会语言学的角度出发的,强调的是语言的社会性。从第二语言教学的角度出发,比较全面的交际能力应该包括以下六个方面:

(1) 语音能力,基本准确的语音语调。

(2) 语法生成能力。

(3) 词语理解与表达能力(理解词汇量大大多于表达词汇量)。

(4) 读写能力。

(5) 语用与策略能力。

(6) 语言的社会文化对应能力。学习第二语言是在已经有了一整套语言系统之后再学习一套新的语言系统。语言不是孤立存在的,它与特定的社会文化背景联系在一起。假如把第一语言称为 L_1,它的社会文化背景称为 S_1,第二语言称为 L_2,它的社会文化背景称为 S_2,L_1 是在对 S_1 的认知过程中同时形

---

① 参见 Hymes, D. (1972) *On Communicative Competence*, J. B. Pride & J. Holmes, *Sociolinguistics*, Harmondsworth, Penguin.

成的,在 L_2 教学时人们往往重视语言而忽视对 S_2 的认知,以至于仍然用 S_1 来支配 L_2,造成语言与社会文化的错位。

具备这六种能力只是达到或接近目的语本族人的一般水平。

乔姆斯基所说的语言能力与海姆斯所说的交际能力之间并不是排斥关系。交际能力包括语法生成能力,而语法生成能力是语言环境对语言能力参数赋值的产物。但语言能力是先天的,交际能力是后天形成的,从这个意义上说,两者在不同的层次。语言能力在第一个层次,交际能力在第二个层次。

3. 第三层次的能力。在母语社会中,一个没有受过教育的人也具有语言交际能力,不过他的交际能力是不完整的,因为不具备读写能力。所以母语语言教育从读写开始。经过初级和中级教育以后就具备了比较全面的交际能力。但母语语言教育中,人们还追求更高层次的能力,如演讲能力、高一级的写作能力、对文学作品的欣赏能力、对语言的理性分析能力等等,人们寻求文采,寻求更高的语言美的境界。这些都需要能力。目的语本族人中多数也没有这种能力。所以这是交际能力形成以后的进一步提高,是第三层次的能力。提出"第三层次能力"的意义,在于区分母语语言教育与第二语言教学。培养第三层次的能力是母语语言教育的任务,不是第二语言教学的任务。但事实上现在我们常常在获得第二层次能力之前急于追求第三层次的能力,开设一些诸如文言阅读、小说欣赏、名著选读、诗歌赏析等课程,这种情况在国内外都很普遍。这些课程对交际能力的形成影响甚微。由于交际能力尚未形成,这些课程的效率很低。这反映我们教学指导思想的模糊性。没有第二层次能力作为基础,第三层次的能力是不可能形成的。

二 第一层次的语言能力是不是知识

1. 语言的内化(internalization)。语言能力在语言环境的影响下产生语法生成能力,那么语言环境是怎样影响语言能力的?语言规则是怎样掌握的?心理学家和语言学家们提出了各种假设。语言内化是最流行的一种假设。语言内化的假设建立在人类先天语言能力假设的基础上。这一假设认为,儿童学会语言并不需要了解任何规则,他们在自然语言环境中生活,自然语言的不断输入激活了大脑中先天语言能力,逐渐地在不知不觉中形成了各种规则,这就是语言的内化。语言内化的假设有两个要点:

(1) 内化是语言环境影响的结果,主要是通过听的渠道来吸取大量的言语素材。这些素材输入以后,通过大脑中的语言能力,把规则性的东西储存起来,而素材本身则随着时间的推移逐渐被忘却。

(2) 语言内化的过程是无意识的,谁也说不上来规则是怎样内化的,内化了的规则是什么样子。尽管语言内化后人们意识不到规则的存在,但这时产生了语感,凭着语感判断语言运用是否正确,语感是语言内化后的产物。那么语法书上的语法规则是什么?那是语言学家们根据语言行为分析归纳的结果,是有意识的,与无意识的内化的规则不是一回事。即使语言学家归纳的语法十分接近人脑中实际存在的规则,那也只是一种研究的成果,是外在的东西,即使把它背得滚瓜烂熟也没有生成性,因为它不是内化的产物,而内化是语言环境所致,因此语言教学中详细的语法讲解对发展交际能力是无效的。

不过,语言内化的假设并不是说语言教学可以不管语法。

语言规则内化的过程虽然是自然的、无意识的,但语言教学的过程却绝不能无意识。从认知心理学的角度看,无意识的学习是不可能的,"注意"是一个把输入变为吸收的必要条件。对语法项目的详细讲解虽然无助于语言内化,但对学习内容的理解是必要的,因此教学中对语法项目的提示与有意识编排是引起学生注意、变输入为吸收内化的一个不可忽视的手段。增加语言项目的出现频率可以使它更有可能被注意。无意的偶然的学习是在意识的指引下产生的。只不过引起注意的手段不是讲解,而是在各种上下文、各种语境中重现。这其实正是语音和句型阶段成功的经验。

2. 知识的含义。知识的含义很广,它指人们对社会、对世界的认识。知识可能通过学习获得,也可能通过经验获得。知识是有意识的,它能够表达能够传授。人类的能力并非都与知识有关,比如骑自行车和游泳,不管传授多少知识,要是没有实践是学不会的,可见这种能力不是知识。如果我们承认人有各种天分,比如音乐家对旋律与节奏的感觉、画家对线条和色彩的把握等,并不是每个人通过勤奋学习都能够获得的,这种天分也不是知识。

3. 语言能力不是知识。无论语言能力还是语言内化过程,或者内化以后的规则都是无意识的,无意识的东西当然不可能是知识,这个道理显而易见。但事实上这个问题在语言学界却存在着争论。

乔姆斯基虽然认为语言能力是先天的,普遍语法是潜在的,人们会说话,但是并没有意识到语法规则的存在,但他又说,语言能力指的是说话人和听话人所具有的关于他们的语言的知识。生成语法是表达说话人—听话人的语言知识。① 他强调语言学家研究的对象不是外在的语言,而是内在化的语言,即内在化的语法。② "内在化的语法是心理实体",这是乔姆斯基的基本哲学假设。但是哲学家对他的人脑里有先天的语言知识的假设提出了异议,他们认为这不符合命题知识(propositional knowledge)的要求,一般命题知识都是可以意识到的,或者可以通过反省进入意识状态的,可是内在的语法却无法意识到。乔姆斯基并没有接受这种批评,他对知识的那种理解在理论语言学研究中只是一家之言,无关大局。但是语言是不是知识对于第二语言教学却关系到全局。

目前在语言教学界存在的不是那种争论,而是混淆——把语言学家根据语言行为分析归纳出来的语法当作能够生成话语的规则。语言学家们归纳的规则当然是知识,所以语言教学尤其到了中高级阶段总是以传授知识为目的,在教学中贯穿着分析讲解,就像传授其他学科的知识及母语教育一样。这样教学的结果,学生们得到的是语言的各种知识,能够对语言作出分析,能够对各种语言现象说出个为什么。但这些知识并不是语言内化的规则,不能形成交际能力。

三 关于语言习得(language acquisition)

1. 习得的含义。"语言习得"相对于"语言学习"(language learning)而言,习得是儿童获得第一语言的途径,是在日常生

---

① 参见 Chomsky, N. (1965) *Aspects of the Theory of Syntax*, Cambridge, Mass. The M. I. T. Press。

② 参见 Chomsky, N. (1980) *Rules and Representations*, New York, Columbia University Press。

活中通过大量的语料输入不知不觉地获得的,是一个无意识的过程。"语言学习"是目的明确的有意识行为,在学校学外语就是"语言学习"。

2. 人类获得语言的途径。既然儿童的母语是自然习得的,而成年人的第二语言是学习获得的,那么人类是不是可以通过两条不同的途径获得语言? 这就有不同的意见。不少人认为成年人与儿童不同,不可能像儿童那样生活,已经失去了儿童习得语言时的那种条件,只能由学习的途径获得第二语言。另一些人则认为人类的语言只能习得,不存在第二条途径。

问题在于对"习得"的理解。如果仅仅把"习得"看作是与"学习"相对的一种行为,那么成年人当然不可能再有儿童那样的行为。但是语言学习理论研究中所说的"习得",含义已经更加深入,他们把"学习"看作一种行为,而把"习得"看作是一种过程①,即像儿童那样获得语言的过程。还有人更明确地把"习得"看作是获得语言的机制(language acquisition device)。生成学派则认为习得是给大脑中先天存在的普遍语法参数赋值的过程。从这个意义上说,如果说除了"习得"以外人类还存在另一条获得语言的途径,那么这样的结论下得太武断,需要加以证明。因为第一语言是习得的,这已经经过长期的大量的观察研究和实验,证据充分。从第一语言习得无一例外的成功与第二语言学习成千上万失败的对比中可以找到很多例证。

3. 学习与习得的关系。克拉申认为习得与学习毫无关系,

---

① 参见吕必松《对外汉语教学概论》(讲义),《世界汉语教学》1992年第2期、第3期、第4期。

中间无法通过。很多人认为这种说法太极端。事实上语言教学不是完全没有成效,只是效果不太理想。无论用什么方法学习都必须使用目的语语料,对习得造成影响的是语料。目前学校中通常的语言学习行为,会产生两种结果。首先是掌握语言知识,语言教学通常追求的是这种结果。但在客观上也会产生另一种结果,即在语料的影响下不知不觉地产生习得。

语言内化的假设实际上向我们显示了这样的结论:语言学习行为所产生的这两种结果在人类大脑中处于不同的平面。学习得到的语言知识在有意识的平面,可以描述,可以分析。而不知不觉中产生的习得进入到了无意识的平面,没有痕迹,无法描述。这两个平面是互不相通的。①

两个平面的假设使我们能够轻易地解释许多令人迷惑不解的现象。例如,学生们常常说,老师讲的语法在课堂上听得很明白,但在真实的交际时总是用不上。高年级的学生应该说语法知识学得不少了,但很多学生表达能力仍然很差,老师虽然想叫他们多练习自由表达,但他们说来说去就会初级阶段掌握的那几句话,说得自己都烦了。这就是因为语言内化的过程没有完成,没有获得足够的规则。而老师讲的语法在有意识的平面,不能生成流利的话语。克拉申认为,我们谈话时话语是由习得系统引起或驱动的。② 这话很有道理。

---

① 克拉申认为从学习中获取的语言知识虽然储存在左半脑,却不在储存语言思维的地方。而在自然的语言环境中习得的语言储存在左半脑的有关语言思维的那一部分。

② 参见 Krashen, S. (1981) *Second Language Acquisition and Second Language Learning*, Oxford Pergamon Press。

有意识平面通过学习获得的知识靠记忆的方法来检索。经验证明,驱动记忆系统也可以产生话语,但检索的速度慢,能够检索出来的话语极有限,不能构成流利的、连贯的谈话,说话觉得非常吃力。这与由习得系统驱动的话语有本质的不同。外语学习者常常靠记忆系统驱动会话,这是不够的,只有过渡到由习得系统驱动,话语才是自然的、流畅的,不会有吃力的感觉。这种过渡的条件是加强语言环境的影响。

两个平面互不相通并不说明学习与习得毫无关系,学习是一种行为,学习的结果可以产生习得。问题是应该注意学习方法,要创造良好的语言环境,促使无意识平面规则的内化。假如学习的目的是想获得听说交际能力,而老师一味的传授知识,这样,学习的结果大都进入了有意识平面,那么学习就失败了。第二语言教学至关重要的是选用什么样的语料,怎样使用语料以及语料的数量。成年人语言习得并不需要重复儿童那样的行为,在学校中照样可以创造语言环境,学会第二语言。正确的学习方法可以促进语言习得。

四　第二层次的能力是不是通过传授知识形成的

1. 知识的层次。我们已经用很大的篇幅来讨论语言能力是不是知识以及语法生成能力的形成过程,但语法规则只是语言的一部分,并不是语言的全部。语言的交际能力是由多种能力合成的,除了语法生成能力之外,还有语音能力、读写能力、词语理解与表达能力、语用策略能力、文化对应能力等,这几种能力与语法生成能力的形成过程有很重要的相似之处:需要大量的语料输入,需要足够的实践机会。但也有明显的不同之处:它们并不像语法能力那样是生成的,它们多数与记忆有关,是有意识的,能够描述、能够分析。所以这几种能力都与知识有关。

但知识也有不同的类型,深浅层次不同,至少有感性知识与理性知识之分,因此获得知识的途径也不同。比如语音,交际所需的语音知识与作为理论研究的语音知识是完全不同的。前者浅显,具有经验性,后者深奥复杂,是纯理性的。获得这两种语音知识所需的条件也不相同。获得交际所需的语音知识需要听音辨音能力和模仿能力,因此音乐基础好的人占有利地位,从小在不同语音环境中生活过的人也占有利地位,年龄小的人更占有利地位。而要获得语音研究的理论知识则分析能力强的人占有利地位,抽象思维能力强的人占有利地位。因此这两种语音知识的教学手段也就不同。作为感性知识的语音教学尽管也需要讲一定的道理,但不可缺少的是大量的实践。作为理性知识的语音教学是分析性的,追求的目标是深度与广度。所以,交际能力中的语音能力虽然与知识有关,但它与语音理论研究中的知识绝不能混为一谈。

词汇系统有很多知识。词汇与概念联系在一起,成年人学习第二语言时概念与语义网络已经形成,需要建立的是概念的另一种新的物质外壳与原有的语义网络之间的联系。这种联系靠记忆的方法建立。理解可以帮助记忆,因此掌握构词法有利于词汇学习。但理论分析并不能帮助记忆,心理学实验证明,人的短时记忆的容量非常有限,在先前进入的知识还未变成长时记忆时就涌进大量的新信息,结果后者挤走了前者,留下的还是这么多甚至更少。因此分析每一个词的义项以及每个义项的用法,讲解同义词、近义词、反义词,讲解词与词的搭配、词的语用环境等等,这种分析性的传授知识方法对于第二语言的词汇教学肯定是要失败的。记忆在语言学习中有重要作用,人类个体的记忆能力虽然有差别,但记忆成功的主要条件是要有足够的重现频率,词语在不同的语境、不同的上下文中以相同或不同的义项反复出现,才能加深理解,才能存入长时记忆。所以交际能力中的词语知识是经验性的,不是分析性的。

同样的道理,读写能力、语用策略能力以及语言与文化对应能力虽然也都与知识有关,但都是经验性的,不是分析性的。它们与语言规则内化的条件有很多相似之处。

2. 第二语言学习是经验性的、实践性的。经验性、实践性是指听说读写四种技能的每一种都必须在大量的经验与实践的基础上才能形成。应该说现在的语音和句型阶段比较重视经验和实践,我们严格限制老师们讲解而强调充分的操练,所以这个阶段的教学效果比较显著。但句型阶段以后就逐渐偏离经验性、实践性原则。为什么要放弃成功的少讲多练的经验而采取从来就没有成功过的多讲解少实践的原则?原因可能是基本句型学完以后,不能再用句型替换的方法操练,这时教学方法面临着一个转折。由于我们在理论上认识模糊,因此转到了对知识进行分析性传授的方向。但句型阶段结束并不是语言内化过程完成,语言内化还需要输入大量的语料。成年人虽然不能像儿童那样学习语言,但人脑的语言习得机制和语言习得的前提条件并没有两样。人脑中有意识的思维在一个平面,语言习得的机制在另一个平面,两个平面互不相通,不能用传授知识的分析性讲解代替语言环境。句型阶段结束以后应该及时转向大量的听读说写实践。听读语料中没有新的语法点并没有关系,语言形式的重复对语言内化是非常必要的,语料中的语言点只要理解了,不作分析更没有关系。研究与观察表明,语言习得时学生的注意力并不是集中在语言形式本身,而是集中在语言所传递的信息上,在不断地比较顺利地获得语言所传递的信息的时候,习得可能同时产生了。

我们的教学课时非常有限,大量的讲解会挤掉输入语料的时间,排除语言内化的前提条件,排除实践的机会,使语言教学的过程与语言习得的规律背道而驰。最典型的课程是精读课,精读课的特点是以少量课文为核心,细细串讲,对重点的词语和语法进行分析。精读课的思路存在两个问题:一是把语言作为分析性的知识来传授,因此提高单篇课文的难度。二是企图通过少量语言材料学会复杂的语言系统。有人作过估计,假如每篇课文长3页,每周学1课,每月4周达12页,一年以10个月计算,共40课,两年共240页。这一点语料对于语言内化是远远不够的。为什么要开设精读课,而且以精读课为主呢?就是认为语言是通过传授知识获得的,语言教学是分析性的。

有些老师认为教材难是因为选用文学作品的缘故。我认为问题不在于文学作品做教材行不行,而在于怎样理解语言教学的规律。课文为什么难?因为难有讲头,因为名家名著艺术成就高,有代表性,可挖掘的东西多。容易的课文像一杯白开水,没有滋味。从这样的指导思想出发,选出的课文无论是不是文学作品都不利于语言规则内化。语言规则内化以前加大输入语料的难度,会把学生的注意力转移到解决语言难点上去,从而阻碍语言内化的进程。

习得是通过可懂输入产生的,克拉申认为假如你处在语言习得的 i 阶段,那么最佳的可懂输入应该是 $i+1$,太难的输入会使语言习得过程受阻。妈妈跟孩子说话时总是自动地简化语体、简化代码,这并不妨碍孩子们学到地道的母语。简化输入的语料是语言习得的一个必要过程。应该说成年人语言教学严重忽视 i+1 的原则,结果是事倍功半。所以降低教材难度,并且增加输入量是非常重要的。假如想达到的目标是 100,新的语言点数量为 X,精读课的办法是 X×2=100,但符合语言习得规律的办法是 X×20=100。

语言的能力有不同的层次。第一层次的语言能力不是知识。第二层次交际能力的形成与知识有关,但培养交际能力的过程并不是传授知识的过程。第二语言教学不管是语音、语法、词汇、语用还是文化都应该在实践性原则之下进行。第二语言教学教师的责任不是传授知识而是给学生创造语言环境,创造实践的机会。只有第三层次的能力才是人们通常理解的那种知识,是分析性的,需要用传授的方法教学。

第七节　对外汉语教学的学科基本理论[①]

一　对外汉语教学学科基本理论概说

(一)

在《对外汉语教学的学科理论体系》中,论述了对外汉语教

[①] 本节摘自赵金铭主编《对外汉语教学概论》,商务印书馆 2004 年版。

学学科建设体系的内涵,并指出学科建设体系由"学科理论基础、学科基本理论、学科应用理论、学科发展建设"四个部分组成①,这四个组成部分都可以成为对外汉语教学研究的对象。但是,在学科建设体系的四个组成部分中,只有中间的两个部分——学科基本理论和学科应用理论是对外汉语教学理论研究的重点,这二者构成了对外汉语教学的学科理论体系。其中又以学科基本理论为学科理论的核心,是学科存在的主要证明和标志。没有学科基本理论的指导和启发,学科应用理论就不可能形成和存在,至少难以深入和提高。不把"学科发展建设"看成是学科理论体系的组成部分,是因为其中的内容有的不是"学科"理论本身的研究,如师资队伍建设和教师进修培训等;有的研究理论含量又不很高,如学科发展规划和学科历史研究等;更重要的是,"学科发展建设"的"研究"不能全面地指导对外汉语教学实践,其成果不能在"教什么"和"怎么教"两个根本问题上有所作为。因为它们本身主要是实践性的、工作性的,尽管这种"实践"和"工作"对学科发展和建设来说是必不可少的。而不把"学科理论基础"看成是学科理论体系的组成部分,则不是因为内容的理论性不强,也不是说有关的研究在"教什么"和"怎么教"两个根本问题上完全无所作为,主要是因为它们分属不同的学科。把学科理论基础纳入学科建设体系,以及确认为对外汉语教学的研究对象之一,仅仅因为对外汉语教学是一门跨学科的学科,也即仅仅因为它们是对外汉语教学学科基本理论形成

---

① 参见李泉《对外汉语教学的学科理论体系》,《海外华文教育》2002年第2期。

的基础。同时上文还着重阐述了学科基本理论确立的标准,并据此把对外汉语教学的学科基本理论确定为:学科语言理论、语言学习理论、语言教学理论、跨文化教学理论。从而试图从宏观上确立学科的基本理论在学科建设体系和学科理论体系中的地位和作用。

(二)

应该指出的是,完整的对外汉语教学的学科理论体系是由学科的基本理论和学科的应用理论两个部分组成的。强调学科的基本理论是对外汉语教学学科理论体系的核心,并不意味着否认和抹杀学科的应用理论在学科建设体系和学科理论体系中应有的地位和作用。事实上,学科的应用理论在教学实践中具有不可替代的重要指导作用,在很大程度上体现着学科的性质和特点。学科的应用理论直接指导着教学实践,它的研究水平不仅体现学科理论研究的水平,也体现教学实践可能达到的深度和广度。因此,加强学科的理论研究必须重视对学科应用理论的研究,这一点应该是毋庸置疑的。但是,也必须看到学科的基本理论能够起到"外联"——直接联系学科的理论基础(如语言学、教育学、心理学等)的作用,从而体现学科的交叉性特点;能够起到"内导"——直接指导学科的应用研究(如指导教材编写研究、测试研究等)的特殊作用,从而体现学科的应用性特点。这种"外联""内导"的作用是学科应用理论所不具有的,因此,学科的基本理论是学科理论(体系)的核心。

(三)

我们还根据前人的有关研究,从学科建设体系的角度阐述了学科基本理论的构成条件,并确立了学科基本理论(体系)是由学科语言理论、语言学习理论、语言教学理论、跨文化交际理论四个部分组成的。① 应该强调的是,这只是从宏观上、从学科基本理论与学科建设体系中的其他组成部分的关系而言。实际上,这四个部分本身的确立,特别是其中每一个部分、每一种理论所包含的若干具体的研究内容和方向的确立,还应该符合"两个面向"和"三个结合"的原则,即:面向第二语言教学的实际,面向中国对外汉语教学的实际;结合国外第二语言和外语教学的理论和实践,结合第二语言教学的两个根本问题"教什么"和"怎么教",结合中国的教育传统和教学方法。其中,"两个面向"是学科理论研究和建立的根本着眼点,要求我们在确立学科基本理论及其体系建立过程中至少要考虑到:第二语言教学的性质特点、中国对外汉语教学在学科理论建设上的需求;"三个结合"是学科理论研究和建设的根本途径,要求我们在确立学科基本理论及其体系建立过程中至少要考虑到:国外同类性质的教学理论研究和教学实际的现状和发展趋势,并作出选择,在教学的两个根本问题"教什么"和"怎么教"的问题上提供理论指导,在中国传统的教育理念和教学方法上作出分析,吸收合理的因素、摒弃不合时宜的因素。符合"两个面向"和"三个结合"的原则,便有可能使所建立的学科基本理论体系符合第二语言教学的学科属性,符合中国对外汉语教学学科理论建设的需要;能够保证在学科的根本问题上提出行动的理论指南,能够保证在学科理论上中外结合有所创新。从而使学科理论既有应用价值,又有

---

① 参见李泉《对外汉语教学的学科理论体系》,《海外华文教育》2002年第2期。

自己的特色。基于"两个面向"和"三个结合"的原则来看,学科基本理论的四个组成部分所分别包含的具体内容是:

1. 学科语言理论:面向对外汉语教学的语言学及分支学科研究、汉语语言学研究;

2. 语言学习理论:基本理论研究、对比分析、偏误分析、中介语理论;

3. 语言教学理论:学科性质理论、教学原则理论、教学法理论、中国传统教学观;

4. 跨文化教学论:文化教学的地位、文化教学的内容、文化教学的原则。

其中,学科语言理论和跨文化教学理论主要在"教什么"和"学什么"方面发挥指导作用;语言教学理论和语言学习理论主要在"怎么教"和"怎么学"方面发挥指导作用。

二 对外汉语教学学科基本理论的内容

(一) 学科语言理论

1. 面向对外汉语教学的语言学及其分支学科理论研究

首先,包括对外汉语教学在内的第二语言教学的教学内容是语言,既然教的是语言,那么语言学的理论就必然对语言教学的理论和实践产生影响。这种影响可能大可能小、可能是自觉的,也可能是不自觉的,但是这种影响的存在是客观的。因此,语言学及其各有关分支学科(如社会语言学、文化语言学、篇章语言学、认知语言学、语义学、语用学等等)的理论,就不能不成为第二语言教学关注和研究的重要内容。只是我们应该强调,这些理论必须和第二语言教学的实际需要相结合,即能够服务于第二语言教学的需要,才能成为指导和影响教学理论和教学实践的第二语言教学的学科基本理论之一——学科语言理论。这就是说,语言理论能否和教学实践相结合、能否在实践中发挥作用以及发挥多大的作用,是其能否成为第二语言教学学科语言理论的标志。

比如,普通语言学对语言本质特征的认识之一就是:语言是人类最重要的交际工具。这一理论对第二语言教学有着广泛、深刻和根本性的指导意义。它给第二语言教学的启示是,第二语言教学根本上说就是让学习者掌握语言这种交际工具本身。因此,要把语言当作交际的工具来教,当作交际的工具来学。树立这样一种语言教学观和语言学习观,就会把听说读写等语言能力、特别是语言交际能力的培养和养成放在语言教学和学习的首要的根本的位置,而把语言知识的教学和学习看成是相对次要的,是为实现掌握语言这种交际工具而服务的。这种语言学理论及其由此形成的语言教学观是符合第二语言教学实际需要的。相反,如果把语言的本质看成是一种知识系统,就可能把语言当作系统的知识来教,当作系统的知识来学。树立了这样一种语言教学观和语言学习观,相应地就会把语言知识的教学和学习放在首位,把语言能力和语言技能的培训放在次要的位置。显然,这种语言理论及其由此形成的语言教学观是不符合第二语言教学需要的。可见,在不同的语言理论指导下,就会形成不同的语言教学观和语言学习观,对语言教学和学习的影响也就不同,甚至是截然相反的,因为观念不同,做法就不同,效果也就大不一样。从这个意义上说,语言理论对第二语言教学影响深远,意义重大。因此,在第二语言教学学科基本理论中确立学科语言理论的地位是非常必要的。事实上,不管是否确立语言理论在第二语言教学中的应有地位,语言理论特别是语言观都无时不在影响着语言教学,只是我们不自觉罢了。但是,需要再三强调的是,并非所有的语言学理论都能对第二语言教学产生直接的、符合实际需要的影响,因而并非所有的语言学理论都能成为第二语言教学的学科语言理论。学科语言理论研究的一个重要方面就应该是,哪些语言学或语言学分支学科的理论对第二语言教学有直接的指导意义,有什么样的指导意义,怎样实现这样的指导意义?遗憾的是,我们在这方面所做的工作还很不够,甚至还没有明确地意识到这一点。因而,不少学者只是把语言学看成是第二语言教学的支撑学科或理论,而没有把语言学理论的"引进"自觉地当作学科的基本理论研究的重要内容,更没有在学科基本理论体系中确立学科语言理论的地位。所谓学科语言理论中的"学科",指的就是第二语言教学;"学科语言理论"指的就是第二语言教学学科理论中的语言理论,也即能够满足第二语言教学学科理论建设需要的语言理论,能够指导第二语言教学实践的语言理论。相反,不符合第二语言教学性质和教学目的的语言学理论,不能对第二语言教学产生影响的语言学理论,不能直接指导第二语言教学实践的语言学理论,都不应属于第二语言教学学科理论中的语言理论,尽管这些语言理论本身可能很有学术价值和理论意义。需要指出的是,第二语言教学界存在一种不正确的认识,那就是忌讳说第二语言教学"应用"或"引进"语言学理论,似乎这样说就降低了第二语言教学的学科地位。其实,这种疑虑是大可不必的,因为"应用"是必然的——不管是否意识到,"引进"是必需的——不管是否愿意。

第二语言教学具有跨学科性、是一门交叉学科,这就根本上决定了"应用"和"引进"的必然性。事实上,不但要应用和引进语言学理论,还要应用和引进教育学和心理学等学科的理论,这样才可能建立起对外汉语教学的学科理论体系。还应该强调的是,我们不光要应用和引进语言学理论,更要自觉地、主动地开展面向第二语言教学学科理论建设和教学实际需要的语言学及其分支学科的理论研究。这样才可能建立起完整的符合第二语言教学规律的学科语言理论体系。

2. 面向对外汉语教学的汉语语言学研究

就对外汉语教学来说,学科语言理论还应该包括把汉语作为第二语言或外语教学而进行的汉语研究所形成的汉语语言学理论。这是因为,对外汉语教学教的是汉语,所以分析汉语的结构规律、了解汉语的组合规律、掌握汉语的表达规律就成为对外汉语教学研究的主要内容。深入挖掘和细致描写汉语的这些语言规律,其目的就是为了更好地指导教学实践,提高对外汉语教学的效率。因此,面向对外汉语教学需要的汉语本体(包括语音、语法、词汇、篇章等)研究的成果,是学科语言理论的重要组成部分。这种研究的根本目的是为了让学习者在更短的时间里,更快更好地掌握汉语的语言知识并进一步转化为运用汉语进行交际的能力,换言之,作为学科语言理论的汉语语言学研究是为了服务并服从教学实践的需要,而首先不在于追求理论的系统性和知识的完整性;研究的侧重点是教学中的难点以及汉语同学生母语的异同(特别是不同之所在),汉语词汇和语法研究的侧重点是功能和用法;研究的角度除了从语言学层面对汉语的结构规律、组合规律和表达规律进行揭示和描写外,"还要从汉外对比、跨文化交际、语言习得、学习者个体差异、认知心理等多角度进行综合研究。"①所有这些都与把汉语作为一种语言系统而进行的语言研究以及把汉语作为第一语言教学所进行的语言研究有很大的不同。

归纳起来说,对外汉语教学的学科语言理论包括面向教学实际需要的普通语言学及其分支学科的理论和应用研究,包括面向对外汉语教学需要的汉语语言学理论和应用研究。这两个方面研究的关键是要面向对外汉语教学实际,而不是为了其他目的的一般意义上的研究。一旦这些理论能够服务于对外汉语教学,并且得到整合和相对系统化,那么就可以看作是对外汉语教学的学科语言理论。目前的问题是,我们对对外汉语教学学科语言理论的重视还需要进一步加强,目标还需要进一步明确,已有的研究成果也还需要系统的整合。同时,在学科语言理论的研究中特别要加强面向对外汉语教学的汉语语言学研究。实际上,课堂教学许多问题说不清,就是因为这方面的研究还很不够。所以,"应该强调汉语研究是对外汉语教学的基础,是后备力量,离开汉语研究,对外汉语教学就没法前进"②。就汉语本身的研究来看,"事实的深入发掘,规律的有效揭示,至今还存在大片大片的薄弱点和空白点,远远不能满足对外汉语教学的需求"③。这些都表明加强面向对外汉语教学需要的汉语研究的必要性和迫切性。

---

① 参见刘珣《对外汉语教育学引论》,北京语言文化大学出版社2000年版,第16页。

② 参见朱德熙《纪念〈语言教学与研究〉创刊10周年座谈会发言》,《语言教学与研究》1989年第3期。

③ 参见邢福义《关于对外汉语教学》,《对外汉语教学:回眸与思考》,外语教学与研究出版社2000年版。

(二) 语言学习理论

1. 语言学习理论研究概况

语言学习理论主要研究学习者语言学习的过程和规律,它是第二语言教学学科基本理论之一,是语言教学理论确立的重要前提和参照。关于语言学习理论研究的现状,刘珣曾作过很好的概括,指出:"有关第二语言学习研究在最近三十年有了很大的发展,据统计现在西方至少有四十种有关第二语言学习的理论。但西方学者同时也告诫大家,对语言学习理论研究的深度目前还不能期望过高,这些理论所引起的争议有时甚至大于所达成的共识。即使根据那些为较多人所接受的理论,人们也只能在一定程度上了解到第二语言学习者在做什么,他们掌握了些什么,还不可能肯定地说他们是怎么做的,是怎么掌握的。至于把这些有关语言学习理论研究成果运用到教学实践中去,指出如何教第二语言,恐怕就为期更远了,还有一段艰巨的路程要走。"他还指出,国内对语言学习理论作专门的、深入的研究,起步就更晚了,"这方面的研究还是个别的、零星的、规模远不如对教学法的研究"。[①] 近些年来,国内外对语言学习理论的研究都有了进一步的发展,国内一些学者也包括在海外从事汉语教学与研究的学者对汉语学习理论进行了许多开拓性的研究。例如,1992 年,《世界汉语教学》等三个编辑部共同发起主办了"语言学习理论研究"座谈会,并出版了论文集《语言学习理论研究》(北京语言学院出版社,1994)。这次会议及有关成果既对我国

[①] 参见刘珣《语言学习理论的研究与对外汉语教学》,《语言文字应用》1993年第 2 期。

语言学习理论的研究作了初步的总结,同时对汉语学习理论的研究也进一步起到了推动作用。但总的看来,已有的理论研究和实验研究成果还远不能满足学科建设和教学实际的需要,汉语学习理论的研究将是一项长期而艰巨的任务。就目前来看,在进一步引进、评介西方有关研究成果的同时,应结合汉语和汉语作为第二语言教学的实际,着力研究语言学习的基本理论、对比分析、偏误分析、中介语理论。

2. 基本理论研究

(1) 学习主体分析

语言学习是发生在学习者身上的事,一切教学目的、任何教学方法、所有教学手段和资源、学校和教师各种努力,最终都必然也应该在第二语言学习者那里得到体现和检验。所以首先也是首要的,是要研究学习者的基本情况,这样才可能真正做到有的放矢、因材施教。对学习者的分析和研究主要包括:

第一,学习者的认知因素:包括跟语言学习有关的年龄、智力、语言潜能、认知策略等;

第二,学习者的情感因素:包括最能影响学习效果的学习动机、学习态度、个性特征等;

第三,学习者的素质因素:包括原有的母语知识、对语言的一般知识、百科知识等。

(2) 基本问题研究

包括对一些基本概念、基本关系和基本问题的研究和探讨,例如:"学习"和"习得"的含义及其相互关系;第一语言学习和第二语言学习,儿童母语学习和成人外语学习的异同关系;母语对第二语言学习的干扰和促进;语言输入和语言输出的关系;课堂教学和自然习得的比较;语言能力的构成因素及形成过程;语言交际能力的构成因素及形成过程;语言学习环境的构成因素及对学习者的影响;口语学习和书面语学习的特点及相互关系;等等。

3. 对比分析

(1) 对比分析概说

对比分析作为一种语言分析方法已有相当久远的历史了,可以追溯到 19 世纪的历史比较语言学。① 把对比分析运用到第二语言教学始于美国语言学家弗思(Fries),他在 1945 年就指出:"最好的教材是这样的教材:它的立足点是一方面对所学外语进行科学的描写,一方面又对学生的本族语进行平行的描写,加以仔细的比较。"然而,从第二语言学习的角度提出对比分析假说及对比分析具体方法的则是拉多(Lado)。在《跨文化的语言学》(*Linguistics across Cultures*)(1957)一书中拉多表明了自己的基本设想:"人们倾向于把本族的语言和文化中的形式、意义以及二者的分布方式转移到外族的语言和文化中去。""我们假定,学生在接触外语时,会觉得其中有些特征易学,有些难学。与本族语相同的要素,他们觉得简单,不同的就困难。老师如果把两种语言比较过,就知道真正的困难何在,因而更有办法去进行教学。"② 由于拉多等

---

① 历史比较语言学中的对比分析跟这里所说的作为第二语言教学学习理论研究中的对比分析是不同的。前者是一种历时研究,后者是一种共时研究;前者研究的重点是语言间类似和相同点的比较,目的在于追溯有关语言的亲缘关系和共同的原始母语;后者研究的重点是两种语言的相异特征,目的在于预测语言学习的难点;前者可以在两种语言之间,也可以在多种亲属语言之间进行对比,后者主要限于目的语和母语之间的对比,这两种语言是否属于同一语系则不受限制。

② 参见王宗炎《对比分析和语言教学》,王宗炎著《语言问题探索》,上海外语教育出版社 1985 年版。

人的提倡,对比分析盛行于20世纪五、六十年代。人们一度相信,语言学习的障碍是母语的干扰;通过目的语和学生母语的对比,可以为教材编写提供根本性的依据;可以预测因两种语言的差异而造成的学习中的难点,从而在教学中采取预防措施。但是,到60年代后期,对比分析受到怀疑和批判。有人指出,"按对比分析编出的教材,使用效果并不见得很好";"对比分析的鼓吹者说它能预测外语学生会在什么地方出岔子,出的什么样的岔子,然而事实上办不到"[①]。于是,对比分析逐渐被错误分析和中介语研究等所替代。但到了80年代,人们开始重新认识对比分析在语言研究和外语教学中的重要价值,对比分析再次受到人们的关注。

(2) 对比分析的理论基础和分析步骤

对比分析(Contrastive Analysis)是把目的语跟学习者的母语进行共时层面上的系统比较,找出两种语言的异同点特别是差异之所在,借此预测学习中的难点,并在教学中采取积极的预防措施,建立起有效的教学方法。对比分析以结构主义语言学和行为主义心理学及迁移理论为理论基础。它出现在结构主义语言学和行为主义心理学的鼎盛时期,与这二者有着不解之缘。结构主义语言学强调对语言的结构进行客观的、静态的、形式方面的描写,并且相信在对两种语言进行精确的描写的基础上,通过对比可以发现两种语言的异同,这是对比分析产生的重要理论依据。行为主义心理学认为,语言是一种行为习惯,习得一种语言就是习得一种习惯。母语习惯的形成未受到其他语言的干扰,而

[①] 参见王宗炎《对比分析和语言教学》,王宗炎著《语言问题探索》,上海外语教育出版社1985年版。

学习第二语言或外语则意味着要克服母语的干扰形成一套新的习惯。用迁移理论来说就是,母语中与目的语相同的地方就将促进目的语的学习,而母语中与目的语不同的地方就会造成学习目的语的困难,差异越大造成的困难也就越大。这种原有的知识对新知识的学习产生影响的现象被称作"迁移",其中促进新知识学习的迁移叫"正迁移",干扰和阻碍新知识学习的迁移叫"负迁移"。第二语言学习中的错误正是学生母语习惯负迁移的结果。对比分析假设的核心就是,第二语言学习的障碍和困难来自母语的干扰,通过对比两种语言结构的异同,可以预测学习者的语言错误和难点,从而在教学中加以突出,并采取措施加以克服,达到避免和减少语言错误的目的,更好地提高教学质量。

对比分析大体包括四个步骤:

第一步,描写(description):对所比较的两种语言进行详细的描写,作为对比的基础。

第二步,选择(selection):由于不可能对两种语言所有的方面都进行比较,因此必须对要比较的某些语言项目进行选择。

第三步,对比(contrast):对选好的语言项目进行对比,找出它们的异同点。

第四步,预测(prediction):根据对比的情况,对第二语言学习者在学习中可能出现的错误和学习困难进行预测。这种预测一般是通过构建第二语言学习"难度层次"(a hierarchy of difficulty)或通过应用心理学和语言学的理论来实现。[①]

[①] 参见张国扬等《外语教育语言学》,广西教育出版社 1996 年版,第 134 页。
刘珣《对外汉语教育学引论》,北京语言文化大学出版社 2000 年版,第 187 页。

(3) 对比分析理论评价

20 世纪 60 年代后期，由于转换生成语言学和认知心理学的出现，对比分析的语言学和心理学基础都受到了挑战。人们开始转向对第二语言学习过程的研究，加上教学实践和实验研究的深入，使得对比分析理论上的一些缺陷和局限也随之暴露出来。首先，对比分析的核心思想认为，语言之间的差异是造成学习者语言错误的主要乃至根本性的原因，因此只要通过对比分析找出目的语和母语之间的差异，就可以预测学习者在目的语学习过程中可能出现的错误。然而，实际观察表明：对比分析所预测的学习中的语言错误并没有出现，而没有预测到的语言错误却出现了。这说明对比分析对学习者语言错误的预测能力是十分有限的，换言之，两种语言的差异并不能自动、必然地引申出第二语言学习中的问题。这也就是说，对比分析理论的根本前提——第二语言学习者的语言错误完全是由于学习者母语干扰造成的，这一假设是有问题的。调查研究表明，学习者的语言错误是多方面原因造成的，既有母语干扰（负迁移）的原因，更有学习者在学习的内在化过程中对目的语理解和消化不够全面和准确造成的，例如过度概括、忽略规则的使用条件、应用规则不全等，甚至还有教师和教科书的误导的原因，等等。其次，对比分析理论认为，母语与目的语之间的差异越大，干扰就越大，学习的困难也就越大。这种将"语言之间的差异"同"学习者的困难"等同起来的做法缺乏理论支持。"差异"(difference)是语言形式上的问题，"困难"(difficulty)是心理学上的问题，把二者必然地联系起来、等同起来，是没有心理学依据的。实际情况往往是，两种语言形式上差别明显之处，掌握起来并不见得就难，而表面上相近的地方有时倒是最难掌握的，这些地方常常是学习者最感困难和最容易出错的地方。可以说，对比分析把学习者的语言错误必然地看成是母语干扰造成的，把"学习者的困难"跟"语言之间的差异"必然地等同起来，是这一理论的两大根本缺憾，在理论和实践上都缺乏有力的支持。

但是，无论从历史上还是从现实需要上看，对比分析都应成为第二语言学习理论研究的重要领域，比之于其他一些理论模式，对比分析更有其自身的价值，关键是要恰当地估计对比分析的作用和开拓对比分析的新领域。首先，对比分析对语言学理论和第二语言教学理论作出了历史性的贡献。它形成了一套严密的、行之有效的对比分析方法和工作程序；通过对不同语言形式特征的细致刻画和比较，发现了许多不用这种方法就不容易发现的重要语言现象，从而不但丰富了普通语言学理论，更丰富了第二语言教师的语言知识和对语言之间差异的深刻理解，而这无疑有益于教学实践的深入和教学水平的提高。因此，对比分析始终对第二语言教师有着很大的吸引力。其次，要正确估计对比分析的作用。要充分认识到对比分析并不能解决学生的所有问题和困难，但是对比分析也绝不是对学生的所有问题和困难都不能解决。实际上"对比分析之所以碰到怀疑和指摘，是因为早先对它期望过奢，以为能预测和预防外语学生的错误，能成为编写教材的唯一基础。但是估计过高固然不对，估计过低也不好。语言对比显然能大致推断学生会在什么范围内出错，在发现错误后也能帮助我们说明产生错误的一部分原因"①。这就是说,对比分析虽然对学生语言学习困难的预测能力并没有人们当初期望的那么大,但毫无疑问它仍然是第二语言教学不可或缺的辅助手段。不能因为它未能实现人们过高的期望,就完全抹杀它在第二语言教学和学习中所应该和能够起到的重大作用。第三,不仅如此,我们应该在教学实践和理论研究中进一步完善和拓宽对比分析的领域。事实上,对比分析所预测到的难点和可能出现的错误,有些很可能即是"难点"和"错误"所在,之所以未出现,原因之一是学生有意回避的结果(正是因为感觉到"难"所以才不用),如果是这样的话,那么恰好证明对比分析的预测是对的。诸如此类的问题还需要我们进一步加以研究和探讨,从而不断丰富和完善对比分析理论。更重要的还在于,要把对比分析的内容从语音、词汇和语法的对比,扩大到语用、篇章、话语和文化等领域上来。对比分析的主要倡导者拉多早在 1957 年就指出过,文化对比与语言对比在对比分析中有着同等重要的地位。只是在后来的对比研究中,文化的对比一直没有受到应有的重视,连拉多本人也忽略了这一点。实际上,第二语言学习者的许多困难和语言交际错误都跟目的语与母语之间语用、篇章、话语和文化等方面的差异有关。

4. 偏误分析②

---

① 参见王宗炎《对比分析和语言教学》,王宗炎著《语言问题探索》,上海外语教育出版社 1985 年版。

② 我国外语教学界也称"错误分析",对外汉语教学界现多用"偏误分析"。鲁健骥主张把"error"译为"偏误",参见黎天睦《现代外语教学法——理论与实践》,北京语言学院出版社 1987 年版,第 126—127 页。黎天睦赞成鲁的主张,见同书 120 页。

(1) 偏误分析概说

既然对比分析不能预测和解决学习者的全部语言错误,于是从20世纪70年代开始,人们把注意力由语言之间的对比转向对学习者语言错误本身进行系统的分析和研究,并形成了错误分析理论。这一理论给语言学习和习得研究带来了如下两个极为重要的转变:

其一是在研究的侧重点上,由关注目的语和母语的对比转为对学习者、学习过程、语言错误本身的关注,使第二语言学习者及其语言错误在教学和学习中的作用受到了前所未有的重视和研究;其二是对待错误的观念发生了根本性的变化,传统上并不把语言错误看成是有理论价值的东西,因而错误分析只是用目的语为标准去判断错误和评估学生的语言水平,并通过对错误的分析来帮助确定教学内容的先后顺序、决定教学和练习的重点和难点,直至最终消灭错误;而在偏误分析的理论中,学生的语言错误被看作是第二语言学习过程中的正常现象、必然现象,是有价值的东西而不再是避之而不及的东西。也就是说,在对比分析那里,从教师和教的角度看,语言错误实际上象征着学习上的失败,第二语言教学和学习的过程实际上就是纠正和避免语言错误的过程;而在偏误分析这里,从学习者和学的角度看,语言错误不再被看作是失败的象征,而被看作是学习过程中不可避免的和有用的,因为它反映了学习者对目的语所作的假设,这种假设与目的语实际不符才出现了偏差。分析错误"可以了解学习者是如何建立和检验假设的,可以探索外语学习的心理过程"①。

---

① 参见王初明《应用心理语言学》,湖南教育出版社1990年版,第69—70页。

关于偏误分析的作用,科德(Corder)在《学习者错误的重要意义》(*The Significance of Learner's Errors*)(1967)一文中曾指出,对学习者的偏误进行分析有如下作用:教师可以了解学习者对目的语的掌握程度及其所达到的阶段;研究者可以了解学习者是如何学习和习得目的语的,及学习者在学习过程中所采取的学习策略和步骤;学习者本人可以利用错误分析来检验其对目的语的结构规则和表达规则所作的假设。① 科德在《应用语言学导论》中还说过,"错误分析最明显的实际用途是为教师服务。错误提供反馈,它告诉教师他用的教材和教学方法产生了什么效果,并且也向他提出他所依据的教学大纲中哪些部分在教和学的过程中还有不足之处,需要进一步重视。错误能使他决定,他是否可以接下去讲授教学大纲中的下一个项目,或者是否必须花更多的时间继续讲授他正在讲授的项目。这就是错误的常见价值"②。

(2) 偏误分析的理论基础和分析步骤

偏误分析(Error Analysis)旨在对第二语言学习者的语言错误(偏误)进行系统的分析和研究,确定其错误的来源,并以此揭示第二语言习得的心理过程和习得规律。偏误分析的心理学基础是认知理论,语言学基础是乔姆斯基(Chomsky)的语言习得机制(Language Acquisition Device)理论,即人是通过大脑

---

① 参见束定芳、庄智象《现代外语教学——理论、实践与方法》,上海外语教育出版社 1996 年版,第 58 页。刘珣《对外汉语教育学引论》,北京语言文化大学出版社 2000 年版,第 192 页。

② 参见[英]皮特·科德(Corder)《应用语言学导论》中译本,上海外语教育出版社 1983 年版,第 256 页。

中的语言习得机制来学习和获得语言的。偏误分析理论认为，第二语言习得过程是语言规则形成的过程，"即学习者不断从目的语的输入中尝试对目的语规则作出假设，并进行检验与修正，逐渐向目的语靠近并建构目的语的规则体系"。① 科德曾特别强调指出：错误分析的关键在于语言的系统性，因而也在于错误的系统性。如果不从这一假设出发，没有人会问津错误分析这项工作。这绝不是说所有的错误都是一贯而有系统的。然而，对于没有系统性的东西是无法进行描写和解释的。当然也应明确，有些东西可能从表面看是没有系统的，那只是我们对它的规律性还没有认识。② 这就是说，偏误的根本特性在于它的系统性和规律性，偶然的口误和笔误之类的错误并不就是偏误。

偏误分析的程序，按科德(1974)的意见分为以下五个步骤：

第一步，搜集供分析的语料：包括口头表达和书面练习以及听力调查获得的语料。

第二步，鉴别其中的偏误：从语法和交际两个方面来进行，不符合语法则为偏误；符合语法但在交际情境中用得不恰当，亦为偏误。同时还要区别有规律性的偏误和偶然的失误（当然有时并不容易）。

第三步，对鉴别出来的偏误进行分类：从不同角度、为不同目的，可以有多种分类。

第四步，解释偏误产生的原因：偏误被鉴别出来，并作了分

---

① 参见刘珣《对外汉语教育学引论》，北京语言文化大学出版社2000年版，第192页。

② 参见[英]皮特·科德(Corder)《应用语言学导论》中译本，上海外语教育出版社1983年版，第261页。

类以后,接下来就是分析偏误产生的原因。主要有母语语言和文化的负迁移、目的语语言和文化的负迁移(过度泛化)、学习策略和交际策略的影响、教师和教材及教法的误导等等。

第五步,评估偏误的严重程度:即偏误对交际的影响有多大,影响大小取决于偏误性质的程度。有的对交际影响不大,有的可能使交际不畅甚至引起误解,有的则可能妨碍思想的交流、造成交际无法进行下去。

其中,对偏误的分类大致有以下几种情况:

其一,从语言形式上,把偏误分成语法、词汇和语音,并对有关内容进行再分类。这种分类是传统的做法,着眼于语言形式,服务于课堂教学,不重视交际中的偏误分析。

其二,从偏误的来源上,把偏误分成语间偏误(interlingual errors)和语内偏误(intralingual errors),前者是由母语语言和文化的干扰造成的,后者是由对目的语规则理解不正确或不全面造成的。

其三,科德从中介语系统上,把偏误分成前系统偏误(presystematic errors)、系统偏误(systematic errors)和后系统偏误(postsystematic errors)。前者指学习者目的语语言系统形成之前的偏误,因为正在学习和理解所学语言,处于对语言规则的探索阶段,因而学习者还不能解释、亦无法改正自己的语言错误;中者指学习者知道目的语的某个(些)规则,但还没有完全掌握它(们)的用法,或者说学习者对有关规则作出的假设是不正确的,致使学习者有规律地运用一个(些)错误的语言规则,因而出现规律性的偏误,学习者能对这类偏误作出一些说明,解释为什么要这样用,但不能对偏误自行改正;后者指学习者目的语系统形成之后的偏误,学习者虽然已经掌握了目的语的某一个(些)规则,基本能正确运用,但有时因暂时遗忘等原因而用错,学习者能自行纠正这类偏误,并且能说明偏误的原因。

(3) 偏误分析理论评价

偏误分析理论对第二语言教学研究的贡献在于:首先,偏误分析使第二语言教学更加自觉地转向注重对学习者及其学习过程的研究,而这一转变是由注重教向注重学迈出的坚实的一步,也是向着改进和提高第二语言教学质量和效率迈出的关键一步,不仅拓宽和丰富了第二语言教学基本理论研究的范围,也使偏误分析理论自身成为第二语言学习理论的重要组成部分。第二,偏误分析的最大贡献还在于,它使人们根本改变了对第二语言学习过程中出现的偏误本质的认识。它把偏误从需要避免和纠正的消极地位,提高到了是了解和认识第二语言学习过程和学习规律的导向和窗口的积极地位。它提示人们:学习者的语言偏误是学习过程中的正常的、必然的现象;偏误是语言学习过程中必经的路标,不出错是学不会语言的。它对偏误的分类和来源的探究,极大地促使人们对错误的态度和纠错的某些做法进行重新思考。错误不再是"洪水猛兽",不再是教学过程中时时处处需要防范的"大敌";"有错必纠"也要看是哪一个阶段的错误,对系统偏误(systematic errors)可能会有一定的效果,而对前系统偏误(presystematic errors)和后系统偏误(postsystematic errors)则起不了太大的作用。这就是说,偏误分析启示我们对不同阶段不同类型的错误,要采取不同的态度和措施,而绝不能一味地有错必纠。第三,偏误分析基本上形成了一套比较有效的偏误分析方法和程序。其具体研究成果对课堂教学、教材编写和测试等提供了积极的反馈和依据,有利于教学实践的改进和教学效率的提高。

偏误分析的局限性在于:第一,鉴别偏误的标准在实践中有时很难把握。这里面有偏误性质的程度问题,也有目的语各种变体带来的问题,等等。第二,偏误的分类缺乏统一的标准。不论从哪一个角度进行分类,实际上都有一些偏误难以归入其中或可左可右。第三,从理论到实践都还很难说明偏误跟"回避"的关系。回避是一种有意识的交际策略,偏误分析很难说明回避出现的情况以及回避是否就是"偏误",等等。诸如此类的问题,都需要进一步加以研究和完善。

5. 中介语理论

(1) 中介语理论概说

中介语(interlanguage)指的是第二语言学习者特有的一种语言系统,这一语言系统在语音、语汇、语法、语言交际及其相关文化等方面既不同于学习者自己的母语,也不同于目的语,而是一种随着学习的进展向目的语的正确形式逐渐靠拢的动态的语言系统。20世纪70年代,科德,奈姆塞尔(Nemser),塞林格(Selinker),三位学者对早期中介语理论的形成和发展作出了杰出的贡献,他们几乎是同时提出了相近的理论观点。科德(1967,1971)把学习者的语言系统称作"过渡能力"(transitional competence)系统,这个系统是学习者现实的心理规则系统,学习者在对目的语规则假设的不断检验的基础上逐步地更新这个系统,学习者习得过程中所产生的系统偏误,就是这种过渡能力的表现。奈姆塞尔(1971)用"近似系统"(approximative system)的概念来描述学习者的语言系统。"近似系统"是说学习者的语言系统是逐渐接近目的语系统的、不断变化的连续体。一方面,学习者不可能在瞬间接触到整个目的语系统;另一方面,学习者的母语是一种干扰源,使学习者的语言系统偏离目的语系统。塞林格 1969 年在论文 *Language Transfer* 中首先使用了 interlanguage 这一概念,1972 年又发表了题为 *Interlanguage* 的著名论文,确立了中介语理论在第二语言习得研究中的地位。他认为,由于学习者的话语跟目的语是不一致的,那么,在构建第二语言学习理论时,人们完全有理由,或者说,不得不假定存在着一个独立的、以可观察到的语言输出为基础的语言系统……我们把这种语言系统叫做"中介语"。① 中介语这一概念包含两层意思:一是指学习者语言发展的任何一个阶段的静态语言状况;另一层意思是指学习者从零起点开始不断向目标语靠近的渐变过程,也就是学习者语言发展的轨迹,这个过程是动态的。借用"共时"和"历时"两个语言学术语来说明中介语这两层意思的话,那么静态的语言状况相当于"共时",动态的发展过程相当于"历时"。中介语理论要研究的是这个"历时"的动态过程,而"历时"的研究必须建立在对"共时"的描写基础之上。②

(2) 中介语研究的目标和基本途径

中介语研究的基本目标是发现并描写中介语系统,中介语研究的核心目的是探求第二语言学习者语言系统的本质,揭示

---

① 参见王建勤《历史回眸:早期的中介语理论研究》,《语言教学与研究》2000 年第 2 期。

② 参见孙德坤《中介语理论与汉语习得研究》,《语言文字应用》1993 年第 4 期。

第二语言习得过程的内在规律，为课堂教学和教材编写内容的选择、组织和安排等提供理论依据。中介语研究的基本途径是观察和实验，以及对观察和实验的结果进行比较、分析和描写。观察就是直接了解学习者学习和习得的情况，包括观察对象的背景情况、语言输入和输出情况等。实验就是根据对中介语发展的某种假设进行有计划的实验，而通过观察得到的初步结论也要经过实验来证实。比较就是对观察和实验的结果进行比较，包括个体之间、群体之间的横向比较，个体与群体在不同阶段学习及习得情况的纵向比较。分析就是对观察、实验和比较的结果进行分析，揭示各种主客观条件在语言习得中的作用以及产生偏误的原因等，包括语言习得和偏误跟个人背景的关系，跟教材和课堂教学、课外语言环境等的关系。描写包括随时对观察、实验、比较和分析的结果进行记录和整理的即时描写，对某一阶段（如一学期/学年）的观察、实验、比较和分析的结果进行系统的描写和整理的阶段性描写，对某种语言的中介语进行全面整理和归纳的系统描写。[①] 其中最基本的研究方法有：垂直研究(longtitudinal studies)，即对某一个或一些学习者第二语言的学习过程进行跟踪调查；交叉研究(cross-sectional studies)，即同时对处于同一学习阶段的学习者的中介语进行研究。

(3) 中介语的特点和中介语产生的根源

中介语主要有以下三个特点：

整体的系统性：中介语作为一种第二语言或外语学习者使用的语言，具有人类语言的一般特性和功能。从内部构成上说，

---

① 参见吕必松《论汉语中介语的研究》，《语言文字应用》1993年第2期。

它也是由语言要素构成的系统,即它有语音、词汇和语法的规则系统,而且学习者能够运用这套规则系统去生成他们从来没有接触到的话语。从外部功能上看,中介语可以发挥交际工具的职能,完成一定的交际任务。中介语的系统性还体现在,学习者使用的第二语言虽然与目的语系统有一定的差距,但却是依据一定的规则进行的,而不是任意的。就是说,中介语在任何阶段都呈现出较强的系统性和内部一致性,学习者的言语行为是受到中介语系统规则支配的,这跟母语的使用情况是一样的。实际上,学习者第二语言交际中所出现的偏误是以目的语的规则体系作为衡量标准的,从中介语系统来看,这些所谓的偏误就另当别论了。

内部的重组性:中介语系统是一个不断变化的体系,一方面有来自母语规则迁移的影响,另一方面有来自目的语规则泛化的影响,同时学习者不断地接受新的目的语规则,不断地作出新的假设,这样就使得中介语总是处在不断扩展、修改和重组的过程中。中介语系统正是在这种不断变化、重组和逐步修改假设的过程中,逐渐向目的语系统靠拢。

发展的僵化性:总的趋势上说,整个中介语是在不断地向目的语系统接近的,但这种接近不是直线式的,而是曲折式的,表现为在整个中介语系统上和某些方面的僵化(fossilization)现象。具体体现在:第一,某些已经纠正过的偏误往往有规律地反复重现。鲁健骥认为,造成这种情况的原因可能是:外语学习者在表述一个意思的时候,需要使用的目的语形式比较难,他就会退而使用一个更为熟悉和理解的中介语形式,而这一形式从目的语的标准看是有偏误的。第二,学习者的中介语连续体在尚未达到目的语状态时便停止了发展,进一步的学习也不会再有进步。第三,学习者的某些语言形式在未达到目的语状态时便停止下来,同时某些语言偏误已作为一种习惯形式固定下来,进一步的学习也无法改变。例如,某一个或几个音总也发不好,某一个或几个语法项目除非不说,一说就出错。①

中介语产生的根源:

塞林格指出,学习者在中介语构建过程中主要使用了以下几种手段,也是中介语产生的几个根源:

其一,语言迁移(interlingual transfer),是指在第二语言或外语学习过程中,学习者由于不熟悉目的语的规则而自觉不自觉地运用母语的规则来处理目的语信息这样一种现象。利用母语知识可能导致语言偏误,即所谓负迁移,也可能导致说出正确的目的语句子,即所谓的正迁移。不过对于后者如果不了解说话人的母语,也就根本发现不了这种迁移。事实上,正迁移同负迁移一样值得研究,因为它同样能够告诉我们语言迁移是在什么时候和什么情况下可能发生。当然,负迁移才是造成中介语的原因。

其二,目的语规则的泛化(overgeneralization),是指学习者把某些目的语规则当成普遍性的规则来使用,即过度类推造成语言偏误。初学者的语言偏误多是由母语干扰造成的,因为母语是唯一的"靠山",对于中等以上的学习者来说,他们的语言偏误多是由目的语规则的泛化造成的,因为此时学习者总是愿意把已经学过的目的语知识和规则同当前学习的内容联系起

---

① 参见鲁健骥《中介语研究中的几个问题》,《语言文字应用》1993年第1期。

来,这应该是正常和合理的,但也往往由于过度使用某些知识和规则而造成语言偏误。

其三,训练迁移(transfer due to the effects of teaching),是指由于教学不当、训练不当或采用有错误的学习材料而造成的语言偏误。具体来说,教师讲解不清楚、解释错误、示范有误导、对句型使用条件阐述不充分等等,都可能使学习者出现语言偏误。

其四,学习策略(learning strategies),是指学习者学习和掌握单词、语法规则和其他语言项目的含义和用法的方法,是学习者输入语言及其语言知识发展过程的一个重要标志。迁移、泛化、简化等,都是学习者常用的学习策略。简化策略主要体现为"减少羡余",即减少对意思的表达显得多余重复的语言成分。简化的另一种情况是,学习者通过过度概括一些语言现象而得到一条规则,然后用这条规则去创造语句表达新的意思。实际上,泛化和迁移都是把已有的语言知识(包括目的语和母语)运用于第二语言学习的策略,都可以视为简化策略。简化有助于发展目的语体系,它反映了学习者建立和检验假设的过程。迁移、泛化和简化三种学习策略相互联系又互有区别,使用这些策略而造成的语言偏误事实上是很难明确区别开来的,偏误有时可能是三者同时作用和相互强化的结果。

其五,交际策略(communication strategies),是指学习者在表达意思时所用的方法。由于所要表达的内容超出了学习者现有的目的语的语言知识和技能,于是不得不使用一些语言或非语言手段进行交际,这些手段就是学习者的交际策略。交际策略的采用也是学习者中介语系统形成的原因之一。常见的交际策略包括回避(avoidance)和换个说法(paraphrase)。比如，学习者对发某个音感到困难、不知道或想不起来某个单词或句型，他就可能采取回避不说、转换话题或换个说法（乃至使用一两个母语单词、加上手势和表情等非语言表达方式）来"完成交际"。交际策略的使用对中介语系统的形成同样有很大的影响，许多偏误就是因为使用交际策略造成的。

（三）语言教学理论

1. 学科性质理论

学科性质理论，即关于第二语言教学性质和特点的理论。① 语言教学理论之所以应包括学科性质理论，是因为学科的性质和特点，是认识这门学科的第一观察点，是建设这门学科的第一块基石，是这门学科与其他学科相区别的第一要素，甚至可以说学科性质理论是这门学科的第一理论。进一步说，第二语言教学的学科性质和特点，是第二语言教学本质的体现，是它与其他学科根本区别之所在，它深刻地影响第二语言教学的理论和实践，决定学科理论研究的方向和体系的构成，决定整个教学过程和全部教学活动所应遵循的基本原则，决定教学方法的制定和选择。可见，学科性质理论在第二语言教学学科基本理论中占有极为重要的位置，其基本内容包括：

（1）对外汉语教学最根本的性质是：它既是一种第二语言教学，又是一种外语教学。这一点早在20世纪80年代初吕必松就作过精辟的论述，他指出："我们对外国人的汉语教学既是

---

① 严格地说，"性质"和"特点"是不同的，但这里不作严格的区分，统称为学科性质理论。

一种第二语言教学,又是一种外语教学。作为一种第二语言教学,它有别于汉语作为本族语教学,而跟其他第二语言教学有一些共同的特点和共同的规律;作为一种外语教学,它有别于对我国少数民族的汉语教学,而跟其他外语教学有一些共同的特点和共同的规律。"[1]对外汉语教学的第二语言教学和外语教学的性质,从根本上决定了它必须遵循第二语言教学和外语教学的基本规律,从根本上区别了它与第一语言(母语)教学的不同,从根本上规定了它的教学内容和方法及研究领域和范围的基本面貌。

(2) 对外汉语教学最基本的语言观是,语言是人类最重要的交际工具;最基本的教学观是,要把语言当作交际工具来教,而不能当作知识体系来教;最基本的目的观是,培养学习者的汉语交际能力。汉语作为第二语言或外语教学的这些基本特点,直接影响到教学的全部过程及其各个环节的安排,影响到"教什么"和"怎么教"的取向,进而影响到教学效率的高低。深刻地理解和准确地把握对外汉语教学的这样一些基本特点,就能够处理好教学中的各种关系。例如,在知识传授和技能训练的关系上,就应该明确:汉语知识的传授是必要的,是技能训练的前提,不掌握汉语的语音、词汇、语法、语用等知识,不掌握汉语的结构规律、组合规律和运用规律,汉语交际能力的掌握就无从谈起,但是知识传授不是根本的目的,只是为技能的训练和养成服务的——这是最终的目的,因此教学中就应注意采用各种有效的

---

[1] 参见吕必松《谈谈对外汉语教学的性质和特点》,《语言教学与研究》1983年第2期。

方法不断地使语言知识转化为语言技能。就对外汉语教学的现状来看,相当程度上存在的课堂教学以大量的知识讲解为主(而不注意进行技能训练),教材编写以大量的文学作品为主(而不管是否有利于技能训练)的现象,都跟教师对第二语言教学的性质和特点及教学规律把握不准、理解不深刻有极大的关系。

2. 教学原则理论

(1) 教学原则的基本性质

教学原则是教学工作和教学活动应当遵循的基本要求。教学工作包括教学大纲的制订、教材编写或选择、课程设置、教学方法的选择或尝试等等,教学活动即教学的实施过程,包括课堂教学、活动安排、评估测试等等。教学原则具有如下一些基本性质:首先,教学原则是教学实践经验的总结,是一个不断发展的概念,因此具有时代性。第二,教学原则是基于对教学过程的规律性的认识和概括,反过来又指导实践,因此具有很强的实践性。第三,教学原则的提出都有其理论基础做背景,持不同的哲学、教育学和心理学理论就可能提出不同的教学原则,因此教学原则应该体现一定的理论性。第四,教学原则不仅应体现教育的目的和教育的阶段性,而且应该体现出学科的性质和特点,因此针对性是教学原则的重要属性。第五,人们从不同角度,为了不同目的,对整个教学工作和全部教学活动所提出的"基本要求"也就大大小小、各种各样。但显然这些大大小小的"基本要求"是有各自适用范围的,而并不同在一个层面上。因此层次性是教学原则系统的重要属性。

教学原则的这些基本属性表明:人们可以也应该随着时代的进步,特别是教育理念、教育目的和手段的更新,而制定出适应时代需要的教学原则；同时教学原则的确立也应该体现某种教育理念和价值取向，具有一定的理论指导意义。教学原则的制定尤其应该体现学科的性质和特点，体现为教学目的服务的宗旨。就教学原则的体系构成来看，树立层次观念十分重要，有助于对教学原则系统的研究和制定。

(2) 教学原则的层次体系

我们认为，包括第二语言教学在内的各类教学的教学原则是有层次、成系统的。不分层次地等量齐观就可能造成教学原则过多过泛，不区分适用范围便不能有效地发挥教学原则的指导作用。这里试对各类教学原则加以区分。首先，根据是否受时代和教育目的的影响，把教学原则划分为常规教学原则和非常规教学原则；然后，依据适用面的宽窄及适用对象的不同，把非常规教学原则分为上位、中位和下位三类教学原则。

A. 常规教学原则——指不受或基本不受时代和教育目的影响，或者说是多数学科、多种目的的教学都应遵守的常规性的教学原则。前面说过的教学原则具有时代性是就其总的发展趋势而言的，实际上有些教学原则是千百年来形成的、不同教育体制所普遍遵守的普遍规约，即常规教学原则。例如：因材施教、循序渐进、学以致用、巩固性原则、启发性原则、精讲多练原则等。

B. 非常规教学原则——指那些时代性较强、受教育教学目的以及学科性质和特点影响较大的教学原则。其中又分为：

B-1 上位教学原则：也可以叫大原则或总原则，是整个教学工作和全部教学活动都应当遵守的教学原则，其适用范围是全局性的。如一般所说的母语（语文）和外语教学的工具性原则、以学生为中心的原则或以学生为主体教师为主导的原则。

B-2 中位教学原则:也可以叫亚原则或分原则,是部分教学工作或部分教学活动应当遵守的教学原则,其适用范围是局部性的。如课堂教学原则、课型教学原则、课程设置原则、教材编写原则、教学评估原则等。

B-3 下位教学原则:也可以叫微原则或单原则,是某一项教学工作或某一个教学环节应当遵守的教学原则,其适用范围是单一性的。如课堂练习机会均等的原则、作业及时评改及时返还的原则、教学指令简洁明确的原则以及课堂教学的实践意识、语用指导意识、搞活课堂的意识等。

教学原则体系的内部关系是:第一,A类原则体现在B类原则之中。第二,B类原则中"上位→中位→下位"依次是决定和被决定的关系;"下位→中位→上位"依次是体现和被体现的关系。就是说,大原则借助于亚原则和微原则来体现,微原则是亚原则和大原则的具体化,亚原则和微原则必须贯彻和体现大原则。第三,B类原则中概括性由强到弱依次为:上位→中位→下位;针对性由强到弱依次为:下位→中位→上位。也就是说,总原则涵盖面最广、弹性最大,分原则次之,单原则又次之。第四,理论上说,B类原则的数量由少到多依次是:上位→中位→下位。

(3) 对外汉语教学原则确立的依据

上面谈到的教学原则的一般性质和教学原则体系的构成框架,同样适合于对外汉语教学。它们是确立对外汉语教学的教学原则以及教学原则体系建立的基本依据。但是,制定不同层面、适用于不同对象的对外汉语教学原则,还应有更具体的要求和准则。就对外汉语教学来说:B-1类原则(总教学原则)的制定,应该在影响教学工作和教学活动全局的重大问题上(如教学的主体者、学科的性质和特点、教育教学的目的、教学路子的走向等),作出明确的规定、提出行动的指南。B-2类原则(分教学原则)的制定,应主要依据总教学原则、服务并服从总教学原则的要求;同时也要结合分教学原则所适用对象的性质和特点等因素,来制定有关教学工作或教学活动所应遵循的基本要求。B-3类原则(单教学原则)的制定,应符合并服务于总教学原则和分教学原则的要求,同时要考虑到单教学原则针对性极强,即"一事一则"的特点。

(4) 对外汉语教学的总教学原则

对外汉语教学的上位教学原则,不仅指导整个教学工作和全部教学活动,而且指导中位和下位教学原则的制定,对教学实践有着广泛而深刻的影响。由于它指导性强、影响面大,因此不仅成为教学原则理论中最具实用价值的核心内容,就是在语言教学理论中乃至学科基本理论体系中都占有特殊而重要的位置。根据上面的论述,结合前人的研究和教学的实际需要,我们把现阶段对外汉语教学的上位教学原则,即具有教学法意义上的总教学原则确立为:原则一,以学生为中心的原则;原则二,以交际能力的培养为核心的原则;原则三,以结构、功能、文化相结合为框架的原则。这几条原则并不是我们的发明,我们只是把它们提升为总教学原则并在某些方面(如原则一)的提法和强调的重点与以往有所不同而已。其中,原则一体现了在教学的核心关系——师生关系及"教"和"学"关系上的重心取向;原则二体现了学科的根本性质和特点;原则三体现了在学科发展方向上的理论追求。

3. 教学法理论

(1) 教学法的含义

第二语言教学(包括外语教学)中的"教学法"一词,大致有四种不同的含义:其一,指整个第二语言教学学科的理论和实践,成为学科的代名词,如外语教学法、英语教学法(即英语作为外语教学的理论和实践);其二,指某种教学法流派,如听说法、功能法(交际法);其三,指教学过程中使用的具体方式和方法,如语言点讲解中使用的归纳法、演绎法;其四,有人也用来指一般所说的课堂教学技巧,如调动学生的技巧、板书的技巧等。我们这里所说的对外汉语教学学科基本理论中语言教学理论里的"教学法理论",是指第二层和第三层含义,即教学法流派和教学中使用的具体教学方法。因为,"教学法"的第一层含义是第二语言教学的理论和实践的总称,即整个学科的理论体系,显然不是这里所要讨论和所能讨论得了的;第四层含义上的教学法属于我们所说的学科应用理论研究的内容,而不在学科基本理论的范围内。实际上第二和第三层含义上的教学法,都具有理论和实践的双重性质,即兼有理论研究和实践(应用)研究的双重性质,但比教学技巧之类等理论性要强得多。

(2) 教学法流派研究

教学法流派研究,主要指对国外第二语言和外语教学法流派(如语法翻译法、直接法、视听法、自觉实践法、交际法等)的研究。包括系统地介绍、分析和评价各主要教学法流派的历史背景、理论基础、基本原则、教学过程、典型教材等等,总结教学法流派形成的规律和发展趋势,吸收和借鉴其合理成分,从而丰富和完善对外汉语教学的学科理论,促进教学效率的提高。这对发展和建设中的对外汉语教学学科来说是必不可少的重要一环。因此我们把对教学法流派的研究归入学科基本理论的范围内。事实上,我国对外汉语教学界和外语教学界始终十分重视对国外教学法流派的理论研究,并结合实际不断吸取营养。我们认为,对国外教学法流派的研究应把握两条基本原则:

第一,研究国外教学法流派的着眼点不在于寻找最佳流派,因为每一种流派在第二语言教学的发展历史中都作出过应有的贡献,都有其合理和可取之处,也都有其不足和缺陷。因此没有哪一种教学法流派是完美无缺的,也没有哪一种流派毫无可取之处。因而追求最佳教学法(流派)的做法是不现实的,也是不可取的。研究国外教学法流派的目的在于吸收和借鉴,在于总结第二语言教学法发展的动因和发展趋势,根本目的在于为确立符合汉语教学实际的教学原则理论乃至教学法(流派)服务。

第二,国外各种教学法理论和流派,都是建立在与汉语语言类型有较大差别的语言(教学)基础上的,并且文化传统和教育传统都与我国有很大的差别。因此在研究和借鉴国外教学法理论和流派的过程中要特别避免有意和无意的照搬和套用,而要特别注意结合汉语的特点和中国的文化传统和教育传统来加以吸收和利用。

(3) 教学方法研究

这里所说的教学方法,主要指课堂教学和教材编写过程中,处理语言知识传授和语言技能训练以及处理语言知识转化为语言技能的具体方式和方法。比如,如何讲解词语,怎样引出语法点,用什么样的方式方法训练听说读写各项技能,课堂教学和教材编写中如何把结构、功能和文化结合起来,不同课型传授语言知识和进行技能训练的方式方法有什么特点,等等。研究课堂教学的具体方式方法并上升到理论的高度,无疑将有效地促进教学质量的提高。任何一种第二语言教学、任何一堂课的教学,都体现一定的教学原则和使用着某种具体的教学方法,不管教师是否明确意识到这一点。而所用的具体教学方式和方法是否符合第二语言教学规律和教学原则、是否符合具体课型的特点,直接影响教学效果的好坏和教学效率的高低,这一点也是毫无疑问的。因此,要在第二语言教学原则的指导下,加强对教学方法的研究,特别是加强对课堂教学的调查研究,不断总结经验并加以理论化。根据吕必松的研究,这种具体的教学方法与教学原则有如下主要区别:第一,教学原则的制定必须以语言教学规律为依据,而不能由任何个人加以创造;教学方法则可以在教学原则的指导下根据教学对象和教学内容的特点加以创造,即教学方法具有可创造性。第二,教学原则对同一类教学对象和同一种教学类型有普遍的适用性,而教学方法可以有较大的选择性,也就是说,在同样的教学原则指导下,可以采用不同的教学方法。第三,教学原则贯穿于整个教学过程和全部教学实践活动中,而教学方法则主要体现在教材和课堂教学中。[1]

4. 中国传统教学观

中国的对外汉语教学是在中国的传统文化和传统的教育思想的土壤上进行的,中国教师有着浓厚的中华文化底蕴和传统的教育观念。这样一种文化背景和教育观念,无不深刻地影响

---

[1] 参见吕必松《再论对外汉语教学的性质和特点》,《语言教学与研究》1991年第2期。

着教师的教学工作和整个教学活动的进行,而我们的教学对象是以与中国的文化传统和教育观念很不相同的另类文化传统和教育观念为背景的。这样一种客观现实就要求我们必须结合教学对象的特点来研究中国的传统教育思想、教育理念、教学原则和教学方法,以便把握哪些适应、哪些不适应教学对象的特点。尤其要研究那些不适合国外教学对象的观念、要求和做法,并从中作出取舍和调整。对那些国外学生不了解不适应而又确有必要保留和确有必要让国外学习者了解、理解的因素应适时加以介绍和解释。这样既可以克服由于教育观念等的不同所造成的学习障碍,又能够在我们的教学理论中吸收中国传统教育思想的合理成分。比如:(1)中国传统教育的教学观认为,教在前、学在后,教为主、学为次。这种教学观"更多地重视教的一面,强调发挥教师的主导作用,而对学的一面则往往重视得不够,忽视了学生的学习能动性。同样道理,持这种文化心理的人,是不会提出'以学生为中心'的口号的"①。这就要求我们的教师在教学中要尽量克服"以自我为主、以自我为尊""以教为重、以讲为主"的观念和心理,而要更有意识地调动和发挥学习者的积极性。(2)中国传统教育中的学习观认为,读书学习是重要的、高尚的,但读书学习绝不是一件轻松的事,而必须要吃苦。所以才有"头悬梁,锥刺骨"的故事,才有"书山有路勤为径,学海无涯苦作舟"的古训,才有"苦工夫""寒窗苦""苦读书""苦学生"之类的词语,"具有这种文化心理的民族是不可能创造出躺在椅子上,听着音

---

① 参见张亚军《对外汉语教法学》,现代出版社1990年版,第94页。

乐,舒舒服服学习外语的教学法"来的。① 这样一种学习观,必然对学生要求严格,讲究"冬练三九,夏练三伏",讲究"严师出高徒";也就必然会要求学生预习复习、朗诵背诵;也就必然不会注意研究教的方法和学的方法,等等。这许多观念中有的不仅不是错的,也许恰好是中国传统教育观念和学习观念及其方法中值得吸收和借鉴的,特别是对于语言学习而言,如朗读和背诵。因此,关键是要站在"对外"汉语教学、站在文化传统和教育传统与我国有着很大差异的"外国"学习者的立场上,来研究和审视我们的教育理念和方法,并在教学中加以必要的调适、向学生作出必要的解释。

(四) 跨文化教学理论

1. 文化教学的地位

对外汉语教学本质上说,既是一种第二语言教学,也是外语教学。② 而第二语言教学和外语教学都属于跨文化教学,主要体现为教学内容——目的语本身以及与语言交际相关的文化,对于学习者来说都属于另类文化;学习者学习目的语的过程实质上是跨越自己的母文化学习另类文化的过程;教师教授目的语的过程也是教授给学习者另类文化的过程。因此,对外汉语教学是一种跨文化的教学,学习者无论是当前还是未来,只要是以目的语为工具进行交际,就是一种跨文化的交际活动。了解和掌握目的语所赖以生存的文化,进而形成文化适应能力是目的语交际能力的重要组成部分及其体现。跨文化交际(Intercultural Communica-

---

① 参见张亚军《对外汉语教法学》,现代出版社 1990 年版,第 94 页。
② 参见吕必松《谈谈对外汉语教学的性质和特点》,《语言教学与研究》1983 年第 2 期。

tion),一般指具有不同文化背景的人们所进行的交际行为。20世纪70年代以后,对跨文化交际的研究越加受到外语教学界的重视,也取得了一些共识性的认识。例如:(1)文化无所不在,无所不包,但又往往是不自觉的,即对于多数人来说,诸如价值观念、信念和信仰、风俗习惯、行为模式等都是不自觉的,或者说是理所当然的。(2)文化既有统一性和延续性的一面,又有差异性和变异性的一面。任何民族都有自己统一的文化,这种文化具有延续性,但随着时间的推移,文化又发生某些变化,使得不同地区、不同社会阶层,乃至同一地区、同一社会阶层以及个人之间的文化又有差异性。因此,在介绍文化习俗时要注意避免过于笼统,否则就会失之准确。(3)由于文化是不自觉的,因此在接触另一种文化时,人们往往以自己的文化为出发点作出判断。由于自己文化"先入为主",因而对另一种文化就会感到不适应,甚至出现"文化休克"(culture shock)。[①]

所以,研究跨文化交际,特别是跨文化语言交际的理论和实践,是对外汉语教学学科理论研究的重要内容和学科理论的重要组成部分。研究的目的是为了指导对外汉语教学实践,研究的重点是揭示跨文化交际的特征,特别是跨文化交际中的文化差异和文化冲突,进而提高学习者对文化差异的敏感性,增强他们对目的语文化的适应能力。总之,无论是从跨文化交际的角度,还是从第二语言教学本身来看,研究语言教学中的文化问题都应该成为学科理论研究的重要内容,这是由第二语言教学所具有的跨文化性决定的。文化教学在第二语言教学中是必不可

---

① 参见胡文仲《跨文化交际与外语教学》,《外语教学与研究》1985年第3期。

少而不是可有可无的,但是根本上说文化教学在第二语言教学中是属于第二位的,是为语言教学服务的。

2. 文化教学的内容

"文化"是一个内涵非常广泛的概念,显然并不是其中所有的内涵都必然地是第二语言和外语教学的教学内容。语言教学和文化教学在教学目的、教学内容、教学原则和教学方法等方面都有着本质的区别。作为第二语言和外语教学必不可少的文化教学内容,是指语言教学本身所不应和不能脱离的文化因素的教学。这里所说的文化因素,是指跟对目的语的理解和用目的语表达密切相关的文化因素,主要是隐含在目的语的结构系统和表达系统中反映该民族的价值观念、是非取向、衣食住行、风俗习惯、审美情趣、道德规范、生活方式、思维方式等方面的特定的方化内涵。具体来说,这类文化因素体现在目的语的语汇系统、语义系统、语法系统和语用系统中,它们对语言的理解和运用有着重要的甚至是不可或缺的规约作用。因此,在第二语言教学过程中,如果不同时揭示语言中所包含的这类文化因素,就无法理解这种语言,更无法正确地使用这种语言进行交际。而这类隐含在语言的结构和表达系统中的文化因素,外族人无法知晓,本族人又习焉不察,因此往往造成文化上的冲突和交际上的障碍。只有从跨文化教学的角度对不同民族的语言及其语言交际进行系统性的对比,才可能揭示出包含在语言中的这些文化差异。这就决定了进行第二语言教学的同时必须连带进行与之相关的文化因素的教学,而对这类文化因素的研究自然也就成为学科理论研究的内容之一。这就是说,第二语言教学中文化教学和研究的内容主要是与语言本身和语言交际相关的所谓交际文化,而与语言本身及其语言交际不是直接相关的所谓知识文化(如国情文化、社会历史、思想观念以及文学、艺术等广义的文化)则不是第二语言教学和研究所不可或缺的。前者只有在目的语教学的同时加以揭示才能获得,后者则可以通过目的语去获得;前者对学习者来说是雪中送炭,后者对学习者来说是锦上添花。

3. 文化教学的原则

文化教学在第二语言教学中是重要的、必需的,但不是无限制的、无原则的。概括地说,文化教学的根本原则是:语言教学的同时必须教授的是所谓的交际文化;知识文化的教学则要根据学习者的需求和具体的培养目标来决定。即使是交际文化因素的教学也还要考虑到:(1)与语言教学的阶段性相适应,即文化因素教学的适时性;(2)与文化教学服务性相适应,即文化因素教学的适度性;(3)与学习者的真正需要相适应,即文化因素教学的针对性;(4)从跨文化交际的角度看,文化教学中教师还要注意引导学习者增强对文化差异的敏感性和宽容性。前者要求学习者不要以为自己的文化规范是他人都接受得了的文化规范;后者要求学习者不要用自己的文化规范去评判其他文化的"是非优劣"。事实上,教师自己也要增强对学习者的本族文化与目的语文化差异之处的敏感性和宽容性,即教师不要以为目的语文化都是学习者知道和接受了的文化,同样也不要用目的语的文化规范去衡量学习者所持文化的"对错好坏"。跨文化教学要求师生双方既应注意文化的差异,又要注意对文化差异的相互尊重、相互理解、相互包容和相互适应。否则,教师教不好语言,学习者也学不好语言。

第五章
对外汉语教学发展史研究

第一节 对外汉语教学发展概述①

"对外汉语教学"一般是指作为外语或第二语言的汉语教学。

追溯对外汉语教学的历史,早在两千五六百年前,周末《周礼》及秦汉之初《礼记》中所提到的通译已见端倪。而外国人或外族人真正大批到中国学习汉语,则始于汉代("匈奴遣子入学"),盛于唐代,明、清也出现过热潮,这都指来华学习。再溯外国的汉语教学,早在公元372年朝鲜就正式设立太学讲授汉语(即高句丽第17代小兽林五二年);公元一世纪至十世纪佛教传入越南,为研讲佛经,越南人开始学习汉语和汉字;十七世纪后,西方传教士将汉语教学带回德、法、意等欧洲国家,那里的汉语教学往往跟汉学研究融为一体。但不管何时何地教、学汉语,在中华人民共和国成立之前,对外国人的汉语教学始终没有成为一项专门的事业和一种专门的学问。如果以1950年7月清华大学正式成立"东欧交换生中国语文专修班"(班主任周培源先

---

① 本节摘自张德鑫《对外汉语教学五十年——世纪之交的回眸与思考》,《语言文字应用》2000年第1期。编者按:原文发表时注释和参考文献即不完整。

生、副主任吕叔湘先生)标志新中国对外汉语教学事业正式开始,我国对外汉语教学已走过了半个世纪的历程。大致可分为两大时期,即实行改革、开放前30年的形成时期和改革、开放后20年的发展时期。前者又经历了三个阶段:

1. 初创阶段:20世纪50年代初至60年代初,即从1950年的清华大学最先开设"东欧班"至1961年北京大学中国语文专修班与北京外国语学院非洲留学生办公室合并,成立了北京外国语学院外国留学生办公室。由此从无到有建立了新中国从事对外汉语教学的专门教学机构,并初步组成了一支专职对外汉语教师队伍。这10年间共接收了来自60多个国家的3 315名留学生,并开始了向东欧社会主义国家派遣汉语教师(如朱德熙先生为当时首赴保加利亚任教的对外汉语教师)。

2. 进展阶段:60年代初期至中期文化革命前。期间经历了1962年北京外国语学院留学生办公室跟出国留学生部合并,独立建校,成立了"外国留学生高等预备学校"。进而又于1964年经高教部批准,将预校升格改名为"北京语言学院",成为我国唯一一所以对外汉语教学与研究为主要任务的高等学校。1965年夏,两千多越南留学生来华使全国又有二十多所著名高校承担了对外汉语教学任务,仅1965年留学生总数已达到了3 312人。另外,从1961年起高教部决定从一部分重点大学的中文系选拔优秀应届毕业生作为储备出国汉语师资到北京外国语学院或北京大学进修三年外语,至"文革"共培养了四批一百多人,他们后来成为我国对外汉语教学的中坚骨干力量。

3. 恢复阶段:70年代初期至后期,在这之前的60年代下半段正值十年"文革"的头五年,对外汉语教学基本处于停顿状态。但由于70年代初我国在外交上取得了一系列重大突破(如1971年联合国恢复我合法席位,1973年联合国大会第28届会议一致通过将汉语列为大会和安理会的五种工作语言之一;1972年因我国援建坦赞铁路要为这两国长期培养数百名专业技术人员,他们首先需要学习汉语),1972年经周恩来总理批准恢复北京语言学院,并于1973年接收了42个国家的383名留学生。1974年9月9日,毛泽东主席为北京语言学院题写了校名,标志着国家最高领导对我国对外汉语教学的关心和重视。

后20年的发展时期是随着"文革"结束及实行改革开放政策后,国力增强及国际地位的提高,世界需要了解中国,加强跟中国的交往,由此在世界范围内扩大了对学习汉语的需求。这种需求相比过去长期处于缓慢、反复的状况,是一个质的飞跃和突破,取得了令人瞩目的成就。本文意在重点介绍这一二十年来我国对外汉语教学的进展及新世纪初持续发展的一些考虑。前者主要根据我国教育部(前称国家教育委员会,简称国家教委)和国家对外汉语教学领导小组办公室(简称国家汉办)的有关资料等进行"回眸";后者参照一些专家学者的建言,提供一点点"思考"。

这二十年特别是近十年来我国对外汉语教学的加速发展主要体现在两大方面。

一 对外汉语教学正在成为国家和民族的事业

自1988年9月第一次"全国对外汉语教学工作会议"明确

提出了"对外汉语教学是国家和民族的事业"后,这一总体指导思想越来越深入人心,并逐步得到体现。首先,国家有关部门加大了对对外汉语教学工作的关心、支持和领导力度,采取了一系列建国以来首次颁布的重大举措,如:

1990年6月国家教委主任签署了12号令,颁布了《对外汉语教师资格审定办法》,随后成立了"国家教育委员会对外汉语教师资格审查委员会",委员会主任由国家教委副主任担任。

1992年9月,国家教委主任签署了21号令,颁布了《中国汉语水平考试(HSK)》,把HSK确立为国家级考试;后又于1997年8月成立了"国家汉语水平考试委员会",由教育部副部长任主任委员。

1993年在中共中央、国务院颁布的由国家教委制订的《中国教育改革和发展纲要》中明确提出要"大力加强对外汉语教学工作",这是建国以来第一次把对外汉语教学工作写入国家教育法规。此后,"对外汉语"便作为学科名称出现在我国正式的学科、专业目录上。

1998年,经国务院批准把成立于1987年由八个中央部委和一所高校组成的国家对外汉语教学领导小组调整扩大为全部由中央十一个部委组成,即:教育部、外交部、国务院侨务办公室、财政部、文化部、对外贸易经济合作部、国家发展计划委员会、国务院新闻办公室、国家新闻出版署、国家广播电影电视总局、国家语言文字工作委员会。

1999年3月教育部部长陈至立签署了教育部令第2号《中华人民共和国教育部"中国语言文化友谊奖"设置规定》,将授予在汉语教学、汉学研究以及中国语言文化传播方面作出突出贡献的外国学者和友人。

正是中央这些重大、有力的举措,加之我国国力增强、国际地位提高,迎来了近十年对外汉语教学的新发展。主要体现在下列方面:

1. 来华学生数量猛增,层次提高。据教育部国际交流与合作司的统计,1996—1998 三年中,尽管受亚洲金融危机影响,每年来华留学生人数仍都超过 4 万,其中 85% 以学习汉语和中国文化为专业。1998 年的长期生中,学习本科以上课程的留学生占总数的 67.66%,其中攻读硕士、博士学位的人数皆有所增加。此外,驻华外交使团及在华外资企业有越来越多的人,正在业余学习汉语和中国文化,1998 年仅在北京外交人员语言文化中心、北京市外国企业服务总公司和中国国际技术智力合作公司学习汉语和中国文化的学员已达 4 000 多人。

2. 教学规模不断扩大,教学结构逐渐完善。目前全国已有三百多所学校和其他教学机构开展对外汉语教学。其中不少进入"211 工程"的重点大学,以世界名牌大学为目标,制订了庞大的外国留学生招生计划,力争外国学生人数占在校生总数的 10%。全国现有 32 所著名大学,成立了 35 个专门从事对外汉语教学的二级学院。为适应这迅速发展的教学规模,20 年来出版了数量可观的各类对外汉语教材,并形成了一支拥有约 2 500 多名专职、4 000 多名兼职的对外汉语教师队伍。

3. 形成了多渠道、全方位的教学体制。除正规的学校教学外,还有广播教学(已发展到 28 个对外广播汉语教学语种)、个别教学、刊授教学、函授教学、远距离教学等,近年网上汉语教学也已经启动,网上教材已在研制,并将很快达到实用化。中国黄河电视台于 1996 年在美国 SCOLA 电视网开设了汉语教学节目,标志着汉语教学已进入国际影像空间。

4. 汉语水平考试(HSK)已跻身世界上类似英语"托福"考试的最重要的第二语言或外语水平测试之一,并成为世界上最权威、影响最大的汉语水平测试。早在 1984 年底就成立了汉语水平考试研究小组,1990 年 2 月 20 日国家有关部门联合主持的"中国汉语水平考试专家鉴定会"认为:"汉语水平考试(HSK)已初步形成了具有自己特点的模式,达到了一定的标准化和自动化水平;汉语水平考试的研究成果填补了我国汉语水平测试的一项空白,是我国对外汉语教学领域中一项重大突破,对于我国语文考试标准化具有借鉴作用,这个项目在国内外同类研究中处于先进水平。"HSK 在 1991 年开始推向国外,截止目前统计,HSK 考点已遍布世界上包括中国和香港特区在内的 21 个国家和地区,已有 14 万余人次参加了考试。确实,HSK 的推向世界,其意义已远远超出考试本身,从一个侧面让人感受到对外汉语教学是国家和民族的事业。

与此相应,对外汉语教学在国外的影响和发展也十分显著,主要表现在:

1. 汉语教学逐步被不少国家纳入其主流教育体系中。如美国、加拿大、日本、韩国、泰国、澳大利亚等国已先后将汉语列为大学入学考试的外语科目之一,泰国教育部甚至决定在全国中小学普遍开设汉语课程,并在皇家教育电视台开播电视汉语教学节目。为了加强对汉语教学的推广和管理,有的国家教育部门增设了专职的汉语教学督导(如法国),或向我国教育部聘请汉教专家担任他们官方的汉教顾问(如澳大利亚、新西兰),或在政府的支持下建立了以汉教为主的"中国中心"(如俄罗斯、德国)。

2. 随着学生人数的增加,汉语教学在许多国家的外语教学中的排位普遍提高。汉语在日本早已是仅次于英语的第二大外语。韩国 1988 年在大学学汉语的学生仅 1 066 人,至 1996 年猛增至 40 000 多人,汉语也成了第二大外语。美国大学中 1995 年选修中文的人数比 1990 年增长了 36%,是所有外语学生人数中增长幅度最大的语种。法国从 1991 年至 1998 年,开设汉语的高校从 31 所增至 60 所、中小学从 60 余所增至 110 所。澳大利亚新南威尔士州教育部统计公立中小学学中文的人数在 1990 年仅千人,而 1998 年猛增至 14 000 人。不少国家由于师资不足,而只能满足近半数甚至四分之一的申请者学习汉语。此外,还受一种理论影响,即认为汉字学习有利于儿童智力发展,从而使汉语被选作儿童的启蒙语言更多地进入了一些国家和地区对幼儿、小学生的语言教学。这里还要看到世界华文教育的蓬勃发展,除东南亚国家外,特别是北美、大洋洲等移民国家中,我国改革开放后大量留学人员子女在当地需要接受中文教育现已成为大势,由我国大陆学人为其子女开设的中文学校如雨后春笋般涌现,我国专门为此而编写的两套儿童中文教材已进入这一领域,获得良好反响。因而在某种意义和某种程度上,海外汉语教学出现了向中小学发展的趋势。

3. 汉语学习者的成分和目的发生了巨大深刻的变化。为能从事跟中国进行经贸、科技、外交、文化交流等目的而学习汉语已成为主流,已从过去只是少数人出于对汉语丰富的文化底蕴及独特的语言魅力,或出于对中国传统文化的兴趣和爱好而以学习古汉语为主的象牙之塔中,转移到了大众为职业竞争掌握一门外语技能、将汉语作为实用工具的汉教"大市场"。这一学习目的的变化带来了各国汉语教学在生源、教材、体制、教学理论、教学手段和方式等方面的大变革,出现了除正规教学外包括业余学校、个别教学、广播电视教学、网上教学等多种教学模式,特别是运用高科技进行汉语教学在一些发达国家进展较快。

4. 国内外汉语教学与研究的交流合作不断增强。现在每年我国教育部有一百余位公派汉语教师在国外任教,至于通过其他各种途径尤其是民间渠道在国外从事汉语教学的人就更多了。秘书处设在北京的世界汉语教学学会目前有来自40个国家和地区的近千名会员,并举办了六届国际汉语教学讨论会,每届讨论会都出版了高水平的论文集。特别是今年8月在德国汉诺威市举行第六届国际汉语教学讨论会,这是首次在中国境外举办这样大型的汉语教学国际学术会议,是汉语走向世界、汉语教学国际化的重要标志。此外,中国对外汉语教学学会跟美、德、法、英、俄、日、韩等国相应的中文或中国语学会(协会)建立了双边或多边的学术交流关系;我国专家已跟美、法、意、日、韩、越等国家开展合作编写教材的工作;我国每年邀请十余位汉教专家或汉学家访华作短期学术交流,还常年举办各类培训班对海内外汉语教师进行业务培训;逐年增长向国外大学赠送汉语图书、教材及至教学设备。所有这些对外交流与合作,为促进世界汉语教学、扩大中国语言文化的影响,发挥了重要作用。

二 对外汉语教学已成为一门新型专门学科

早在1977年吕叔湘先生在《语言教学与研究》第二期上发

表了《通过对比研究语法》一文，表达了老一辈语言学家对对外汉语教学理论研究的关注和支持，大大激发了对外汉语教学界同仁对学科理论建设的兴趣和重视。1978年北京语言学院前院长吕必松先生在中国社会科学院召开的"北京地区语言学科规划座谈会"上，首次提出"应当把对外国人的汉语教学作为一个专门的学科，应在高校中设立培养这类教师的专业，并成立专门的研究机构"。这一意见得到了与会语言学家的支持，会后发表的《北京地区语言学科规划座谈会简况》中即明确指出："要把对外国人的汉语教学作为一个专门的学科来研究，应成立专门的机构，培养专门的人才。"（《中国语文》1978年第1期）由此，我国对外汉语教学终于开始向学科建设的方向和目标启动。王力先生于1984年9月为《语言教学与研究》创刊五周年题词："对外汉语教学是一门科学。"这标志着语言学界对对外汉语教学学科性质的认同。1984年12月原教育部长何东昌在我国留学生工作会议的报告中明确宣告："多年的事实证明，对外汉语教学已发展成为一门新的学科。"这是我国首次政府行为确认了对外汉语教学已作为一门学科的存在。对外汉语教学作为学科的标志除了前述在教学规模、师资、教材、测试等方面所取得的进展，以及有了对外汉语教学自己专门的研究所、出版社、学术刊物、学术团体等"硬件"外，还主要体现在下列两个方面：

1. 从预备教育到设立博士点

如果说20世纪70年代末之前，我国对外汉语教学的主要任务是汉语预备教育，基本上是一种单科类、低层次的教学。到了20世纪90年代，不仅全国已有20多所高等院校设立了本科汉语言专业或语言文化专业，甚至在这两个专业之下又分设经贸、旅游等专业方向。此外,在80年代经当时高等教育部批准,先后有四所大学设立了专门培养对外汉语教学师资的本科或双学位专业。从80年代中期起有的学校在现代汉语专业下设立对外汉语教学方向的硕士点(1996年就已有9所高校设立了这样的硕士点),培养出一批对外汉语教学的硕士研究生。1999年,经教育部批准在北京语言文化大学设立了我国第一个对外汉语专业博士点,有了本学科的博士生导师,开始培养本学科的高层次人才。

2. 从经验型转为科学型(理论型)

在70年代末之前的近30年里,有关研究对外汉语教学的学术文章不多。周祖谟先生发表在《中国语文》1953年第7期的《教非汉族学生学习汉语的一些问题》大概可算作新中国对外汉语教学研究的开山之作,该文明确提出对外国成年人的汉语教学不同于对我国汉族学生和儿童的汉语教学。此后邓懿(1955)、王学作和柯柄生(1957)、杜荣(1960)等先生也先后发表了有关论文。但那时的研究基本处在对教学中出现的各种问题及现象进行经验总结和交流的层面上,尚未有对外汉语教学的专著出版。

凡能称作一个学科,必须有自己的理论体系。对外汉语教学作为一个专门学科,其理论体系应是什么样的呢?对外汉语教学有其特定的教学对象、教学内容、教学方法及研究领域,既有别于对中国学生的语文教学,又不同于外国学生所选学的其他外语教学。汉语不同于以拼音为书写形式的屈折语言,汉语是一种有声调的分析型语言,其书写形式方块汉字又是一种独特的表意文字,加之植根于华夏大地的独特文化背景,使汉语作为外语或第二语言的教学,包括其教学方式和习得过程等,都有它自己特有的"个性"。对外汉语教学是一门融语言学、心理学、教育学、社会学、文化学等多学科为一体的综合性、交叉性的新型学科,应在实践和发展中,逐步形成自己的学科理论。对外汉语教学的学科理论包括教学理论和基础理论两大方面,并以前者为核心把两者结合起来,从教学实践出发,又以教学实践为归宿。自20世纪70年代末明确提出了要把对外汉语教学办成专门学科后,对外汉语教学界的广大教师、学者开始建立起学科意识来从事教学和研究。尤其在国家汉办的领导和规划下(先后制订了三次较大的三年科研规划),积极引进、借鉴国外第二语言教学理论,结合我国对外汉语教学及汉语言文化自身的性质和特点,逐步建立起本学科的理论框架,并形成本学科的特色。20世纪80年代以来经近20年的努力,除发表了数以千计的学术论文及出版了数十种历届全国对外汉语教学研讨会论文选(6届6部)、历届国际汉语教学讨论会论文选(5届5部)、各类专题研讨会论文选多部、地区对外汉语教学讨论会论文选多部等外,还出版了一大批有关学科理论建设的专著。主要有:

教学理论及教学研究方面的专著如:王还《门外偶得集》(1987);吕必松《对外汉语教学探索》(1987)、《对外汉语教学发展概要》(1990)、《华语教学讲习》(1992)、《对外汉语教学概论》(1996);盛炎《语言教学原理》(1990);赵贤州、李卫民《对外汉语教材教法论》(1990);李杨《中高级对外汉语教学论》(1993);梅立崇《汉语和汉语教学探究》(1994);周小兵《第二语言教学论》(1996);杨惠元《听力训练81法》(1996)、《汉语听力说话教学法》(1998);张德鑫《中外语言文化漫议》(1996);崔永华、杨寄洲主编《对外汉语课堂教学技巧》(1997)等。这些专著特别是吕必松的研究，论述了对外汉语教学的性质和特点，提出了学科建设的任务及总体设计的理论框架，并对教学本身进行了广泛的、多角度的研究。

对外汉语教学的存在和发展首先得以汉语言学作基础，结合对外汉语教学需要对汉语进行本体研究的专著如：刘月华等3人编著《实用现代汉语语法》(1983)、许德楠《实用词汇学》(1990)、房玉清《实用汉语语法》(1992)、郑懿德等4人编著《汉语语法难点释疑》(1992)、张普《汉语信息处理研究》(1992)、王还主编《汉英对比论文集》(1993)、张静贤《现代汉字教程》(1993)、陈光磊《汉语词法论》(1994)、吕文华《对外汉语教学语法探索》(1994)、王还主编《对外汉语教学语法大纲》(1995)、胡明扬《词类问题考察》(1996)、卢福波《对外汉语教学实用语法》(1996)、常敬宇《语用、语义、语法》(1996)、赵金铭《汉语研究与对外汉语教学》(1997)等。1992年，《世界汉语教学》和《语言教学与研究》两刊编辑部邀请著名语言学家召开了语法研究座谈会，并出版了座谈会论文集《80年代与90年代中国现代汉语语法研究》。此外，还配套出版了一批专为对外汉语教学需要的工具书，如《简明汉英词典》(商务印书馆，1982。另有汉日、汉法、汉阿拉伯、汉德、汉西、汉朝等版本)、《汉语词汇的统计与分析》(外语教学与研究出版社，1982)、《现代汉语频率词典》(北京语言学院出版社，1986)、《汉英虚词词典》(华语教学出版社，1992)、《汉英双解词典》(北京语言学院出版社，1995)、《实用英汉词典》(华语教学出版社，1996)、《汉语常用词用法词典》(北京大学出版社，1997)等。

在对外汉语教学的学科理论建设中另一最有特色的成果是关于语言学习理论的研究。1972年,有"中介语理论之父"之称的英国语言学家塞林格教授(Prof Larry Selinker)首次提出"中介语"(interlanguage)概念。1984年,鲁健骥《中介语理论与外国人学习汉语的语言偏误分析》一文首次将"中介语"理论引进我国语言教学界,并开了用中介语理论对外国人汉语学习过程中的偏误进行剖析研究之先河,开始引起了我国对外汉语教学界对语言学习问题的注意。1992年,《世界汉语教学》、《语言教学与研究》、《语言文字应用》三刊联合邀请了语言学界、心理学界、语言教育界的一些专家学者,召开了语言学习理论研究专题座谈会,会后发表了纪要并出版了与会专家撰写的论文集《语言学习理论研究》,并由此使这一领域的研究在90年代呈现出活跃的局面并取得了长足的进展。其代表性的研究成果除鲁健骥先后又发表了6篇将中介语理论结合对外汉语教学研究的文章外,还如:在引进、评介国外同类研究方面的有孙德坤《错误分析、中介语和第二语言习得研究述评》、俞约法《苏俄语言学习理论研究评介》、王建勤《中介语产生的诸因素及相互关系》、袁博平《第二语言习得研究的回顾与展望》等;在结合对外汉语教学研究学习理论方面的有李宇明《语言学习异同论》、刘润清《第二语言习得中课堂教学的作用》、刘珣《语言学习理论的研究和对外汉语教学》、徐子亮《对外汉语教学理论研究的新思路——对外汉语教学认知规律的探索》和《外国学生汉语学习策略的认知心理分析》、王珊《汉语中介语的分阶段特征及教学对策》、叶步清《汉语书面词语的中介形式》等。尤其是储成志、陈小荷《汉语中介语语料库系统》研制完成,为汉语中介语研究提供了丰富的资源及先进的技术手段,标志着我国汉语中介语研究已进入实质阶段。1998年3月,塞林格应国家汉办邀请访华作学术报告,为今后进一步加强中介语理论用于对外汉语教学的研究跟塞林格建立了交流与合作渠道。

对外汉语教学的学科建设,离不开跟相关学科的交流与借鉴。为沟通对外汉语教学界跟少数民族汉语教学界、外语教学界及语文教学界的联系,促进第一语言教学、第二语言教学和汉语教学等不同门类语言教学之间的学术和信息交流,推动不同门类语言教学的对比研究和综合研究,为更加深刻地认识对外汉语教学的特点和规律并从更高更广的角度论证对外汉语教学的学科地位创造条件,国家汉办于1997年底召开了首次"语言教育问题座谈会",共有来自上述四个不同门类语言教学界的近40位专家学者与会或寄来了书面发言,会后出版了《语言教育问题研究论文集》。学术界反映,这次会议及这本论文集为我国不同门类的语言教学界共同研究语言教育问题开了一个好头。

综上所述,在这世纪之交的历史时刻,我们可以确认,对外汉语教学今天已发展成一门新型专门学科。正如著名语言学家北京大学教授陆俭明先生最近给国家汉办《关于开展对外汉语教学基础理论研究之建议》中对对外汉语教学学科地位所充分肯定的:"'对外汉语教学'已逐渐作为应用语言学的一个分支,成为一门独立的学科。"笔者理解陆先生这里从语言学的角度肯定对外汉语教学为"独立"学科,并非指对外汉语教学可脱离其他相关学科而独自存在,而是强调对外汉语教学作为一门新型专门学科的不可替代性和自主性,它的学科资格和地位应当得到承认和重视。

第二节 中国对外汉语教学的历史回顾[①]

中华人民共和国成立已经40周年了。在庆祝中华人民共和国成立40周年的时候，我们很自然地想到：中国的对外汉语教学也已走过了将近40年的路程。

1949年以前，外国人到中国来学习汉语，一般是请人个别教授，教材和教法基本上是零散的、随意的，没有什么系统。成批接收外国留学生，是中华人民共和国成立以后，从1950年开始的。1950年，中国开始与东欧各国交换留学生，当时教育部（后改为国家教育委员会，下同）对这项工作非常重视，决定在清华大学设立"东欧交换生中国语文专修班"，承担对外国学生教授汉语的任务。40年来，在中国政府的关怀和扶持下，对外国学生的汉语教学，获得了极大的发展，接收外国留学生进行汉语教学的院校，从1950年的1所已经发展到100多所。来中国学习过汉语的留学生已经遍布世界各大洲，他们学成回国以后，有些人成了大学或研究机构的教授专家，有些人成了对华贸易的企业界人士，有些人成了高级翻译或外交官，还有不少人不计个人名利，把介绍中国、发展其本国人民与中国人民的友谊作为他们自己的事业。

经过40年的发展，对外汉语教学已经确立了自己的学科地

[①] 本节摘自李培元《中国对外汉语教学的40年》，《世界汉语教学》1989年第3期。

位,正在形成完整的学科体系。拥有一支数量可观的教师队伍,这支队伍既有丰富的教学实践经验,又有必需的理论素养。为了促进国内各兄弟院校从事对外汉语教学工作者之间的团结与合作,积极开展学术研究,进行学术交流,在教育部的大力支持下,于1983年6月成立了中国对外汉语教学研究会(现改名为对外汉语教学学会)。近几年来,随着中国对外开放政策的贯彻执行,中国与世界各国的经济往来日趋发展,科技、文化交流日益频繁,国外学习汉语的人数也在逐步增多,世界各国已有许多学校开设了汉语课程。在这种形势下,有关对外汉语教学的国际交往也蓬勃展开。中国与各国从事汉语教学的著名学者、专家共同发起,于1985年和1987年在北京举行了两次国际汉语教学讨论会,根据与会代表的倡议,1987年8月成立了世界汉语教学学会,会址在北京。

目前,中国的对外汉语教学事业正以前所未有的速度向前发展。回顾40年的发展历程,认真总结过去的经验教训,对于适应今后对外汉语教学发展的需要,推动这门学科的建设,无疑是很有意义的。

一

新中国成立以后,中国政府积极奉行与各国人民友好的政策。当时根据政府协议交换留学生的有东欧的捷克斯洛伐克、波兰、罗马尼亚、保加利亚以及匈牙利等。第一批留学生为33人。外国留学生到中国来学习,他们必须首先学习汉语。为了对来中国的留学生进行汉语教学,教育部决定在清华大学设立专门的中国语文专修班,全称是"清华大学东欧交换生中国语文专修班"。清华大学非常重视这项新的任务,由当时的清华大学教务长周培源教授兼任班主任。周培源当即聘请曾在美国、英国教过汉语的邓懿、王还等先生担任教学工作,并且成立了清华大学外籍学生管理委员会,主任由吕叔湘先生担任。

1952年暑假,全国进行高等学校院系调整,清华大学成为一所多科性的工科大学,原清华大学的文、理科各系,多数都并入北京大学。"东欧交换生中国语文专修班"也并入北京大学,改名为"北京大学外国留学生中国语文专修班",班主任仍由当时任北京大学教务长的周培源教授兼任,同时任命郭良夫教授为中文专修班副主任,主持日常教学工作。北京大学中国语文专修班根据留学生的不同国别和中文水平,设置了三个教研室,当时担任三个教研室主任的分别是周祖谟先生、邓懿先生和王还先生。1952年暑假新学年开始时,北大中国语文专修班的留学生共有87人,其中东欧各国的留学生44人,其余是朝鲜、蒙古等国的留学生。当时教师共有12人。

随着国际形势的发展,中国与世界各国的文化交流日益广泛,到中国来学习的各国留学生也在逐年增多。20世纪60年代初,非洲各国纷纷要求派留学生到中国来学习,人数相当多。当时,周恩来总理在一个文件上批示:"关于非洲地区要求派留学生来我国学习,我们应该接受、安排,并应专设机构。"当时教育部根据周总理批示的精神,决定从1906年9月起,在北京外国语学院另行设立一个中国语文专修班,专门接收非洲留学生学汉语。与此同时,教育部与有关领导部门研究筹建一所新的高等学校,集中接收所有来中国学习汉语的外国留学生。

1961年7月,教育部作出决定,把北京大学外国留学生中国语文专修班的工作人员调进北京外国语学院,与外国语学院非洲留学生办公室合并,并作独立建校的准备。1962年6月,经教育部批准,外国留学生高等预备学校正式成立。外国留学生高等预备学校是一所以汉语作为外语教学为主要任务的高等学校,是北京语言学院的前身。它的成立标志着对外国留学生的汉语教学摆脱了分散状况和附属于其他高等学校的地位,有了本学科专门的、独立的基地。这一变化说明对外汉语教学迈进了一个新阶段,同时也促进了这一学科的发展。

外国留学生高等预备学校独立建校以后,学校的任务不断扩大,既有外国留学生学习汉语,又有中国学生出国留学前的外语培训;从1964年开始,还承担了出国教师外语教育的任务。学校的名称与学校的任务已不相适应。1964年6月,经当时的高等教育部研究,并报请国务院批准,将外国留学生高等预备学校改名为北京语言学院。

"文革"期间,中国的教育事业受到极大的破坏,正常的教学秩序遭到严重摧残,对外汉语教学也不例外,北京语言学院的教学、科研以及其他工作,全部中断。直到1973年9月,为了适应当时形势的需要,在周恩来总理亲切关怀下,经有关机关决定,北京语言学院又开始接收外国留学生,恢复了教学工作。进入80年代以后,由于中国贯彻执行改革开放政策,中国与世界各国扩大了经济、文化等各方面的交流。到中国来学习的外国学生不仅数量上有了很大增加,而且在地域上遍及世界各大洲,其中西欧、日本、北美的学生数量增多了。这种新形势,有力地推动着对外汉语教学这个新学科的迅速发展。到1988年9月,中国接收外国留学生,承担对外汉语教学任务的院校已有100多所。除了教育系统以外,对外汉语教学工作在侨务系统、外交系统、文化系统以及对外广播中也都得到很大发展。

对外汉语教学这一新学科,正在健康地向前迈进。

二

从 1950 年有计划地接收外国留学生开始,直到 1978 年,这段时间的汉语教学,基本上都是汉语预备教育。留学生学习汉语的目的是:掌握汉语基本知识和技能,具有运用汉语听、说、读、写的能力,进入中国有关大学学习一门专业。50 年代初期,来自东欧各国的留学生,大部分都是学习中国文学、历史和哲学专业的。他们不但需要掌握现代汉语,而且还需要掌握古代汉语的基本知识。因此,对他们的教学计划规定,学习汉语的年限为两年。从 1953 年以后,陆续接收了一些学习政治、经济等专业以及理、工科各专业的留学生,为了尽量缩短他们在中国的留学时间,使他们尽早学成回国,对学这些专业的留学生,根据需要和可能,教学计划规定他们学习一年汉语。

在发展的过程中,到中国来学习的留学生中也有一部分是专门学习或进修汉语的学生。例如 1964 年北京语言学院独立建校初期,就曾经有一批巴基斯坦的留学生,到语言学院来专门学习汉语,学成回国后从事翻译工作。进入 70 年代以后,这种类型的学生越来越多,他们专门攻读汉语,要求学习汉语的基本理论,特别要熟练掌握汉语听、说、读、写、译的技能,学成回国担任翻译工作或者汉语教学工作。这种类型的留学生,在他们学完汉语预备教育的课程以后,不少人希望继续提高汉语的实际水平,要求延长在语言学院的学习期限。为了满足这些专攻汉语的留学生的愿望,北京语言学院开始筹备建立现代汉语专业。1975年5月,校内有关单位就汉语专业的培养目标、教学内容、课程设置以及教学方法等进行了研究,拟定了教学计划,初步明确了现代汉语专业的特点。教学计划规定汉语专业学制四年,毕业后授予学士学位。经过两年的试点,教学效果相当好,受到了留学生的好评。经教育部批准,北京语言学院现代汉语专业于1978年9月正式招收留学生。于是,对外汉语教学又增添了一个新的门类。

汉语专业也招收各国来的进修生。这些进修生中有国外各大学中文系的在校学生,他们在学习期间,到中国来进修一年,也有的是准备写论文,到中国来搜集论文资料的,也有国外各机关团体或公司的在职人员,他们进修的要求是进一步提高汉语水平。

1978年以后,来中国学习的留学生又增加了一个新的类型,即短期来中国学汉语的留学生。为了有针对性地对短期生进行教学,北京语言学院成立了外国人短期汉语进修部(简称"短训部")。短训部的任务是:负责对短期来中国学汉语的外国人的教学工作,并从事短期汉语教学的理论研究和教材编写工作。短期来中国学习的留学生类别很多,有大学生和研究生,他们多数是利用假期到中国来短期学习汉语,有国外的大专院校集体派来的在校学生,有外国的机关、公司派来接受短期汉语培训的学生,也有通过友好团体的联系,个人来中国学习的。短期生到校的时间有先有后,学习期限有长有短,年龄差距很大,汉语水平也参差不齐。这些因素都给教学的组织工作带来很多困难。短训部在教学实践中不断调查研究,不断总结经验,努力做到针对各类学生的具体特点,尽可能使他们在学习上有所收获,在原有水平的基础上有所提高。几年来,短训部的教学工作有了很大的发展,任务不断扩大。1978年开始办短期班时,只招暑期班的学生,现在已经发展成一年四季全年开班了。

在40年的发展进程中,特别是近10年来,由于中国贯彻执行对外开放方针,外国留学生的来源和类别有了很大变化,适应这种形势,中国的对外汉语教学已经发展成为专业设置齐全,结构比较合理的新学科了。

三

对外国学生的汉语教学,从1950年创建时起,在较长的时间内,重视它的人们大多是把它作为一项友好工作、外事工作来对待的,至于业务工作,不少人则认为没有什么学术价值,甚至有人错误地认为教外国人学汉语是一件很容易的事情,会说中国话的就能教。为什么会产生这样一些不正确的理解甚至错误的认识呢?当然,原因是多方面的。笔者认为,很重要的一点是:教外国人学汉语,这是一项新的事业,过去没有人从事过这项工作。对于一件新的、不熟悉的工作,人们不了解它的性质和特点,不了解需要具备什么条件和怎样去做这项工作,因而产生一些不正确的认识甚至误解,自然是难以避免的了。

所幸的是:这项工作从它初创时期,就得到了中国著名语言学家吕叔湘、王力、周祖谟、朱德熙等诸位先生的热情关怀和具体的指导。从1950年清华大学东欧交换生中国语文专修班成立时起,当时吕叔湘先生作为清华大学中文系的教授,就参与了语文专修班的领导工作。1952年北大中国语文专修班时期,周祖谟教授曾经领导过一个教研室的工作。在以后的时间里,他们几位先生对这个学科的发展一直很关心,凡是有关对外汉语教学的活动,他们都尽量参加,给予热情的指导。著名语言学家的关怀和支持,对这门学科的成长和发展具有重要的意义。

经过较长时间的、多方面的努力,最近10年来,人们对汉语作为外语教学的认识有了极大的提高,对外汉语教学已经发展成为一门独立的学科。

衡量一个学科是否能独立存在,主要看它是否有自己的独特的研究对象,是否有独特的学科体系,以及是否有它自己的理论与方法。综观几十年来的教学实践以及科学研究成果,上述几个条件均已具备,主要表现为:对这门学科的性质、特点和规律已有较深入的认识,写出了一批有分量的论文和专著;对各类学生的教学计划、教学大纲已经定型,培养目标、课程设置、各门课程的教学要求等均有明确的规定;编出了一批有一定水平的教材和工具书;教学法的理论和实践已基本建立;制定出了一种比较科学的"汉语水平考试"模式。总之,对外汉语教学的学科体系已经形成,有关的基础理论研究正在深入展开。正是由于广大教师和干部在学科建设方面做了大量的工作,取得了相当明显的成绩,所以这个学科才得到了学术界和有关方面的承认。1978年,在北京召开了一次北京地区语言学科规划座谈会,在京的著名语言学家都参加了,对外汉语教学方面也有代表参加。在这次会议上,明确提出了对外汉语教学是一个专门学科的问题。会后,在《中国语文》1978年第1期上,发表了一篇《北京地区语言学科规划座谈会简况》,其中有一段说:"要把对外国人的汉语教学作为一个专门的学科来研究;应成立专门的研究机构,培养专门的人才。"随后,在纪念北京语言学院编辑出版的汉语作为外语教学的专业性刊物《语言教学与研究》创刊五周年的时候,王力先生为《语言教学与研究》题词:"对外汉语教学是一门科学。"1984年8月,当时的教育部召开了一次来华留学生工作会议。教育部长何东昌在会上作报告,报告中说:"对外汉语是一门新型的学科。"这样,这个新学科得到了政府和学术界的正式承认,坚实地在社会上确立了它的学科地位。

学科地位的确立对这个学科的发展有着非常重要的作用。因为这个学科得到了正式承认,以下几件事情才得以进一步实现。

1. 有关院校在中文系开设了对外汉语教学专业,招收高中毕业的中国学生,专门培养对外汉语教学师资。同时,为了培养具有较高水平的对外汉语教学的师资队伍,1986年以后,一些院校相继招收以对外汉语教学为专业方向的硕士研究生。

2. 成立了"中国对外汉语教学研究会"(现改名为中国对外汉语教学学会)。这个研究会的宗旨是:团结全国对外汉语言文学教学工作者积极开展学术研究,促进国内外汉语言文学教学工作者之间的学术交流。目前已有会员900多人。这个研究会的成立,有利于把分散的力量组织起来,有利于在教学和科研等方面加强国内各兄弟院校之间的交流与协作,推动教学水平和学术水平不断提高。

3. 成立了专门的研究机构和专业出版社。为了加强对外汉语教学方面的研究,不断完善这门学科的科学体系,努力提高教学质量和教师的业务水平,经教育部批准,在北京语言学院原编辑研究部的基础上,成立了语言教学研究所。同时为了解决对外汉语教材和有关论著出版难和出版周期太长的问题,在国家教委和文化部的大力支持下,成立了专业出版社,即华语教学出版社和北京语言学院出版社,专门出版有关对外汉语教学的教材、工具书以及专著等。

4. 对外交流发展迅速。发展对外交流,既是我们的需要,也是国外的需要。从我们的需要来说,只有与国外同行专家交流,才能了解国外汉语教学的情况,学习对我们有用的经验。近些年来,中国各大学在有关对外汉语教学的国际交流方面做了大量的工作,特别值得提出的是:1985年8月,由中国和世界各国著名语言学家和从事汉语作为第二语言教学的专家、学者共同发起,在北京举行了第一届国际汉语教学讨论会。来自英国、日本、新加坡、联邦德国、民主德国、澳大利亚、朝鲜、中国香港和东道主中国等20多个国家和地区的260多名汉语教师和专家、学者出席了会议。会上宣读论文180多篇,就汉语和汉语教学的理论与实践问题进行了热烈的讨论。可以说,这是中国对外汉语教学有史以来最大的一次对外交流活动。各方面对这次会议都给予了高度的评价。

5. 与各国同行共同努力,成立了世界汉语教学学会。在1985年第一届国际汉语教学讨论会上,与会代表提了很多加强交流与合作的建议,其中重要的一项是,希望由中国方面负责筹备成立一个世界汉语教学组织。之后,主要由北京语言学院负责与国内外部分同行反复磋商,进行筹备工作。经过各国同行的共同努力,到1987年7月,筹备工作已经接近完成。1987年8月,在第二届国际汉语讨论会闭幕以后,举行了世界汉语教学学会成立大会,会址在北京。中国第一批加入世界汉语教学学会的会员有来自62个单位的190人。世界汉语教学学会的成立,必将广泛地团结世界范围内的广大教师和研究工作者,集中大家的智慧,为开创世界汉语教学的新局面作出贡献。

6. 成立了国家对外汉语教学领导小组。为了适应发展的形势,加强对这一新学科的统一领导,经国务院批准,于1987年7月成立了由国家教委、文化部、广播电影电视部、国务院侨办、国务院外办、外交部、新闻出版署、国家语委及北京语言学院的负责人组成的国家对外汉语教学领导小组,统一规划、协调和领导全国的对外汉语教学工作。

上列6项,充分反映了这一学科在国家实行对外开放政策的形势下所取得的进展,同时对今后推动这个学科的大发展,必将产生极其深远的影响。

四

对外汉语教学这门年轻的学科,已经走过了40年的历程,取得了显著的成绩。50年代初,这门学科初建的时候,当时是没有现成的经验可以继承的,只有认真参加教学实践,不断总结经验,逐步探索教学规律。经过40年的不断实践,反复总结,已经建立起了符合这门学科特点的,比较完善的教学体系,积累了十分丰富的经验。笔者认为,主要的经验有以下几点:

1. 必须明确认识对外汉语教学是一种外语教学

无论做什么事情,都必须首先明确这件事情的性质,否则,就很难把这件事情做好。外国人学汉语,是作为一种外语来学的,所以,教外国人汉语,其性质是一种外语教学。对外国人进行汉语教学,不是一般地传授知识与技能,而是培养他们运用汉语进行交际的实际能力。因此,教学的总体设计、教学内容、教学方法以及测试等,都必须符合汉语作为外语教学的性质和特点。如果对这个学科的性质认识不够明确,贯彻不得力,势必使教学效果受到损失,不能达到教学的最终目的。

2. 要特别突出强化教学

如前所述,我国的对外汉语教学是从对外国留学生的汉语预备教育基础上发展起来的,而且直到现在,汉语预备教育仍然是很主要的一部分任务。一年制的汉语预备教育,具有教学时间短、任务重的特点。在短短的两个学期实际只有 8 个月的时间内,要培养外国学生具备入系学习专业的汉语水平,不言而喻,这个要求是很高的。因此,要特别突出强化教学。强化教学的实质是:最大限度地调动学生的积极性,以高度集中的方式组织教学,使学生在较短的时间内,更快地掌握汉语的基本知识和技能。强化教学的主要措施是:

(1)小班多课时,每个教学班一般为 8—10 人;每周教学时数一般为 24 学时。

(2)教学进度快,量大。

(3)提高课堂训练强度。

强化教学的基本要领,不仅对汉语预备教育这个类别的教学适用,对短期班的教学和对四年制的汉语专业基础阶段的教学也是适用的。

3. 要在教学中贯彻实践性原则

教学原则是教学过程中必须遵循的基本要求。它是根据教学目的和教学过程的规律提出来的,是教学实践的总结。教学原则反映人们对教学过程客观规律的认识。随着人们对教学规律认识的加深,不断提出新原则,修改或补充旧的原则。

20世纪60年代,通过我们的教学实践,并且参考外语教学法专家的论述,提出了在我们的教学中,要认真贯彻实践性原则。实践性原则经过多年的教学检验,是行之有效的,是符合我们的教学特点的。

实践性原则的主要内容是:作为外语教学的对留学生的汉语教学,是一门实践汉语课。学生从不会说一句汉语到掌握运用汉语听、说、读、写的各项技能,是一个非常复杂的技能获得过程,离开大量的、反复的实践是没有其他道路的。当然这种实践绝不是盲目的实践,学生一开始从事的实践,就是教师根据教学的目的要求,按照教学的规律,有计划地安排的,是在一定的理论指导下进行的。

课堂教学方法上贯彻实践性原则主要体现在"精讲多练"中。其要点有:

(1)要规定"讲"和"练"的时间比例,"练"的时间应当多于"讲"的时间,大体应为 4∶1。

(2)"讲"要分清主次,简明扼要,画龙点睛,便于学生记忆。

(3)"练"要有周密的安排,要很好地处理基本练习和应用练习的关系。要讲求实效,防止蜻蜓点水,要让学生真正掌握言语技能。

4. 要有针对性,按照不同的教学对象,区别对待

我们的教学对象是来自几十个国家和地区的留学生。他们的文化水平、知识素养、宗教信仰、心理特征、学习习惯、年龄以及接受能力等等存在着很大的差别。特别是他们各自不同的母语,与汉语相比较,存在着很大的差异。最明显的例子,如:欧美

各国留学生学习汉字感到很困难,而日本学生学习汉字一点儿也不难,因为日语书面语也用汉字。吕叔湘先生在《对外汉语教学研究会成立大会贺词》中说:"……把汉语教给英美人,或者阿拉伯人,或者日本人,或者巴基斯坦人,遇到的问题不会相同……"既然我们的教学对象存在着这么多的差异,我们在教学中就必须强调针对性。确定教学内容、教学进度、教学的重点和难点以及教学方法等,都要尽可能地根据不同对象的具体情况区别对待,才能收到较好的教学效果。尽管在一个教学班里有时可能包括不同国别、不同类型的学生,我们在教学活动中也应该注意针对性。例如课堂提问,就要从不同学生的实际出发,量体裁衣。不要向学习比较困难的学生提难问题,也不要向高才生提容易的问题。

5. 要认真贯彻"严格要求、认真帮助"的方针

"严格要求"主要指在学习成绩方面,要求学生达到教学计划规定的培养目标,不放松,不降低标准。这里需要指出的是:培养目标应当尽量明确、具体,不宜过于笼统。例如:"打下初步汉语基础"之类。这样的提法,可以理解得很高,也可以理解得较低,不便于检查。同时,最好按照教学阶段规定出分阶段的具体要求。有了明确的目标,就要严格要求学生努力达到标准。

"严格要求"还体现在对学生的学习纪律、学习态度等方面。一个外国学生,初到中国,从他原有的学习习惯过渡到适应中国的学习习惯,有的人可能感到很紧张,因而出现上课迟到、缺课、课外作业拖拉或者粗心大意等现象。对这些现象也应该严格要求,不能轻易放过。当然,应该采用多种积极的方式,引导他们

适应在中国的学习习惯。

一个外国学生,在较短的时间内要学好汉语,任务是相当艰巨的,其间必然会遇到不少困难,这是可以理解的。因此,教师应该倾注全力、热情而又耐心地进行帮助,包括课外辅导以及批改作业等教学环节。只有对学生认真负责,严格要求,热情帮助,精心培育,才能使学生达到预期的目标。

6. 要重视基础理论建设

在我们的汉语作为外语教学的工作中,20世纪80年代以前,由于教学任务重,教师的课时都排得很满,几乎没有时间去搞理论研究。长期以来,由于理论研究没有什么进展,认识上没有提高,因此,教学上有不同意见的问题一直得不到很好的解决。进入20世纪80年代以后,教师人数增加了,领导上也比较重视理论研究了,理论研究取得了一些进展,教学中存在的具体问题也得到了一定的解决。从这里我们认识到加强理论研究的重要性。特别是作为一门新的学科,要完善这门学科的体系,重视基础理论建设更为必要。

要开展对外汉语教学的理论研究,当然离不开哲学、语言学、心理学和教育学,它们是对外汉语教学的科学基础。如何把这些理论运用到对外汉语教学中来,必须经过科学的、细致的转化过程。

要善于不断总结自己的实践经验,同时又要密切注意国外语言教学的理论和方法的新发展,吸收有用的东西来充实和改进我们的教学。在借鉴和吸收国外语言教学的理论和方法中有益的成分时,一定要立足于我们的教学实际,这一点是很重要的。

7. 要培养一支坚强的师资队伍

提高对外汉语教学的质量,加强对外汉语教学的理论建设等,都需要教师去完成。培养一支坚强的师资队伍就是非常重要的了。对外汉语教学的性质、特点和任务决定了他们必须具备坚定的方向,有作为对外汉语教师的荣誉感;精通汉语的理论知识和技能,而且掌握一门外语;具备哲学、语言学、心理学、教育学、语言教学法等方面的专业知识;而且需要具有高度的文化素养,熟悉中国和外国的有关文化知识,还需要具有组织教学的才能。

培养这样一支坚强的教师队伍,需要通过各种途径,做多方面的工作。其中很重要的一条就是在职培训,根据教师队伍的构成,完善其智能结构。

第三节 对外汉语教学的历史研究①

一

本文要讲一个我们还知之甚少,但很重要又很诱人的题目,这就是,我们应该重视对外汉语教学历史的发掘与研究。说其重要,是因为这是对外汉语教学学科建设中不可缺少的一部分。任何一个学科的建立,都有其历史渊源,都不可能是

---

① 本节摘自鲁健骥《谈对外汉语教学历史的研究——对外汉语教学学科建设的一个重要课题》,《语言文字应用》1998年第4期。

无源之水,无本之木,都是经过很长时期的积累、发展,到了一定的时候才成熟,成为一门科学。比如,语言学作为一门科学,从建立到现在还不到二百年,但是人们对语言的研究却有两千多年的历史了。如果没有前面两千多年的积累和发展,语言学也不会突然出现。对外汉语教学也如此。对外汉语教学形成学科,那是很晚的事。但是这不等于此前没有对外汉语教学。事实是,对外汉语教学也已经存在了一两千年了,它也是在不断地发展。正是因为有了长期的积淀,它才在今天的社会条件下趋于成熟,发展成为一门新型的学科。今天社会上仍然有许多人不承认对外汉语教学是一门学科,甚至一些从事对外汉语教学的同志,也没有建立起学科意识。他们认为我们说对外汉语教学是一门学科,是故弄玄虚,是出于某种实用的目的。这种观点,恐怕就是不了解对外汉语教学的历史所致。问题是,我们自己对于对外汉语教学的历史,也还是一片混沌,缺乏研究。这不能不说是一个缺憾。我们可以看看现有的各种学科,哪一个没有自己的历史?有史有论,是一个学科存在的必不可少的条件。近二十年来,对外汉语教学的学科研究取得了长足的进步,可以说,在"论"的方面,有了一定的基础;在"史"的方面,显得十分不足。到目前为止,还只有一些很零散的记述。因此,我们应该改变这种状况,尽快地开展起对外汉语教学历史的研究。

　　研究对外汉语教学的历史,主要的目的还不是为了使别人认可,而是为了弄清楚对外汉语教学在历史上是怎样发生和发展的,这中间有哪些有规律的东西,有哪些经验教训,有什么可以继承的遗产。这是一件非常有意义的工作。现在,无论中外，一说起外语教学，一说起外语教学法，都是西方的，好像东方——中国就没有外语教学，就没有外语教学法。西方人写的外语教学历史，从来不包括东方的，当然也不会讲到中国的。我手头有两本外国人写的外语教学史。一本是加拿大人写的《语言教学 2500 年》，一本是美国人写的《外语教学简史》。两本书都是从古希腊罗马写起，却没有一个字是写东方的。这原因是多方面的。有些是作者不了解东方。一些正直的学者很为此而遗憾（如英国社会语言学家 Hudson）。我们不能排除有些作者对东方，对中国抱有偏见。可我们自己呢？因为我们对自己的历史也缺乏研究，所以说起外语教学法来，也都是把外国人的东西拿来。那么，是不是我们自己没有值得研究的东西呢？就是从很零散的材料看，并非如此。从这个意义上来说，我们研究对外汉语教学的历史，也是填补西方人写的外语教学史的空白，说得更重一些，可以打破某些西方人对中国，乃至对东方在外语教学上的偏见。我们应该有这个志气。

二

上文讲过，我们对于对外汉语教学历史的了解还很少，掌握的资料还很零散。有的同志曾经对这些资料进行过一定的梳理，但远远没有形成规模，更没有成为体系，研究方面还没有起步。这里提出一些思路，期望引起同仁的兴趣和重视。

1. 我国的对外汉语教学，从汉代开始，一直没有中断。发展的路子似乎有两条：一是学校教育，一是宗教的传播。

外国人到我国来学习汉语汉文，汉代就已经开始。付克先生在《中国外语教育史》①中讲到东汉明帝永平九年(公元66年)时专为功臣樊氏、郭氏、阴氏、马氏的子弟设立学校,称为"四姓小侯学"。由于这所学校聘请的教师水平有时甚至超过当时的太学,名声很大,传到国外,引起外国人的羡慕,"亦遣子入学"。至于唐代,外国留学生就更多了。据记载,唐代的外国留学生都被安排在国子监的国学馆(国子馆、太学馆、四门馆、书馆、律馆、算馆),既学语言,又学文学及其他专业,学制是6—9年。唐代是我国对外汉语教学的一个高峰时期。这种体制一直延续到以后各朝。比如元代的蒙古国子学,是专为蒙古人和色目人办的。色目人包括很广,其中很多应该说是外国人。再如清康熙二十八年(公元1690年)开始在北京国子监设俄罗斯学馆,接收四名俄国留学生,学习中文。经过雍正,到乾隆五十九年(公元1794年),俄罗斯学馆一直有学汉语的俄罗斯留学生,这些人后来都成了俄国著名的汉学家。

除了中央政府之外,一些外国人聚居的地方也为外国人办学。如唐代宣宗大中年间四川节度使韦皋就在成都办州学专收外国人子弟,"授以教育"。南宋时广州、泉南办有番学,而且其他学校也向外国人开放。那里甚至也有高丽学生学习。

对外汉语教学的发展跟宗教的传播有很密切的关系。无论是佛教、伊斯兰教,还是后来的基督教在我国的传播,都对对外汉语教学起了很大的推动作用。

佛教是先由印度传入中国,再由中国传入朝鲜、日本。不管是到中国来宣传佛教的印度等国的僧人,还是来中国学习佛法

---

① 参见付克《中国外语教育史》,上海外语教育出版社1986年版。

的朝鲜、日本僧人,都要首先学习汉语。对各国僧人的汉语教学,与政府办学教外国人汉语几乎是同步发展的。我们知道,自汉以来各朝各代都非常重视佛经的翻译,而参加译经的有不少是外国的高僧。他们在参加译经之前都要学习汉语,这是可以想见的。如果我们翻看一下《高僧传》,就可以发现许多外国高僧的小传中,多有"不久即通华言""渐习华言""又精汉文""精汉文及梵文"等语。马祖毅先生在所著《中国翻译简史》①中介绍外国在华译经的僧人时也提到他们学习汉语的情形。如东晋时的鸠摩罗什(公元350—409年),印度人。前秦皇帝苻坚派吕光去接他来华讲法,不料中途朝廷生变,苻坚被杀。吕光就把他劫持到凉州。吕光称王后鄙弃佛教。鸠摩罗什传教不成,但却学会了汉语。他在凉州居留了十五六年,才被迎到长安去译经。还有一位昙无谶,是西域人。匈奴酋长沮渠蒙逊请他译经。他因不懂汉语,没有立即答应。他学了三年汉语,才开始译经。

如果说那时关于这些外国僧人学习汉语的记载还太简单的话,那么,到了唐代,就要具体得多了。唐代关于朝鲜、日本僧人来华学法的记载是很多的。根据这些记载,我们知道当时把来华学法的外国僧人安排到长安的名刹西明寺学习。他们除了学习佛法以外,也要学习汉语、汉文化,包括书法、绘画等。所以西明寺可算是专门给外国僧人办的学校。

基督教的传入,同样促进了对外汉语教学。传教士们到达中国内地之前都曾刻苦地学习汉语。像著名的罗明坚(Michael

---

① 参见马祖毅《中国翻译简史——五四以前部分》,中国对外翻译出版公司1984年版。

Ruggieri)、利玛窦(Mateo Ricci)、汤若望(Jean Adam Schall von Bell)、马若瑟(Joseph de Premare)等人的传记里,都详细地记载了他们学习汉语的情况。当时澳门是传教士到中国内地之前的集中点,在那里集中学习汉语。上海、杭州、广州、泉州等沿海城市也都曾经是外国传教士入京前学习汉语的地方。

2. 有对外汉语教学,就有对外汉语教师。历史上对此到底有多少记载,我们现在没底。我们可以沿着上面说的学校教育和宗教的传播两条线索去发掘。在学校教育方面,前述"四姓小侯学""俄罗斯学馆"都有关于教师的记载,只是多未见姓名(雍正年间俄罗斯学馆有一位助教叫陈宪祖)。我们现在见到的最早的有记载的有名有姓的对外汉语教师是唐代的赵玄默。《新唐书卷二二二日本传》说:"长安元年(公元701年)……遣朝臣真人粟田贡方物……开元(公元713—741年)初,粟田复朝,请从诸儒授经,诏四门助教赵玄默即鸿胪寺为师。献大幅布为贽。悉赏物贸书以归。"①

在宗教传播方面,我以为,那些教授外国僧人学法的中国僧人,那些与外国僧人合作译经的僧人,或者在基督教的传教中与传教士合作的中国人,许多应该同时也是那些外国僧人或传教士的汉语教师。有的传教士也延请中文教师。这样说,并非臆测。如利玛窦在一些书信中都提到过他聘请中国教师的事:

"罗明坚神父给我留下了二三人帮我学习中国话。"(公元1583年2月13日)

---

① 参见谢海平《唐代留华外国人生活考述》,[中国台北]商务印书馆1978年版。

"视察员神父训令我在今年内,加功读中文,今年我便请了一位中国先生。"(公元1593年12月10日)

"今年摒挡一切,请一位中文先生,试作中国文章,结果颇称顺利。每天听先生讲两课,又练习作一短文。"(公元1594年)①

"徐光启是被人们所称之为汤若望的汉文教习的。"

"据我们所知,实际上,他(汤若望)编辑他的一切作品时,都曾利用了中国职业学者底襄助的。"②

这里提到的徐光启是我们大家都熟悉的。他是我国明末的科学家。他中举之后做过礼部尚书、翰林院学士、东阁学士、文渊阁学士等职。他与传教士有交往,他跟利玛窦合作著书译书。不难想象,他同时也是利氏的汉语老师。

清康熙年间在华的马若瑟,是当时传教士中学中文最用力、水平较高的一个。马若瑟写过一部《经传议论》,方豪著《中西交通史》说马若瑟"得力最大者,则为刘二至先生","二至为马氏之小学师"③。

现在我们有许多对外汉语教师出国任教。其实历史上出国任教的教师也是各朝都有,而且出了不少著名人物。当然,这些人中不都是"专职的"对外汉语教师,有些人是在传播别的知识的同时教汉语的。这里举几个例子。

唐代高僧鉴真和尚其实也是一位对外汉语教师。这不是牵强附会。据《鉴真和尚东渡记》说,鉴真到了日本之后,当时的天皇下令以鉴真的读音作为汉字的标准音。这就是说,鉴真在传

---

① 参见罗光《利玛窦传》,光启出版社1960年版。
② 参见杨丙辰《汤若望传》,[中国台北]商务印书馆1950年版。
③ 参见方豪《中西交通史》,中华文化事业委员会1956年版。

播佛教的同时,又在教汉语,起码是在教语音。

像鉴真这样一边弘扬佛法一边传播汉语的僧人,还有佛教黄檗宗的中国高僧真圆、超然、隐元、大成等。王立达编译的《汉语研究小史》①说,当时(公元1620—1784年)这些僧人形成了一个大规模的汉语研究集团。还有一位在1681年移住江户的僧人心越,也教了许多日本僧人学习汉语,并形成了一个研究汉语的中心。

《汉语研究小史》还记载了明末清初的学者朱舜水(之瑜)1659年为逃避满清前往日本,应邀在日本讲学的事。朱舜水在讲学的同时,也教他的日本学生汉语,而且他的许多学生汉语都说得很流利,可见他的教学成绩斐然。

再看西方。自从传教士到了中国以后,西方各国纷纷兴起了解和研究中国的风气,于是就通过教会从中国聘请汉语教师。1688年时,英国牛津大学就有中国教师教汉语(可惜我们不知道他的姓名)。18世纪初法国傅尔蒙(E. Fourmont)、毕纽(Bignon)、尼古拉·弗雷莱(Nicolas Frerer)等一批著名学者曾跟当时在巴黎的一位中国修士学习中文。这位修士姓黄,是福建兴化人(可惜我们不知道他的中文名字)。武柏索先生在介绍意大利那不勒斯东方大学的文章中比较详细地介绍了19世纪下半叶在该校任教的两位中国教师。一位姓王,另一位是湖北潜江人郭栋臣。他们都编写了许多对外汉语教材,其中以郭栋臣在同治八年(公元1869年)编的一套五册《华学进境》最为著名。②

《世界汉语教学》1994年第3期曾经介绍过正式受聘从

---

① 参见王立达《汉语研究小史》,商务印书馆1964年版。
② 参见武柏索《欧洲第一个汉语研究中心——古老而年轻的那不勒斯东方大学》,《语言教学与研究》1988年第4期。

1879年到1882年在美国哈佛大学教中文的戈鲲化。据作者考证,这是去美国教中文的第一位中国教师。由于他教学成绩卓著,在美国影响很大。

3. 谈对外汉语教学的历史,就不能不涉及教材。目前我们对此所知最少,但也不完全是空白。从几方面的情况推测,大概在教学的初期多采用我国的童蒙读物作为教材。比如百济(朝鲜古国名)的王仁在公元285年东渡日本,教皇子稚郎子学汉语,带去的书中就有《千字文》。《罗明坚传》也提到罗明坚在1581年9至10月间曾把一本中国儿童所用的"研究道德"的小册子送人。虽然到底是哪一本"小册子"我们不得而知,但这里指的显然是童蒙读物。另外,像《论语》、《孟子》等也是经常作教材的。

但不能说古代就完全没有针对外国人特点的教材。较远的教材目前还没有看到,我们通过对某些书的观察,是可以得到佐证的。例如,日本留唐高僧空海和尚撰写的《文镜秘府论》,是一本教写诗作文的书。钱钟书先生认为这本书"粗足供塾师之启童蒙",郭沫若认为这本书反映了当时教外国人的方法。我们沿着二位学人的思路去考察这本书,姑且把它定位在教外国成年人的写作(诗、文)教材。书中大量地引用了唐和唐以前许多著名的诗论、文论,内容深奥,就是在当时也不是小孩子能够理解的。但却又做到了简单、明了、举例丰富,语言比较通俗(除序言外)。这些都符合对成年外国人的特点。这恐怕也是郭沫若所作的推断的依据吧。也就是说,空海在长安留学的时候他的中国师傅就是这么教他的。

如果说把《文镜秘府论》看作是唐朝时对外汉语教材的影子

还是一种推断(当然不是毫无根据的推断)的话,那么元末明初时的《老乞大》和《朴通事》可就是实实在在的对外汉语教材了。这两本书是公认的教朝鲜人学汉语的口语教材。作者不可考。吴葆棠教授最近在一篇文章中指出,这两本书最早流行于我国辽东,后来才传到朝鲜,由朝鲜的学者作成"谚解"。这就是说,这两本书是中国人所编无疑。我们从对外汉语教学的角度审视《老·朴》,感到这两本书编得简直精彩极了,不管从实用价值上说,还是从语言功能、文化价值上说,都达到了相当高的水平。我们过去对《老·朴》的研究,是从语言学和文学的角度。从对外汉语教学的角度研究的,只见到南京大学吴淮南先生一篇关于《朴通事》的文章。显然是很不够的。《老·朴》作为历史上的对外汉语教材,是值得大书特书的。在500多年前,就能编出这样高水平的教材,是很了不起的。这比西方外语教材从方法上,要先进多了。从这本教材看,我们也不应妄自菲薄。

4. 我们还应该加强对现代对外汉语教学的历史的研究,包括解放后对外汉语教学大发展的历史的研究。因为这个时期是对外汉语教学形成学科的最重要的时期,不管从哪个方面看,这短短几十年都超过了历史上任何时期。20年代到40年代,就有老舍、萧乾、曹靖华这样一些著名的作家学者从事过对外汉语教学,而且取得了很大成就。解放以后,几乎所有的老一辈语言学家都直接从事过或指导过对外汉语教学。朱德熙在保加利亚教汉语时的讲义的亲笔手稿,至今还珍藏在北京语言文化大学;吕叔湘曾经做过《基础汉语》、《汉语课本》两套对外汉语教材的顾问和审稿人;1984年王力大声疾呼:对外汉语教学是一门科学,给了对外汉语教学以强有力的支持。胡明扬更是身体力行,对对外汉语教学给予多方的关切和指导。在对外汉语教学界也出现了像王还、邓懿、吕必松等一批杰出的代表人物。在教材建设上、学科理论建设上、课程体系上，也取得了前所未有的进步。这些都说明，对外汉语教学已经成熟了，它可以毫无愧色地立足于学术之林了。

从上面提供的一些线索，我们可以看出：

1. 对外汉语教学的发展跟国力和社会开放的程度有着密切的关系。唐代是我国封建社会的一个高峰，国力强盛，对外开放，因而对外汉语教学也十分发展。康乾朝是清代的鼎盛时期，对外汉语教学也得到了比较大的发展。也只有在解放以后，特别是改革开放以来，我国的国际地位空前提高，使对外汉语教学得到空前的发展，创造了条件，对外汉语教学才有了发展成为学科的可能。

2. 在对外汉语教学的历史上，有许多杰出的人物参与，它本身也造就了许多杰出的人物。这一点或许是对外汉语教学的好的传统。张清常在总结我国上古编写语文教学的经验时说过，"我国历史上许多重要人物很重视编写语文教育初级读物，而且亲自动笔。这不但是我国教育史上的优良传统，在世界教育史上也够得上是值得注意的事。"[①]这段话也符合对外汉语教学的情况。所有对对外汉语教学作出了重大贡献的人，都应该载入对外汉语教学的史册。

3. 对外汉语教学常被人讥笑为小儿科，对外汉语教材更为

---

① 参见张清常《〈说文解字·叙〉书后》，《语言学论文集》，商务印书馆1993年版。

一些人认为不屑一顾。历史证明,这是一种误解或者偏见。拿上面说过的《老·朴》来说,其影响早已超出了国界,超出了对外汉语教学的范围。这两本书传到朝鲜之后,后来成了"钦定"的教材,成了朝鲜人参加科举考试的必读书。更加令人深思的是,首先重视这两本书的不是从事对外汉语教学的人,而是语言学界和文学史家。他们把《老·朴》作为研究元末明初北京话和某些文学作品形成过程的重要材料。在我国,在朝鲜、日本、美国都有不少论文发表。近些年来,对外汉语教材越来越受到学术界的重视。比如邵敬敏、方经民合著的《中国理论语言学史》①、龚千炎著的《中国语法学史》(修订本)②都专门评介了对外汉语教材。这不能不说是令人振奋的事。

三

对外汉语教学史的研究,大有可为。这里对如何开展研究提出几点意见:

1. 当前,最重要的是发掘史实。我上面提到的一些,都是浮在表面的,很零散,还有很多不清楚的地方。这需要多方面发掘。

2. 注意现存史料的整理和研究。就我所知,从 50 年代开始的资料保存得比较完整,但很缺乏整理,而且比较分散。我认为这方面应该投入必要的人力、财力,打破壁垒,把分散的资料集中起来加以整理,妥善保管,并组织研究。不然,有些宝贵的

---

① 参见邵敬敏等《中国理论语言学史》,华东师范大学出版社 1991 年版。
② 参见龚千炎《中国语法学史》(修订本),语文出版社 1997 年版。

资料很有丢失、损坏的危险。前边介绍过的朱德熙先生的讲义手稿纸张早已发黄，笔迹也已开始退色。该是抢救史料的时候了。

3. 注意当前资料的积累。现在，对外汉语教学发展迅速，规模也越来越大，光是高校就有300多所有对外汉语教学。现在就应该着手积累资料。为此，我建议由有关方面组织编写对外汉语教学年鉴。

4. 我们研究历史，也是为了促进今天和明天的发展，因此我以为在发掘、整理、积累史料和资料的同时，可以开展一些断代的研究，个别方面的研究和个案的研究，从中发现值得继承的经验。特别是教学方法方面，我们一些传统的教学方法都是跟汉语的特点有密切关系的，很值得研究，应该利用其积极的因素，或加以改造、发展，使之为今天所用。

5. 对外汉语教学历史的研究，涉及的时间跨度大，地域广，需要查阅的资料浩繁，因此要靠群体的努力才能完成。经过一定的积累和研究，一定能写出我国的对外汉语教学史，从而使对外汉语教学学科走上更加健全、更加完善、更加成熟的轨道。

后　　记

　　编完商务印书馆对外汉语教学专题研究书系中的《对外汉语教学学科理论研究》，我们首先要感谢商务印书馆和本套书系总主编赵金铭先生给了我们这次极好的学习机会，使我们能够系统地重温和研习有关的论著，从中不仅有温故之亲，更有知新之乐和益智之美。在此，感谢对外汉语教学界前辈和同行时贤在相关领域所进行的卓有成效的研究工作及带给我们的优秀成果，尤其要感谢支持我们把自己的作品选入本书的作者。同时，限于篇幅和关注重点的不同，还有许多相关的重要文献没能编入本书，个别重要文章的遗漏现象也恐难免，对此我们深表遗憾，恳请有关作者和读者谅解。

　　本书所选编的这些论文大都是在某一方面有代表性的，许多篇章具有较高的理论价值和学术价值，个别篇章虽然发表的时间较早，但至今仍是有关方面的代表作，选进本书供进一步研究参考。此外，书中的某些观点不尽相同，甚至是截然相反的，我们相信这是学术研究的正常现象，不同的观点可以启发我们对有关问题深入思考。

　　由于教学理论研究和学科理论研究在许多情况下难以一刀切，更由于我们的眼界、水平和经验的限制，我们还没有把握这样选文和编排是否合适，其中除了编选的角度和关注的重点有编者的个人主观因素以外，选编工作客观上受制于现有的研究领域和研究成果也是形成本书框架的一个重要因素。

此外,由于本书系体例上的安排,所选文章的题目编入本书时大都有所改动,原文中的参考文献不再编入本书,原注释和原文中有标记的参考文献一律改为脚注,原文中随文注释不全的地方我们尽量予以补充,相关资料一时没能查找全的我们在文中作了说明。编选这样一本专题研究的文集,对我们来说还是第一次,疏漏和不当之处在所难免,敬希谅解。

编　者

2006 年 4 月